Cidades universitárias: Patrimônio urbanístico e arquitetônico da USP

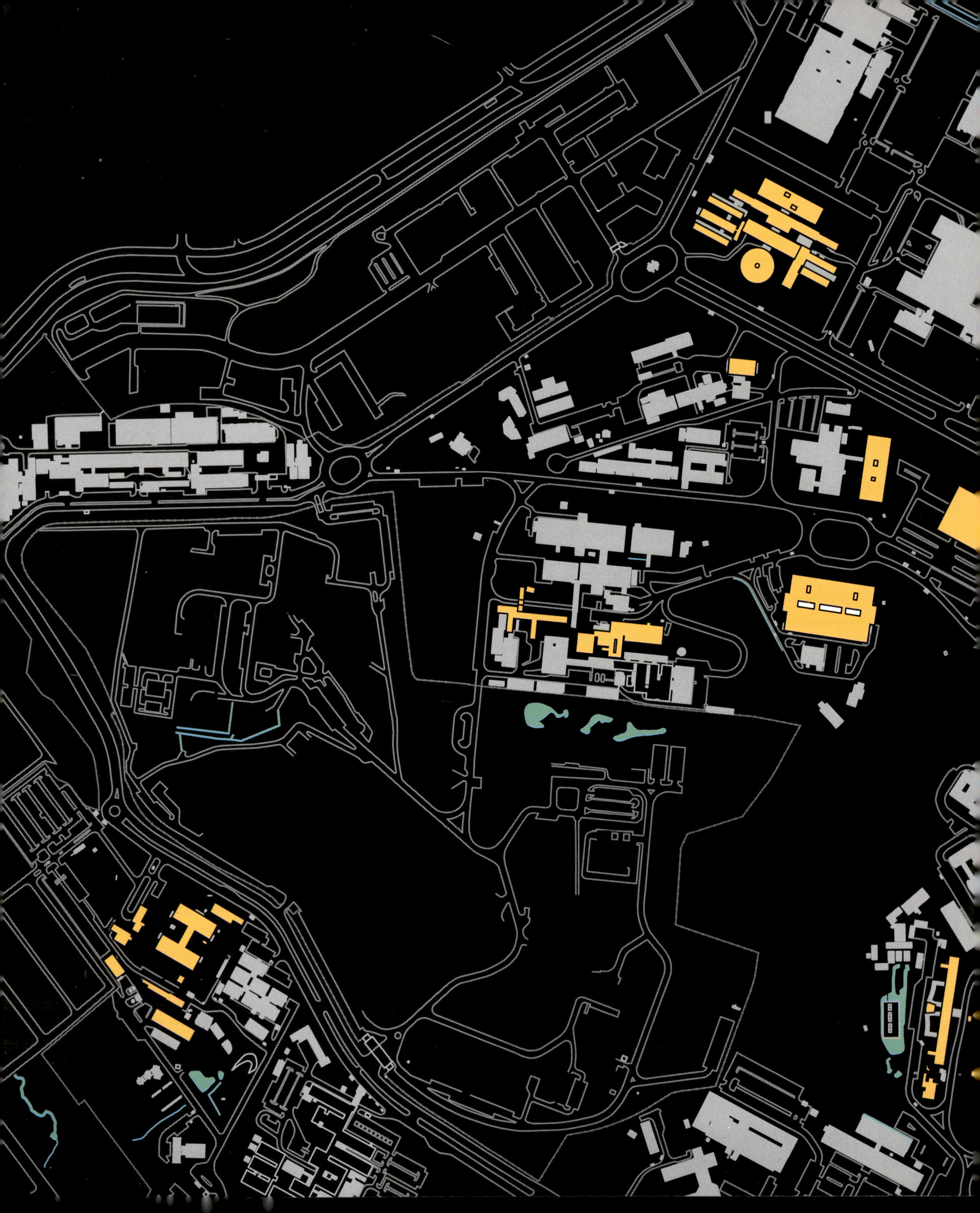

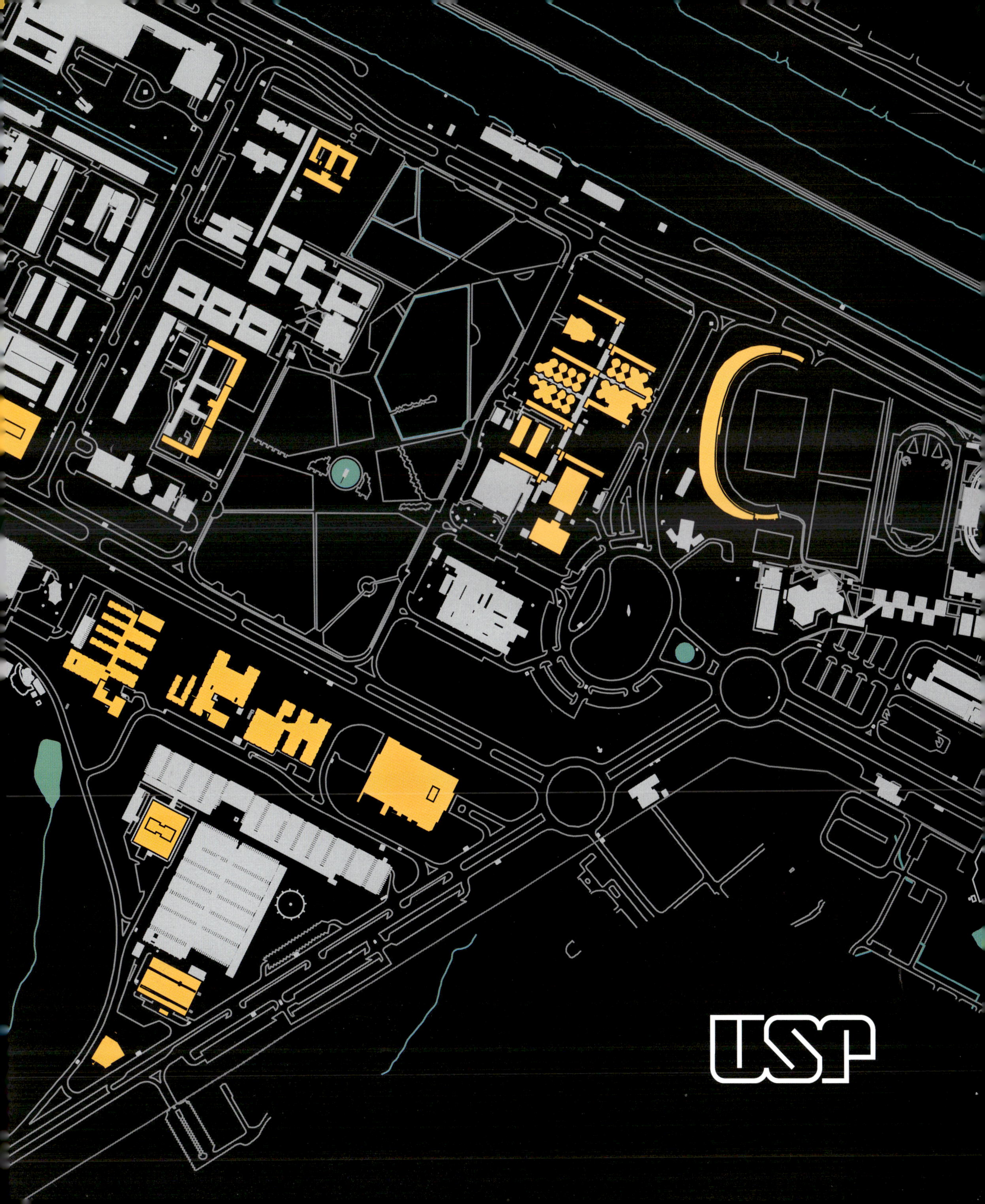

UNIVERSIDADE DE SÃO PAULO

Reitor Prof. Dr. Adolpho José Melfi
Vice-reitor Prof. Dr. Hélio Nogueira da Cruz

PRÓ-REITORIA DE CULTURA E EXTENSÃO UNIVERSITÁRIA

Pró-reitor Prof. Dr. Adilson Avansi de Abreu

CENTRO DE PRESERVAÇÃO CULTURAL

Diretora Profa. Dra. Ana Lúcia Duarte Lanna
Vice-diretora Profa. Dra. Maria Ligia Coelho Prado
Assistente Técnico de Direção Cláudia Rodrigues Alvim D'Arco
Bibliotecária Liana Catunda Guedes
Especialista em Conservação e Restauro Dra. Regina Tirello
Especialista em Laboratório Juliana Mendes Prata
Técnico para Assuntos Administrativos Antonio Ferreira de Sousa

EDITORA DA UNIVERSIDADE DE SÃO PAULO

Diretor-presidente Plinio Martins Filho

COMISSÃO EDITORIAL
Presidente José Mindlin
Vice-Presidente Laura de Mello e Souza
Brasílio João Sallum Júnior
Carlos Alberto Barbosa Dantas
Carlos Augusto Monteiro
Franco Maria Lajolo
Guilherme Leite da Silva Dias
Plinio Martins Filho

Diretora Editorial Silvana Biral
Diretora Comercial Ivete Silva
Diretor Administrativo Silvio Porfírio Corado
Editores-assistentes Marilena Vizentin
Carla Fernanda Fontana
Marcos Bernardini

GOVERNO DO ESTADO DE SÃO PAULO
RESPEITO POR VOCÊ

Governador Geraldo Alckmin
Secretário-chefe da Casa Civil Arnaldo Madeira

imprensaoficial

IMPRENSA OFICIAL DO ESTADO DE SÃO PAULO

Diretor-presidente Hubert Alquéres
Diretor Vice-presidente Luiz Carlos Frigerio
Diretor Industrial Teiji Tomioka
Diretora Financeira e Administrativa Nodette Mameri Peano
Núcleo de Projetos Institucionais Vera Lucia Wey

Cidades universitárias: Patrimônio urbanístico e arquitetônico da USP

edusp

imprensaoficial

FICHA CATALOGRÁFICA ELABORADA PELO DEPARTAMENTO
TÉCNICO DO SISTEMA INTEGRADO DE BIBLIOTECAS DA USP

Universidade de São Paulo. Centro de Preservação Cultural.
Cidades Universitárias: Patrimônio Urbanístico e Arquitetônico da USP / Centro de Preservação Cultural. — São Paulo : Editora da Universidade de São Paulo : Imprensa Oficial do Estado de São Paulo, 2005.
360 p. ; 23 x 26 cm. — (Cadernos CPC)

Inclui bibliografia.
ISBN 85-314-0864-4 (Edusp)
ISBN 85-7060-336-3 (Imprensa Oficial do Estado de São Paulo)

1. Patrimônio cultural. 2. Arquitetura urbana. 3. Universidade. I. Título. II. Título: Patrimônio urbanístico e arquitetônico da USP. III. Série.

CDD 363.69

EDUSP – EDITORA DA UNIVERSIDADE DE SÃO PAULO
Av. Prof. Luciano Gualberto, Travessa J, 374 – 6º andar
Ed. da Antiga Reitoria – Cidade Universitária
05508-900 – São Paulo – SP – Brasil
Divisão Comercial: Tel. (0xx11) 3091-4008 / 3091-4150
SAC (0xx11) 3091-2911 – Fax (0xx11) 3091-4151
www.usp.br/edusp
edusp@edu.usp.br

CENTRO DE PRESERVAÇÃO CULTURAL / CPC
Rua Major Diogo, 353 – Bela Vista
01324-001 – São Paulo – SP – Brasil
Tel./Fax (0xx11) 3106-3562
www.usp.br/cpc
cpcadm@usp.br

IMPRENSA OFICIAL DO ESTADO DE SÃO PAULO
Rua da Mooca, 1921 – Mooca
03103-902 – São Paulo – SP – Brasil
Tel. (0xx11) 6099-9800 Fax (0xx11) 6099-9674
www.imprensaoficial.com.br
livros@imprensaoficial.com.br
SAC 0800-123 401

Printed in Brazil 2005
Foi feito o depósito legal

Coordenação
Profa. Dra. Ana Lúcia Duarte Lanna

Colaboração
Profa. Dra. Maria Lígia Coelho Prado

Pesquisa e produção
Juliana Mendes Prata
Luciana Alem Gennari
Marianna Boghosian
Tatiana Durigan de Freitas Almeida

Apoio
Antonio Ferreira de Sousa
Camila Cristina Junqueira de Lima
Claudia Rodrigues Alvim D´Arco
Nina Standerski

Agradecimentos
Coordenadoria de Comunicação Social / DVIDSON / ARGUS Documentação
Coordenadoria do Espaço Físico
Prefeitura do Campus Administrativo de Bauru
Prefeitura do Campus Administrativo de Pirassununga
Prefeitura do Campus Administrativo de Ribeirão Preto
Prefeitura do Campus Administrativo de São Carlos
Prefeitura do Campus da Capital
Prefeitura do Campus Luiz de Queiroz

Companhia Paulista de Obras e Serviços (CPOS)
Secretaria de Estado da Agricultura e Abastecimento – Núcleo de Engenharia
Castro Mello Arquitetos
Condephaat

Anali Furlan Bonetti
Antônio Marcos de Aguirra Massola
Élio Tarpani Júnior
Fernando Richard Lima Perez
Isabel Cristina Tanganelli Piotto Santos
José Carlos Ferreira
José Costa de Oliveira Filho
Neyde Ângela Joppert Cabral
Nilson Aparecido Chagas
Reginaldo Mauricio dos Santos
Rogério Bessa Gonçalves
Sérgio Luiz Assumpção
Simone Berriel Joaquim Simonelli
Valter Antonio Milanez

Sumário

Os *campi* da USP

Os edifícios da USP

A USP E A ESTRUTURAÇÃO DO TERRITÓRIO PAULISTA

*Adilson Avansi de Abreu**

O presente volume da série Cadernos CPC aborda a questão do patrimônio cultural da Universidade, analisado sob a perspectiva de sua construção material ao longo do tempo. Considerando-se que os principais processos que moldaram o território paulista em sua configuração atual são relativamente recentes, pode-se identificar neste contexto relações têmporo-espaciais muito significativas entre a implantação do Ensino Superior e da Pesquisa e o desenvolvimento do estado de São Paulo. A questão proposta por este caderno é, portanto, relevante.

A análise da história da humanidade evidencia que a posse e edificação dos espaços pelo homem foram se dando através de processos evolutivos, acumulativos ou rupturais, que explicam a atual paisagem terrestre. De início, tecnologicamente mais simples e com *habitats* dispersos e nômades, passou progressivamente para tecnologias mais elaboradas, com *habitats* fixos e que se diferenciaram pela função em múltiplas modalidades de aglomerações rurais e urbanas.

O espaço geográfico foi se moldando no decorrer da história em unidades político-territoriais e funcionais, assumindo cada vez maior complexidade. Nesta seqüência o papel dos fundamentos naturais dos territórios foi declinando, face a sofisticação progressiva do conhecimento, das tecnologias e da disponibilidade de capitais. É neste contexto que devemos encarar o tema da relação dos *"campi"* da Universidade de São Paulo com o território paulista.

Fundada em 1934 e sediada na capital do estado, a USP, surgiu em momento de grandes transformações na sociedade. Seu lema, "Vencerás pela ciência" (*Scientia vinces*) pode ser melhor entendido, se encarado como complemento ao brasão de armas da cidade de São Paulo, onde se lê "Não sou conduzido, conduzo" (*Non ducor duco*). Este cotejo é relevante para se perscrutar os desígnios de seus idealizadores, naquele momento específico da história paulista.

A criação da Universidade de São Paulo foi concebida no bojo de um movimento intelectual e político, que ganhou prestígio entre a elite paulista, particularmente depois da Primeira Guerra Mundial, e reforçou o perfil diferenciado do Estado no contexto nacional.

Em São Paulo o enriquecimento da elite com base na cultura do café foi acompanhado de uma mudança comportamental inovadora, diferente do que ocorria em outras partes do país, caracterizado pela aplicação dos recursos financeiros assim originados na implantação da indústria, na modernização urbana e no desenvolvimento da malha ferroviária, que passou a articular o território paulista, seguindo os exemplos norte-americano e europeu.

Esta elite, já no 2º Reinado e particularmente na Primeira República, passou a se comportar segundo padrões europeizados, compreendendo progressivamente com mais clareza o papel da ciência, tecnologia e educação no processo de desenvolvimento e estruturação do território. A

* Pró-Reitor de Cultura e Extensão Universitária da USP.

fundação da Universidade ocorre quando, por diversos motivos, há uma convergência que une a liderança intelectual com a política, no momento em que Armando Salles de Oliveira assume o governo do estado de São Paulo.

As raízes mais antigas da Universidade de São Paulo, todavia, remontam ao século XIX, quando, logo após a Independência, instalou-se a Faculdade de Direito (1827), que foi um catalisador relevante para muitas das transformações que se desencadearam na capital da então província. Se a fundação simbólica da cidade de São Paulo está associada à criação do Colégio dos Jesuítas, em 1554, a Faculdade de Direito reforça o simbolismo da relação e passa a ser elemento de diferenciação de São Paulo no conjunto de vilas e cidades saídas do Brasil colonial.

Assim, desde 1827, a cidade de São Paulo passa a dialogar, e transformar-se a partir de uma relação, ora pacífica ora mais turbulenta, com os professores e, principalmente, os estudantes da mais antiga Unidade da USP.

A medida que o café provocava o desenvolvimento do estado, a cidade de São Paulo se transformava, crescendo com a imigração e europeizando-se, pela sua elite, do ponto de vista cultural e arquitetônico. Neste contexto, na passagem do século XIX para o XX, surgem outras Unidades antigas da Universidade, todas com perfil profissionalizante, de acordo com as necessidades da cidade e do campo de então, a saber, a Escola Politécnica (1893), a Faculdade de Farmácia e Odontologia (1899), a Escola Superior de Agricultura Luiz de Queiroz (1901), a Faculdade de Medicina Veterinária (1911) e a Faculdade de Medicina (1912). Todas terão papel fundamental para se compreender as transformações que ocorreram naquele período.

Nesta época, paralelamente à criação destas escolas de nível superior, o governo paulista criou também a Comissão Geográfica e Geológica (1886), com o objetivo de investigar seu território e dar subsídios às atividades econômicas, evidenciando a necessidade do conhecimento científico para dar base à ocupação e desenvolvimento do estado. Parte dos quadros atuais da USP originou-se de desmembramentos que a Comissão sofreu, como, por exemplo, o Museu Paulista, instalado em 1895 e, posteriormente, o Museu de Zoologia e o Museu de Arqueologia e Etnologia.

Assim, em 1934, quando se cria a Universidade de São Paulo, já existia parte importante das Unidades que hoje a constituem. A inovação, sem dúvida, estava na doutrina que presidia a criação da Faculdade de Filosofia, Ciências e Letras, que postulava a associação entre ensino e pesquisa, tal como praticada nas universidades européias, inspiradas no modelo da Universidade de Berlim, bem como no desenvolvimento do conhecimento especializado, que subsidiaria a modernização e o progresso do Brasil, consoante uma perspectiva iluminista.

De 1934 a 2004 o desenvolvimento da USP foi notável. Às antigas Unidades localizadas no centro da cidade, somaram-se as que se desenvolveram na Cidade Universitária Armando de Salles Oliveira, implantada a partir da década de 1940 na zona Oeste da Capital e nos cinco *campi* do interior integrados às regiões urbanas ou rurais de Bauru, Piracicaba, São Carlos, Pirassununga e Ribeirão Preto. A este complexo some-se o Cebimar, a Base do Instituto Oceanográfico e o Engenho São Jorge dos Erasmos na fachada Atlântica (Santos, São Sebastião, Ubatuba e Cananéia), bem como o Museu Republicano Convenção de Itú e o Centro Regional de Arqueologia Ambiental ligados, respectivamente, ao Museu Paulista e ao Museu de Arqueologia e Etnologia, em Itu e Piraju, bem como a Estação Biológica de Boracéia, em Salesópolis, importante reserva de mata atlântica integrada ao Museu de Zoologia. Também nos últimos anos novas iniciativas intensificaram a atuação da USP em outros setores da metrópole paulistana; em áreas de presença histórica já antigas, como o Centro Universitário Maria Antonia e a Vila Penteado (FAU), ou com base em iniciativas que reconverteram espaços anteriores em novos instrumentos de integração com a cidade de São Paulo, como a Estação Ciência, na Lapa, Parque CienTec, na zona sul e o Centro de Preservação Cultural (Casa de D. Yayá), na Bela Vista.

Finalmente a instalação de um *campus* universitário

na Zona Leste dá novo impulso ao movimento de integração da Universidade de São Paulo com a região metropolitana, em setor urbano desprovido de infra-estrutura científico-cultural no campo do ensino, da pesquisa e da extensão. A USP renova, portanto, no início do século XXI o processo de interação que define novos vetores e forças de transformação dos territórios onde se instala.

Nestes 70 anos de vida, a USP colaborou decisivamente para as transformações que ocorreram no estado de São Paulo. Educação, Saúde, Agricultura, Indústria, Tecnologia, Serviços e Artes sofreram fortemente o impacto do ensino, da pesquisa e da extensão nela desenvolvidos. Além disso, assumiu papel relevante na criação da Fapesp e das outras universidades públicas paulistas (Unicamp e Unesp).

Por outro lado, deve-se considerar que, hoje, as relações entre homens e lugares passaram a ser mediadas também por redes apoiadas em núcleos de excelência acadêmica que criam um novo espaço geográfico, até certo ponto independente das condições naturais de sua base territorial, e que permitem relações virtuais, em tempo real, no espaço mundializado pela tecnologia.

Assim os *campi* da USP, quer na região metropolitana, no interior ou no litoral, funcionam como pólos educacionais e de inovação científica, tecnológica e cultural, que acoplados à rede mundial de computadores conectam os espaços territoriais urbanos e rurais com o espaço virtual das relações cibernéticas, que nos permite, em tempo real, dialogar no contexto mundial com os principais núcleos no campo da produção do conhecimento em todas suas variáveis.

Este caderno mostra, portanto, etapas e documentos da construção da relação da USP com a sociedade paulista, partindo de elementos históricos, territoriais, urbanísticos e arquitetônicos, apontando em direção ao futuro, na busca da superação das dicotomias, que ainda marcam nossa sociedade.

A "São Francisco" na dinâmica da história e na memória da cidade

Ana Luiza Martins[*]

Quantas pedras forem colocadas,
tantas arrancaremos. (30 – X – 1973).

Pedra fundamental encravada no largo de São Francisco, simbolizando o repúdio dos estudantes ao cogitado prédio novo da Faculdade de Direito na Cidade Universitária.

A frase acima, gravada em mármore inserido na calçada fronteira da Faculdade de Direito da Universidade de São Paulo, no Largo de São Francisco, talvez seja um dos símbolos mais fortes de apropriação e demarcação de território cultural na sua relação com a cidade. A inscrição guarda uma história e uma memória que hoje transcendem a crônica particular do edifício e mesmo suas tradições locais.

Ocorre que esta inscrição não repousa sobre uma pedra qualquer, mas sim sobre uma "pedra fundamental", exatamente aquela que daria origem ao novo prédio da Faculdade de Direito, na Cidade Universitária, no ano de 1973. Resistentes à mudança e em protesto àquela transferência, os "estudantes do Largo" – conforme eram denominados –, arrancaram o marco daquele *campus* e trouxeram-no para a sede tradicional, no Largo de São Francisco, fincando-o na calada da noite e consagrando iconicamente aquele "lugar de memória".

Embora se propalasse que o argumento contrário à mudança provinha da distância do novo endereço em relação ao fórum, cartórios e escritórios de advocacia do Centro, sabe-se que falava mais alto a questão afetiva, a impossibilidade de desgarrar-se da casa memorial, as Arcadas de tantas tradições.

O gesto, longe de apartar a tradicional unidade da USP, ampliou-lhe a dimensão territorial e histórica, potencializando a inserção da Universidade na malha e cotidiano urbanos; mais que isso, reafirmou o tradicional edifício como monumento-documento[1] de um processo histórico que tem seu marco fundador preservado. Em outras palavras: a permanência da sede no lugar de origem permitiu que a história da educação no país pudesse ser recontada através de um espaço museológico, pleno de vitalidade e significações, inserido no coração da cidade, que articula o moderno *campus* ao Centro velho, cumprindo papel revitalizador em área tradicional.

Isto é ainda mais significativo em razão do caráter predador da cidade de São Paulo, que recorrentemente

* Doutora em História Social pelo Departamento de História da Faculdade de Filosofia, Letras e Ciências Humanas da USP e historiadora do Condephaat.

vem mutilando-se dos testemunhos de sua História, em processo destrutivo avassalador. Nessa autofagia, se resta surpreendente o fato de sermos uma das únicas cidades que ainda guardam suas iniciais atas da Câmara, da mesma forma o é a preservação da *célula mater* do ensino superior humanístico no país, a sempre nova Velha Academia, as tradicionais Arcadas, de onde, inclusive, saíram os mentores da criação da Universidade de São Paulo.

Insista-se que esta representação da "São Francisco" não se esgota em seu significado inaugural vinculado ao ensino superior no Brasil, o que já seria muito. Tem-se ali – entre tantos imaginários – um dos *loci* formais do nascimento da Nação, que dialoga com aquele outro da colina do Ipiranga, onde se deu a "Proclamação"[2], configurando ambos espaços da trajetória liberal do país. Elo ainda mais forte pela presença, nela, do Museu Paulista, próprio da Universidade de São Paulo e que projeta a ação da USP nas práticas culturais da cidade.

Pelos tantos significados, o tradicional edifício da Faculdade de Direito da Universidade de São Paulo foi objeto de estudo de tombamento pelo órgão de patrimônio do Estado – Condephaat[3] – e merecedor do reconhecimento oficial de sua importância plural, assim transcrito na resolução de tombamento publicada no Diário Oficial de 1.º de janeiro de 2003:

> **Art. 1º** – Fica tombado como bem cultural de interesse histórico, arquitetônico e urbanístico o conjunto arquitetônico da Faculdade de Direito do Largo de São Francisco da Universidade de São Paulo, incluindo a Tribuna Livre na calçada fronteira, situados no Largo de São Francisco, nesta Capital[4].

O atributo de "bem cultural de interesse histórico" do edifício torna imperativa, nesta abordagem, a recuperação de sua história, retomando o processo de formação da Academia oitocentista até o presente, no quadro da Universidade, em sua relação com a cidade. Trata-se de percurso que põe em cena o papel ancestral da Escola do Largo no espaço urbano, que se projeta no país e interage com a cena política e social até o presente.

A começar pela função que lhe é inerente, a da educação; ou aquela outra, de propulsionar e qualificar a vida urbana local, imprimindo novos hábitos no então pacato burgo paulista, conferindo-lhe outro devir histórico; ou ainda, a integradora de todas as demais – a do exercício da *Res Publica* e da cidadania – consagradora da idéia de universidade.

Como metáfora de todos esses significados, tem-se a sua representação arquitetônica, lastreada na tradição e simbólica de sua projeção na cidade, monumento de amplo significado social, cuja importância vem sendo corroborada pela bibliografia e historiografia pertinentes, hoje ratificada pelo tombamento.

Todas estas práticas nos remetem ao ano de sua fundação, em 1827.

Do convento à academia, secularizando a cidade

> *Criar-se-ão dous Cursos de Ciências Jurídicas e Sociais, um na Cidade de S. Paulo e outro na de Olinda [...].*
> Lei de 11 de agosto de 1827, artigo 1º, D. Pedro I.

No país recém-independente, sem tradição de educação secular e submisso à tutela da Igreja, a criação de um curso jurídico por parte do Estado vinha a ser de rigor. No tocante ao ensino superior, até então coubera à Universidade de Coimbra a formação da elite administrativa d'além mar, situação geograficamente complexa e agora dificultada pelo rompimento dos laços com a antiga Metrópole. Razão pela qual entre os primeiros debates que se travaram ainda ao tempo da Assembléia Constituinte e depois incorporados à Constituição de 1824 estava exatamente aquele da criação de instituições de ensino, por entender-se que a formação de quadros intelectuais era necessária à verdadeira aquisição e consolidação da desejada autonomia do Brasil[5].

Num sentido mais pragmático, a situação demandava o estabelecimento de um ou mais cursos jurídicos, visando à formação político-jurídica de homens voltados para os interesses nacionais. Coube ao deputado José Feliciano Fernandes Pinheiro, futuro Visconde de São Leopoldo, propor a instalação de pelo menos uma universidade no país, indicando, ainda, que julgava conveniente que esta viesse a se localizar em São Paulo.

Estava dado o primeiro passo que levaria à criação dos Cursos Jurídicos no Brasil, através de lei imperial de 11 de agosto de 1827. A despeito das resistências para sua instalação em São Paulo, no ano seguinte, 1828, iniciavam-se, na capital paulista, as primeiras aulas da Faculdade de Direito, sediada no convento de São Francisco, no Largo do mesmo nome. A escolha do local deveu-se às amplas instalações daquele edifício, com boa quantidade de salas, bem como pela concordância dos frades franciscanos em abrigar os alunos. Durante muitos anos, o convento ritmou a vida dos estudantes, que não só chegavam até as classes pela sacristia como atendiam ao horário das aulas anunciado pelo sino da Igreja. Simbolicamente, o domínio do sagrado paulatinamente dava lugar à laicização preconizada pelos novos tempos.

Sala da Congregação, com retrato de D. Pedro I. Transcrita na parede a Lei de criação dos cursos jurídicos, de 11 de agosto de 1827.

Nascia, pois, a primeira escola de nível superior do país, precedendo em instalação a sua co-irmã do Recife. O pioneirismo já a tornava notável naquele contexto de vivência colonial, acrescido da circunstância de que ela se manteria até os primórdios da República e à criação da Universidade de São Paulo, em 1934, praticamente como centro exclusivo de formação política, cívica e intelectual do Brasil. As palavras do professor Luiz Eulálio Bueno Vidigal – que a vivenciou como aluno, professor e diretor – são esclarecedoras, em que pese a natural supervalorização daquela que era a sua casa:

> As Faculdades de Direito de São Paulo e de Olinda eram a verdadeira Universidade Brasileira [...] título a que não podiam aspirar as Faculdades de Medicina, da Bahia e de Engenharia, do Rio de Janeiro, pois que [...] ambas eram mais científicas [...]. Toda a intelectualidade brasileira provinha dessa Escola. Formou historiadores, poetas, jornalistas, teatrólogos. Foram muito mais que Escolas técnicas de Direito, mas sim de política e civismo. Tudo nascia nas duas Faculdades de Direito, creio eu que mais em São Paulo por ser mais próxima do Centro que Recife[6].

"Gerais": Embrião da futura universidade

Sintomático, pois, que o termo "Gerais", antiga denominação do pátio interno da Faculdade de Direito de Coimbra, no qual se reuniam todos os estudantes, sem distinção, tenha sido aplicado também ao pátio da Academia de São Paulo, definido pelas "Arcadas" que conformavam o antigo claustro do convento franciscano[7]. Ali, nos intervalos das aulas – como até o presente – os estudantes reuniam-se para debater e polemizar sobre toda a sorte de assuntos. Diversamente da postura formal de sala de aula naqueles idos, tradicionalmente contida, disciplinada e presidida pelo ensino de caráter ultramontano, no Gerais e/ou Arcadas assistia-se à contestação das normas, ao questionamento dos cânones. Os mais diversos credos, visões de mundo, ideologias e posturas confrontavam-se e coexistiam naquele espaço, onde se exercitava o "espírito da universidade".

Esta conduta, em parte de natureza estudantil, aguçara-se na marcha vigorosa do Liberalismo e mais ainda sob o influxo das idéias revolucionárias de duas figuras carismáticas que marcaram esses primeiros anos: Líbero Badaró e Júlio Frank. Um médico italiano e um professor alemão – político e filósofo, respectivamente –, que se tornaram dos poucos interlocutores de que dispunham os estudantes. O primeiro respondeu pelo jornal *O Observador Constitucional*, e o segundo deu aulas no Curso Preparatório e criou a sociedade secreta dos estudantes – a Bucha – entidade de cunho político liberal de significado no processo político do país. Coube a esses mentores liberais, que, em razão de suas idéias de vanguarda, aqui chegaram praticamente como exilados políticos, imprimir ideais românticos e revolucionários nas jovens mentes em formação.

Logo este centro difusor, que compôs o aparelhamento do quadro administrativo nacional no Império e na República, resultou em nossa mais importante Escola de Política e na Casa do Direito por excelência[8]. A instituição foi o *celeiro de aprendizes do poder*[9] que produziu bacharéis em leis, representantes da Magistratura, do Judiciário e nada menos que dez Presidentes da República. Mas não só isso. A efervescência cultural daquelas Arcadas, sobretudo em sua propagação extramuros, contemplou as mais diversas áreas de conhecimento: prosa, poesia, teatro, jornalismo e música foram ali praticados com intensidade, bastando lembrar, com Antonio Candido, que "[...] só há literatura em São Paulo depois da Independência, e notadamente depois da Faculdade de Direito".

De fato, da tríade romântica – Álvares de Azevedo, Fagundes Varela e Castro Alves – aos representantes epi-

Velhas arcadas ou Gerais. De taipa, pintadas com uma mistura de cal e ocra, que lhes dava um tom amarelado, como nesta pintura a óleo do belga Adrien-Henri-Vital Van Emelen. C. 1920.

gonais das estéticas literárias subseqüentes, pelo menos até o Modernismo, sobressaem os nomes que passaram por aquela Escola[10]. Sabe-se, inclusive que, a partir de 1872, Sílvio Romero imputou ao grupo literário da Academia de Direito de São Paulo a reação ao Romantismo, balizando a história literária do país.

Já o papel na imprensa, a partir das Arcadas, ultrapassou seus fins imediatos para tornar-se instrumento decisivo para o exercício da política. Ou, retomando as palavras de Sérgio Adorno, que inferiu o especial significado da produção periódica da Academia de Direito:

> [...] foi através do jornalismo que o acadêmico/bacharel aprendeu a complexa arte da política. [...] Antes de tudo, essa imprensa ensinou ao acadêmico como tomar partido, lutar e apaixonar-se por uma causa, adquirir responsabilidade moral pelos atos praticados; enfim, esse jornalismo ensinou algo além do aprendizado de sala de aula: o princípio de que a política se faz em público e com a utilização desses dois instrumentos que são a palavra escrita e a falada[11].

Essa prática, que levou o espírito acadêmico a disseminar-se por inúmeras áreas do conhecimento, confirmou a atuação abrangente, de cunho universitário, pelo qual o egresso da São Francisco definiu sua história de vida e momentos da história do país. Não surpreende, pois, que a própria criação da Universidade de São Paulo, no delicado contexto de marginalização paulista pós-Revolução de 1930 e Revolução Constitucionalista de 1932[12], tenha se originado pela iniciativa de ex-alunos da Academia. Os nomes de Júlio de Mesquita e Paulo Duarte, bacharéis pelo Largo, são lembrados como fomentadores do projeto, que contou com Armando Salles de Oliveira como instância viabilizadora.

Desde o início do século XX já era ressentida a falta de ampliação do ensino superior, fosse pela conjuntura nacional renovada, carente de novas especializações, fosse pela sobrecarga da própria Faculdade de Direito. Significativamente, foi desta Faculdade que saiu o primeiro reitor da USP, prof. Reynaldo Porchat, gestão de 1934 a 1937; assim como dela também proveio o prof. Jorge Americano, reitor na gestão de 1941 a 1946, responsável pela escolha da área do Butantã para abrigar o *campus* da USP, em razão da pulverização dos prédios da universidade, pela cidade.

Não obstante, durante anos a presença do estudante no centro fora fundamental para a vida urbana. A presença do acadêmico e futuro bacharel definiu novos rumos para a modesta capital paulista oitocentista, redefinindo sua história. Esse papel da "São Francisco" no cotidiano paulistano merece recuperação.

Uma cidade universitária

> *Tirem a Academia de São Paulo, e esse grande centro morrerá inanido* [13].
>
> Augusto-Emílio Zaluar em 1860.

A cidade soturna – de ruas vazias, envolta em brumas, atmosfera claustral, sóbrias fachadas com rótulas restritivas e mulheres de mantilha – conheceria a primeira transformação urbana com a chegada dos estudantes. Das Arcadas, espalharam-se por toda parte e com sua criatividade febril fizeram-se presentes pelas galhofas juvenis, forma irreverente de romper com a ordem estabelecida, bem como pelas mais engajadas atividades políticas, exercidas com a vibração, a veemência e o otimismo de quem acredita poder construir um país. Acima de tudo, introduziram hábitos de sociabilidade, etiquetas da corte, trazendo vida para as ruas, exercitando cotidiano inusitado, desenvolvendo naturalmente verdadeira missão civilizatória.

Nesse despertar do vilarejo, foi-se criando então, de São Paulo, uma imagem de pequeno burgo que, ao longo do século XIX, ia entrando em movimento crescente, como que envolvido pela força em espiral de um rodamoinho: os jovens acadêmicos. Delineava-se um novo ambiente, no qual conviviam as mentalidades dos estudantes com a dos tradicionais habitantes da terra, ora chocando-se ora penetrando-se, em rica simbiose. A presença da Academia de Direito, freqüentemente referida como "Universidade", insinuava a pretensão de conferir-se a São Paulo ares de uma Heidelberg, cidade universitária por excelência. A vida cultural paulistana foi ficando mais e mais intensa, a Academia associando-se à produção intelectual,

Faculdade de Direito. Após a reforma de 1884, no Largo já com paralelepípedos. C. 1890.

imagem assim registrada por Castro Alves em carta a Augusto Álvares Guimarães:

> Estou em São Paulo, na terra de Azevedo, na bela cidade das névoas e das mantilhas, no solo que casa Heidelberg com a Andaluzia...[14]

Esta inovadora figuração local vem sendo recorrentemente assinalada pela historiografia marco da cidade provincial, que viu reforçada sua preliminar vocação de centro irradiador do país. Ainda se mantinha como zona de passagem, fosse para aqueles que se embrenhavam pelo sertão a oeste, fosse para aqueles que conduziam tropas e gado para as províncias do norte; mas agora também formava mentes e propalava idéias que se disseminavam pelo território, levadas por agentes imbuídos e/ou desejosos de uma construção nacional. Nesse registro, tem-se a Faculdade de Direito como bastidor privilegiado para dimensionar-se o crescimento e as tendências da Capital, dado que, ao longo do século XIX, a instituição foi sempre tomada como ponto de referência para análises daquela vida urbana, agente importante de sua transformação.

Para Ernani da Silva Bruno, o primitivo "arraial dos bandeirantes" deu lugar ao "Burgo dos Estudantes", que introduziu sociabilidade incomum naquele cotidiano, instrumentalizando a cidade para os futuros desdobramentos do progresso:

> Foi a Academia de Direito que principalmente arrancou a capital da província de seu sono colonial e foi a presença dos estudantes [...] que criou condições para que se inserissem em sua existência, alterando-lhe a estrutura e os costumes tradicionais, os hotéis, as casas de diversão, o teatro e as atividades intelectuais[15].

Em novo tratamento histórico, o brasilianista Richard Morse corroborou a influência da Academia como decisiva para a transformação urbana da Capital:

> A vida nas repúblicas provocou um rompimento abrupto do austero código do sobrado e da família reclusa. As caçadas, a natação, o flerte, as bebidas, as orgias e o hábito de se reunirem para a discussão e o divertimento levaram a vida para as ruas, ao ar livre, criaram a necessidade de tavernas e livrarias e inauguraram o sentimento de comunidade[16].

De fato, a Escola tornara-se referência de educação e sociabilidade para a rude e tosca capital da província, onde acadêmicos de origem geográfica diversificada, alguns trazendo hábitos da corte, conferiram novas práticas culturais à cidade. Ao longo do século XIX, a Academia foi testemunha das transformações radicais operadas na cidade, no estado e no país, interagindo com elas, desde a emergência do surto cafeeiro à subseqüente transformação do capital agrícola em comercial, industrial e financeiro, responsável pela modernização acelerada da "metrópole do café" com seu cortejo de inovações revolucionárias: do trem de ferro ao aeroplano, da tração animal à tração a vapor e elétrica, da transformação das mídias, do impresso periódico para o rádio e a televisão e tantas outras inovações que singularizaram São Paulo no concerto das grandes metrópoles.

Na escalada urbana sem precedentes, pode-se evocar um silvo de trem, no ano de 1867 – quando da inauguração da São Paulo Railway –, como baliza que redirecionaria o destino da Capital, quando a ferrovia pôs em circulação bens de toda ordem, desde o café que seguia para o porto de Santos, bem como homens, mercadorias e idéias que atingiam as cidades fins de linha, na boca do sertão.

Para este momento cabe um ponto de inflexão na relação dos estudantes com a cidade. O crescimento dessa e sua diversificação de funções subtraíram o papel hegemônico do "Acadêmico do Largo" na comunidade. Até então figura proeminente local, esse estudante passou a interagir com seus diversos segmentos, identificando-se e dissolvendo-se na nova paisagem. Contudo, não perdeu sua "gloriosa exceção", sua importância, sublinhando Antonio Candido o novo papel do alunado das Arcadas naquele momento:

> [...] o corpo acadêmico se define sociologicamente como um segmento diferenciado na estrutura da cidade, à qual por enquanto se justapõe, sem propriamente incorporar-se, caracterizando-se pela formação de uma consciência global própria[17].

Para a década seguinte, de 1880, o relato sensível de Rodrigo Octávio, seu ex-aluno, confirma a mudança e fixa com nitidez as relações do estudante com a cidade de São Paulo.

O estandarte vermelho, símbolo da Faculdade de Direito, levado em passeatas públicas. Ao centro, representação da Justiça, com balança e espada. Abaixo, o livro aberto da Lei das Doze Tábuas.

> São Paulo do meu tempo – 83 a 86 – já não era mais a antiga cidade das ruidosas tradições acadêmicas. O progresso, com todas as exigências e preconceitos da civilização, havia insensivelmente invadido a velha capital jesuítica e eliminado, de suas ruas e bairros, aspectos e perspectivas tão caras ao espírito e à saudade de tantas gerações estudiosas. Perdido para a Paulicéa esse caráter peculiar de cidade universitária, perdeu também o estudante a supremacia indiscutível de que ali gozava e de onde lhe vinha esse direito de viver como lhe aprouvesse à fantasia boêmia ou à desenvoltura extravagante. [...] A vida acadêmica, com todas as suas manifestações alegres e estrepitosas, recolheu-se, com recato, para o interior das repúblicas; não ousava afrontar, a céu descoberto, as calçadas da cidade e as persianas dos palacetes [...] sítios fora dos muros, eram quase sempre o teatro escolhido para essas derradeiras manifestações da boêmia coletiva[18].

De fato, os estudantes do Largo agora transitavam em meio a uma população diversificada, trazida pela imigração, enquanto a Escola potencializava sua aura de ponta de lança para a atuação de seus membros no quadro nacional.

A criação da Universidade de São Paulo, em 1934, redimensionaria o significado da Faculdade de Direito na sua missão de responsável exclusiva pelo ensino humanístico superior no estado e mesmo no país. A despeito de ter perdido seu caráter exclusivo e ter-se tornado mais uma entre as várias faculdades que conformavam a Universidade de São Paulo, a instituição retomaria alguns de seus papéis ancestrais, bem como vai destacar-se na paisagem urbana, inicialmente pela atuação política constante daquela Casa de Direito no combate à Ditadura e, por conta disso, associada à resistência paulista; na seqüência – e não de forma conflitante – pela construção de novo edifício monumental em lugar do secular convento.

Espaço do exercício da *Res publica*

> *[...] Meus amigos: inspiremo-nos apaixonadamente na sabedoria da tradição: liberdade, liberdade, liberdade.*
>
> José Carlos Macedo Soares[19].

Neste repertório de significações acumuladas, cabe lembrar o papel histórico da Faculdade de Direito do Largo de São Francisco, ancorado na tradição de espaço da Liberdade, do Direito e da Justiça. No país recém-independente, no qual nenhum homem era repúblico, a Faculdade de Direito figura como um dos primeiros fóruns de exercício de república e cidadania, vindo ao encontro da idéia de universidade. República ensaiada intra e extramuros, respectivamente no interior das Arcadas e nas repúblicas de estudantes, células que se espalhavam pelos cantos e recantos da cidade, disseminando ideários e práticas de todo o teor.

No tocante a esse propósito cívico, é conhecida a atuação de seus alunos nas campanhas sociais e políticas decisivas do século XIX, a exemplo da campanha abolicionista e daquela republicana, que transcorreram em meio ao quadro laicizador que se opunha ao espírito clerical vigente. Basta lembrar a turma de 1866-1870, assim sintetizada por Gontijo de Carvalho no contexto do Império:

> 1868 é o zênite da gloriosa Faculdade de Direito de São Paulo. Sob o mesmo teto, abrigavam-se Ruy Barbosa, Castro Alves, Joaquim Nabuco, Rodrigues Alves e Afonso Pena. Cada um desses nomes bastaria para fixar uma época e imortalizar uma turma [...] [20].

Não foi diferente na nova ordem republicana. Nesta construção empenharam-se acadêmicos que levaram suas lutas e ideais às ruas da cidade e agentes sociais egressos das Arcadas, que compuseram o Executivo, o Legislativo e o Judiciário do país. Na atuação dos estudantes da Faculdade de Direito, consubstanciaram-se as lutas pela causa liberal e, por conseqüência, pelo Estado de Direito, traduzidas na oposição às tantas ditaduras implantadas ao longo do século XX. Lutas enriquecidas pela atuação do Centro Acadêmico XI de Agosto – fundado em 1903 –, referência de poder que propagou inúmeras práticas políticas e sociais na cidade [21] .

Nessa trajetória de cunho liberal vale lembrar os embates históricos que nasceram da Escola do Largo, capitaneando os principais movimentos de proposta democrática e que tiveram a cidade de São Paulo como palco de visibilidade nacional: o envolvimento com o Partido Democrático [22], com a Revolução de 1932, a atuação dos presidentes do XI de Agosto no comando da União Nacional dos Estudantes (UNE) – criada em 1938 –, o empenho pela entrada do Brasil na guerra, em 1942. E mais: a oposição ferrenha ao Estado Novo, à Ditadura Militar – quando da leitura da *Carta aos Brasileiros*, proferida nas Arcadas pelo professor Goffredo da Silva Telles, peça marco da resistência –, bem como a saída da passeata das "Diretas Já!" em direção ao histórico comício da Praça da Sé. Mais recentemente, o envolvimento de juristas docentes da casa com a Assembléia Nacional Constituinte de 1987, a exemplo dos professores Miguel Reale e José Afonso da Silva, tendo a sua presidência o ex-aluno Ulysses Guimarães. As Arcadas e o pórtico da Faculdade de Direito figuram em todas essas manifestações, vinculando um especial cenário da cidade à memória das lutas pelo Estado de Direito no Brasil.

Esse marco físico implantado no coração da cidade ultrapassou sua referência de lugar de ensino para sinalizar o espaço da luta cívica, abrigo de diversidades ideológicas e coro de contrários, único território na cidade a receber, por isso mesmo, prerrogativas legais de "território livre" – desde 1930 – infenso à ação repressora de qualquer teor. Na calçada fronteira, a construção da Tribuna Livre – desde 1960/61 –, igualmente tombada, confirma a função de palanque aberto ao povo, promontório das causas sociais.

Construindo um monumento

> *[...] chamar-se-á monumento tudo o que for edificado por uma comunidade de indivíduos para rememorar ou fazer que outras gerações de pessoas rememorem acontecimentos, sacrifícios, ritos ou crenças.*
>
> Françoise Choay [23].

Não obstante o vasto repertório de falas, fatos e imagens que inserem historicamente a Faculdade de Direito na dinâmica urbana, uma decisão corajosa, se não intempestiva – da natureza das paixões –, corroborou sua vocação de interagir com a cidade e mesmo com os destinos do país: a demolição do vetusto convento de taipa, no ano de 1934, para construção de outro edifício, monumental, com vistas a dar-lhe outra visibilidade na paisagem urbana, confirmar presença no quadro da modernidade pretendida, reavivar sua ampla representação.

A despeito da perda da secular edificação franciscana – um dos últimos remanescentes de taipa da São Paulo colonial – cumpre assinalar que o ano de 1934 fora extremamente rico em conquistas para o país, o estado e a cidade de São Paulo. Em todas elas, a São Francisco teve papel decisório. No plano federal, a promulgação da Constituição de 16 de julho de 1934 tinha gosto de vitória paulista, inclusive pela presença dos constituintes bacharéis pelo Largo[24]. No plano estadual, concretizava-se uma luta de anos com a criação da Universidade de São Paulo, sediada na Capital, pela qual trabalharam ex-formandos – a exemplo de Júlio Mesquita e Paulo Duarte. No âmbito municipal, enriquecido pelas novas unidades que conformariam a USP, assistia-se à reconstrução da nova sede da Faculdade de Direito e, por conta disso, à remodelação do Largo de São Francisco.

A demolição e reconstrução – não obstante o lamento velado da época e, para muitos, objeto de censura e reprovação – vinha com propósitos cívicos definidos: preservar a instituição da ameaça de obsolescência, inscrevê-la com mais vigor no cenário urbano, reforçando sua interação com a cidade e sobretudo com as tradições e a identidade nacionais. O fato, pelo inusitado, merece consideração circunstanciada.

Demolição e reconstrução

> *É tão somente na medida em que existe um patrimônio cultural objetificado e apropriado em nome da nação, ou de qualquer categoria sócio-política, que se pode experimentar o medo de que ele possa ser perdido para sempre.*
>
> José Reginaldo dos Santos Gonçalves[25].

Causa estranheza, neste episódio, que tanto o formulador da idéia da demolição – Alcântara Machado – como o realizador da proposta do novo edifício – Ricardo Severo – fossem figuras identificadas com a valorização de nosso passado; mais que isso, das poucas, naquele momento, capazes de avaliar a importância e qualidade do antigo convento de taipa, um dos últimos remanescentes da vila colonial. O primeiro, além de jurista e diretor da Faculdade, era historiador, autor de obra renovadora da área – *Vida e Morte do Bandeirante* –, bem como vereador, respondendo por assento na Câmara Municipal, que então discutia vivamente a cidade. O segundo era engenheiro arquiteto, português, sucessor de Ramos de Azevedo em seu escritório, amante da arqueologia e aficionado das tradições luso-brasileiras.

A despeito do inusitado da decisão – sobretudo encampada pelas duas personalidades mencionadas – o tradicional convento veio abaixo, para lamento de muitos. A justificativa era o péssimo estado de conservação do edifício, bem como seu programa de necessidades inviável para sediar uma escola do ensino superior. O jornal *O Estado de S. Paulo* veiculou uma série de reportagens em tom questionador, cuja tônica incidia nos "protestos por parte daqueles que nela viam cair por terra uma das mais legítimas tradições do País – as arcadas do antigo convento franciscano"[26]. De todo modo, a "retórica da perda" ainda não era recorrente nos discursos oficiais, dado que nem mesmo se dispunha no país de um serviço de patrimônio nacional, que se instalaria somente em 1937 [27].

Examinando melhor a questão, ver-se-á que a complexidade daquele momento era bem maior do que poderia fazer supor apenas a discussão em torno do edifício. Naquele pós-1930, sob a era Vargas, a Faculdade de Direito vivia uma série de constrangimentos. A começar pelas críticas à Primeira República, adjetivada de Velha, bem como à mentalidade jurídica que havia comandado o país. Confrontava-a, também, o processo de metropolização de São Paulo, com o convento já se cercando de arranha-céus, reforçando sua imagem de época pregressa – que naquele momento se pretendia negar. Paralelamente, outros edifícios institucionais despontavam com vigor na cidade, a exemplo da nova sede da Faculdade de Medicina, inaugurada solenemente em 15 de março de 1930, e com prestígio crescente, advindo da própria valorização das ciências e da noção de modernidade.

Logo, acreditou-se que um prédio novo e imponente, com instalações mais adequadas em proporção e qualidade, garantiria a inserção da Faculdade nos novos tempos.

O sentimento de renovação pairava no ar, bem como a euforia pela nascimento da primeira universidade. "É belo assistir ao nascimento de uma universidade"[28], escrevia o jovem professor francês Paul Arbousse-Bastide, em 1936, expressando o clima de esperança que se instaurara no breve interregno de constitucionalidade do país.

A escolha da estética neocolonial[29] para o novo edifício – embora até um projeto *art déco* tivesse sido cogitado – correspondeu aos propósitos então cultivados pela instituição de valorização e visibilidade do edifício no quadro urbano, atestando seu passado histórico e garantindo sua projeção no futuro. Não obstante, sabe-se que a comoção gerada pela velha casa desaparecida – que se traduziu em reprovação direta e alusões veladas – foi decisiva para a revisão do projeto e a preservação de elementos simbólicos da memória ali cultivada: o túmulo de Júlio Frank, as Arcadas, as placas de mármore com a tríade dos poetas estudantes, o antigo relógio. E, como se dando conta da grande perda daquele último recanto colonial, tratou-se de reurbanizar todo o Largo de São Francisco, conferindo-lhe o mesmo tratamento neocolonial do novo prédio, procurando minimizar aquela violenta interferência.

O resultado, contudo, deixou a desejar, desagradando arquitetos e urbanistas. A começar pela desproporção do novo edifício em relação às igrejas franciscanas; seguiam-lhe, nesse estranhamento, o rebuscado das ornamentações, em particular o repertório neoclássico das fachadas – simetria, frontão, colunas com capitéis, arcos romanos – que tampouco tinha a ver com o antigo convento de taipa, simples, linear e despojado.

A construção quadrangular passava a dispor de grandes volumes em torno de cinco pátios: dois internos (o menor com o túmulo de Júlio Frank e o maior com o Pátio das Arcadas) e três na fachada da rua Riachuelo. Embora os corredores laterais a esses pátios resolvessem razoavelmente a entrada de luz nos andares superiores, o térreo permaneceu sombrio, dada a pouca iluminação advinda das reentrâncias da rua Riachuelo. Quanto ao Salão Nobre, espaço hierárquico, guardava toda a pompa da velha Academia[30].

Todavia, o novo prédio cumpriu o destino que lhe predestinaram seus idealizadores, emergindo com toda sua elaborada imponência para sinalizar que o espaço de luta recrudescia. Consagrava sua história pregressa e revigorava-se, reforçando uma simbologia.

O espaço museológico

Que peso impressionante tem este ambiente!
Heraldo Barbuy[31].

De fato, seja pelo sombrio do térreo, ou mesmo pelos muitos revestimentos de sua estrutura de concreto, o espaço arquitetural guarda algo da retórica condoreira dos antigos bacharéis.

Suporte de novas mensagens e significações, o edifício-monumento inscreve-se não só na planta da cidade, interagindo plasticamente na paisagem urbana, como se reveste de forte caráter documental, que ultrapassa os limites municipais e estaduais. Nesse sentido, agregam-se-lhe vários significados: aquele de exemplar arquitetônico neocolonial – questionável, sem dúvida –, mas representativo de uma discussão estética e cultural no país; outro, ilustrativo do debate da construção da identidade paulista, que aflorou com vigor na década de 1930; e mais, abrigo de acervo qualificado de objetos, hoje em vias de competente organização museológica, em que se destaca o rico arquivo documental de sua história, que tem também, em sua biblioteca – diga-se que nascida da primeira biblioteca pública da cidade –, o repertório de títulos raros, de obras de relevo da bibliofilia nacional. Entre elas, fato inusitado, a publicação ininterrupta desde 1893 da *Revista da Faculdade de Direito de São Paulo*. Em seu conjunto – dominando todo o Largo – o edifício e seus atributos envoltórios consagram na cidade um campo de lutas históricas, território de resistências, de inúmeras práticas culturais[32].

A percepção dessas qualificações se dá de forma lúdica e de fácil assimilação no edifício que – a despeito da efervescência da juventude que nele circula e lhe dá vitalidade e vigor – guarda mágica atmosfera pretérita, sugestiva de seu passado denso de ocorrências, passível de constante rememoração.

A começar, em seu interior, pelas tantas placas alusivas a efemérides e personagens, colocadas nas pilastras das Arcadas e nas paredes do andar térreo, registros cultivados da passagem quase lendária de vários de seus agentes sociais.

Notável o tríptico da gênese paulista, concebido nos vitrais que encimam os lances das escadas de mármore, associados aos valores universais, todos de realização artística da tradicional Casa Conrado, de Conrado Sorgenircht. Nesta construção, recorreu-se a alegorias da história nacional, concebidas em 1922 para o Museu Paulista pelo seu então diretor Affonso d'Escragnolle Taunay, quando do Centenário da Independência. Na Faculdade de Direito a tônica deste relato é posta no Direito e na justiça, com berço em São Paulo, como fundamento para a Independência e o nascimento da Nação. Para tanto, estão reproduzidas nos vitrais três das grandes telas de pintura daquela instituição: *Independência ou Morte!*, de Pedro Américo, de 1888; *A Partida das Monções*, de Almeida Júnior, de 1897; *A Fundação de São Paulo*, de Oscar Pereira da Silva, de 1909. Já para a representação dos valores universais, valeram-se dos afrescos de Rafael, iniciados em 1508, da *Stanza della Segnatura*, no Vaticano, que representam a "Clemência", a "Temperança", a "Filosofia" e a "Justiça"[33].

Não menos cuidado o mobiliário confeccionado pelo Liceu de Artes e Ofícios, onde a balança alusiva ao Direito se reproduz com esmero nos lustres de alabastro.

Nesse acervo plural, estudadamente disposto na Casa ao longo dos anos, destacam-se a estátua de José Bonifácio, o Moço, logo no saguão de entrada; a figura de D. Pedro I, na Sala da Congregação; de D. Pedro II, no Salão Nobre; as salas de aula, com nomes e retratos cada qual de seu patrono, antigos professores da casa; e, numa das laterais do pátio, o monumento aos estudantes mortos na Revolução Constitucionalista de 1932.

Enquanto esses marcos, numa primeira leitura, retratam valores da ordem, aqueles da calçada fronteira se contrapõem sinalizando transgressões e questionamentos: a começar pela escultura *Um Beijo Eterno*, parte do *Monumento a Olavo Bilac*, do artista sueco Willian Zadig, seguido da Tribuna Livre, na qual a balança da Justiça hoje se confunde com pichações.

Como forte sinalização de históricas resistências, a sede do XI de Agosto se abre discreta na rua Riachuelo. E mais um símbolo, de 1995, agora em seu espaço aéreo, demandando que se olhe para o céu: a passarela para o novo edifício, construído na rua Riachuelo, com dezoito pavimentos – Edifício de Apoio – aquele que ratificou o desejo de permanência dos estudantes do Largo na Casa tradicional.

Uma nota contemporânea

Hoje, a modernidade da Faculdade de Direito no quadro da Universidade e sua relação com a cidade é atestada não só pela modelar preservação de seu passado – socialmente apropriado e revitalizado recorrentemente pelos alunos e demais usuários – como também pelo desempenho nas funções básicas da Universidade, voltadas para ensino, pesquisa e extensão.

Nos últimos anos, estas atividades se ampliaram, arrolando-se, além do curso de graduação, o curso de pós-graduação (desde 1972, *stricto sensu*, em todas as áreas de Direito), cursos de especialização (no nível de pós-graduação), cursos extracurriculares e de difusão cultural, além dos convênios. Estes se desdobram internacionalmente, podendo relacionar-se os convênios com a Università degli Studi di Roma "La Sapienza" e Universtà Statale di Milano, na Itália; Université de Lyon II, na França; Universidade de Lagos, na Nigéria; University of Texas, Austin, nos EUA; Escola de Direito, em Guiné Bissau; Universidade de Lisboa , em Portugal, entre outros[34].

Ressalte-se também o avanço na área da pesquisa e prática jurídicas, dispondo para isso dos seguintes setores: Serviço de Aproximação Docente e Profissional (SADP); estágio profissional da Ordem dos Advogados do Brasil (OAB); setor de extensão e pesquisas universitárias e bolsas.

Quanto aos serviços à comunidade, tem-se o efetivo desempenho através da assistência judiciária gratuita – resultado do convênio do Departamento de Direito Processual e Departamento Jurídico do Centro Acadêmico XI de Agosto. Entre as tantas reminiscências da tradição, vicejam as organizações estudantis, a exemplo do Centro Acadêmico XI de Agosto, o Coral Acadêmico XI de Agosto, a Academia de Letras dos Alunos da Faculdade de Direito e a Associação Atlética XI de Agosto.

Elo entre o passado e o presente

Tem-se, pois, o edifício da Faculdade de Direito como feliz representação de um patrimônio urbano que, para além de seu significado memorial, expande dinamicamente a Universidade de São Paulo para fora do *campus* e a integra a uma das regiões históricas da cidade, onde o "espírito universitário" é revivido cotidianamente.

Ali cruzam, em inquietação permanente, novas gerações, ainda com figurino diferenciado de seus pares universitários – terno e gravata afeitos aos rituais da profissão – configurando segmento social que interage com a cidade em vários âmbitos. No passado eram as galhofas, as *marche aux flambeaux*, o escandalizar da população com as rotineiras transgressões, os rituais byronianos e as encenações teatrais – práticas que o tipificavam na austera sociedade do pacato burgo paulistano.

Hoje, marcando jocosamente o calendário da cidade – no melhor estilo *ridendo castigat moris* – estão duas festas promovidas pelos estudantes do Largo. A começar pela temida comemoração do 11 de agosto – Dia do Pindura – para o qual os restaurantes já incorporaram estratégias para recepção aos estudantes, dado que é de rigor, neste dia, não pagarem as contas. Mais avassaladora ainda, invadindo as ruas, é a carnavalesca Peruada, que transcorre no mês de outubro, às vésperas das eleições para renovação da diretoria do Onze, quando a Faculdade de Direito da Universidade de São Paulo vai parar no noticiário escrito, falado e televisionado nacionais.

A Peruada – passeata "político-circo-etílico-carnavalesca" – retornou às ruas em 1983, festejada pela imprensa, que estampou os perus nas primeiras páginas periódicas. Trata-se de uma das mais antigas tradições cultuadas pelos estudantes, guardando duas explicações: uma primeira que as remete às festas estudantis, que celebravam a libertação do calouro após os meses iniciais de sacrifícios com os trotes, quase um rito de passagem, em que a embriaguez era inevitável; uma segunda decorrente do furto de nove perus de raça, premiados na Exposição Nacional de Animais do Parque da Água Branca, em São Paulo, levados para as Arcadas, assados e saboreados em memorável banquete, quando se descobriu que pertenciam ao professor Mário Mazagão. O fato, que também foi parar nas páginas dos jornais, ganhou novos contornos, conferindo-se ao gesto uma "homenagem" à figura do ladrão, tido como grande inspirador do estudo do Direito[35].

Enquanto no Dia do Pindura os estudantes comparecem aos lugares públicos envergando o terno e gravata tradicionais, na Peruada fantasiam-se com toda a criatividade e crítica inerentes à juventude e transformam a cidade em palco de seu teatro particular, criando comoções: por vezes de apreensão – pelo bulício; mas em geral de confraternização, pela tradição de luta e envolvimento da São Francisco com as causas sociais. Inegavelmente, essa dimensão de festa corrobora a atuação da Universidade de São Paulo na cidade, particularizando os estudantes do Largo na intensa vida urbana da megalópole paulistana, não sem desdobramentos pelo país.

Em outro âmbito, não deixa de ser um legado da São Francisco o consumo nacional do mais famoso sanduíche do Brasil – o Bauru –, criado pelo estudante Casemiro Pinto Neto, no ano de 1936, no comitê dos estudantes instalado no Bar Ponto Chic, no Largo do Paissandu; bem como o refrão do "pic-pic", incorporado às festas natalícias.

Enquanto monumento sua irradiação é plural. Cabe sublinhar que nele estão consubstanciados os valores de rememoração preconizados por Riegl, consolidando uma história e uma memória[36]. Inicialmente, o *valor histórico*, atrelado à noção de desenvolvimento e progresso, vinculado ao que não se pode mais reproduzir; também presente o *valor de rememoração intencional*, definido pelo recorte de seu processo histórico que o liga ao presente, conforme se assistiu quando da demolição do convento e da construção de seu sucedâneo, presidido por um ideário nacionalista; por fim, o *valor de antigüidade*. Nesse sentido, é exemplar a permanência do túmulo de Júlio Frank, das placas de mármore dos românticos e a reconstrução das Arcadas. Até mesmo a pátina do tempo já matiza sua fachada, reforçando seu *valor de antigüidade*.

Para finalizar esta reflexão, onde se procurou demonstrar o pulsar de significados de uma secular instituição da USP na malha urbana, no cotidiano da cidade, na dinâmica de sua sociedade, é oportuno o registro de Márcia Scholz de Andrade Kersten:

> [...] a tradição parece impor-se ao presente como coisa dada, pois tendo assegurado como foi o princípio ousa determinar o futuro. À medida que se fundamente em garantias que não podem ser postas em dúvida, por ter como testemunho um passado vivenciado e tido como verdadeiro, a tradição constitui quase uma lei[37].

Na tradição da moderna Faculdade de Direito do Largo de São Francisco, em sua relação com a cidade, consubstancia-se este percurso e esta norma, quase como se fosse uma lei.

Notas

1 Jacques Le Goff, "História", em *Enciclopédia Einaudi. Memória – História*, 1986, v. 1.
2 Cecília Helena de Salles Oliveira & Claudia Valladão de Mattos (org.), *O Brado do Ipiranga*, 1999.
3 Processo de Tombamento do prédio que abriga a Faculdade de Direito da Universidade de São Paulo no Largo de São Francisco, n. 21369/80, 2003.
4 *Diário Oficial* de 1.1.2003.
5 Sérgio Adorno, *Os Aprendizes do Poder. O Bacharelismo Liberal na Política Brasileira*, 1988.
6 Depoimento do prof. Dr. Luiz Eulálio Bueno Vidigal a Carlos Fernando de Azevedo Sá e José Ignácio Botelho de Mesquita, 31 maio 1977 (comemoração do sesquicentenário dos Cursos Jurídicos no Brasil). Acervo do Museu da Imagem e Som (MIS), tombo 2.4 e 2.5.
7 Alberto Venâncio Filho, *Das Arcadas ao Bacharelismo*, 1982, p. 74, nota 45.
8 Ana Luiza Martins & Heloisa Barbuy, *Arcadas. Largo de São Francisco. História da Faculdade de Direito da Universidade de São Paulo*, 1999.
9 Adorno, *op. cit.*
10 A exemplo de José de Alencar, Ruy Barbosa, José Maria da Silva Paranhos Junior (Barão do Rio Branco), Raul Pompéia, Valentim Magalhães, Raymundo Correa, Vicente de Carvalho, Valdomiro Silveira, Monteiro Lobato, Oswald de Andrade, Menotti Del Picchia, Guilherme de Almeida, Cassiano Ricardo, para ficarmos até a geração modernista.
11 Adorno, *op. cit.*, p. 165.
12 Sobre a criação da Universidade de São Paulo ver: Ana Luiza Martins & Heloisa Barbuy, *op. cit.*, pp. 192-196.
13 Augusto-Emílio Zaluar, *Peregrinação pela Província de São Paulo. 1860-1861*, 1953, p. 128.
14 Castro Alves, em carta de 6 de abril 1868, a Augusto Álvares Guimarães, *apud* Jamil Almansur Haddad, *Álvares de Azevedo, a Maçonaria e a Dança*, 1959, p. 72.
15 Ernani Silva Bruno, *História e Tradições da Cidade de São Paulo*, 1954, v.1, p. 455.
16 Richard Morse, *apud* Odon Pereira, "De Trapo do Pólo ... até Grande Metrópole", *Folha de S. Paulo*, 11.8.1977, p. 14.
17 Antonio Candido, *Literatura e Sociedade*, 1976, pp. 150-151.
18 Rodrigo Octavio, *Minhas Memórias dos Outros*, 1934, v.1, pp. 57, 59.
19 *O Estado de S. Paulo*, 9.8.1935, p. 5.
20 Antonio Gontijo de Carvalho, *Ensaios Biográficos*, 1951, p. 262.
21 Cássio Schubsky (coord.), *A Heróica Pancada: Centro Acadêmico XI de Agosto, 100 anos de Lutas*, 2003.
22 Maria Lígia Coelho Prado, *A Democracia Ilustrada: O Partido Democrático de São Paulo, 1926 -1934*, 1986, p. 20.
23 Françoise Choay, *A Alegoria do Patrimônio*, 2001, p. 18.
24 Bacharéis da Constituinte de 1934: Henrique Bayma, Cardoso de Mello, Alcântara Machado, Abelardo Vergueiro César, Aureliano Leite.
25 José Reginaldo dos Santos Gonçalves, *A Retórica da Perda. Os Discursos do Patrimônio Cultural no Brasil*, 1996, p. 89.
26 *O Estado de S. Paulo*, 20.11.1932, p. 8.
27 Em 1936, a pedido de Gustavo Capanema, Mário de Andrade elabora o anteprojeto para criação de um serviço federal de proteção ao patrimônio, e neste mesmo ano, em caráter provisório, tem início o Sphan. Só em 20 de novembro de 1937 é promulgado o Decreto-Lei n..25, que cria o Sphan e regulamenta o instituto do tombamento. Maria Cecília Londres Fonseca, *O Patrimônio em Processo: Trajetória da Política Federal de Preservação no Brasil*, 1997, p. 279.
28 Alfredo Bosi, "Editorial", *Revista de Estudos Avançados*, v. 8, n. 22, set.-dez. 1994,
29 Ricardo Severo – afinado com a oligarquia paulista – anunciara o neocolonial em sua conferência "A Arte Colonial no Brasil – A Casa e o Templo", realizada em 20 de julho de 1914, e considerava o convento um exemplo importante do barroco jesuítico, preservando o quadrante axial da habitação monástica.
30 "O Espaço das Escolas Tradicionais", em *O Espaço da USP: Presente e Futuro*, 1985, p. 31.
31 "As Arcadas Revisitadas", em Gilberto de Mello Kujawski, *O Sabor da Vida*, 1999, p. 209.
32 *Revista da Faculdade de Direito de São Paulo*, 1893.
33 Ver Ana Luiza Martins & Heloisa Barbuy, *op. cit.*, p. 190.
34 M. C. L. Santos, *USP Universidade de São Paulo:* Alma Mater *Paulista 63 anos*, 1998, p. 100.
35 Cássio Schubsky (coord.), *op. cit.*, pp. 125-127.
36 A. Riegl, *Le culte moderne des monuments. Son essence e sa genèse*, 1984. Ver ainda Márcia Scholtz de Andrade Kersten, *Os Rituais do Tombamento e a Escrita da História. Bens Tombados no Paraná entre 1938-1990*.
37 Márcia Scholtz de Andrade Kersten, p. 41.

Referências Bibliográficas

Adorno, Sérgio. 1988. *Os Aprendizes do Poder. O Bacharelismo Liberal na Política Brasileira*. São Paulo, Paz e Terra.

Bosi, Alfredo. 1994. "Editorial". *Revista de Estudos Avançados*, USP, v. 8, n. 22, São Paulo, [s.p.], set.-dez.

Bruno, Ernani Silva. 1954. *História e Tradições da Cidade de São Paulo*. Rio de Janeiro, José Olympio, 3 vol.

Candido, Antonio. 1976. *Literatura e Sociedade*. São Paulo, Editora Nacional.

Carvalho, Antonio Gontijo de. 1951. *Ensaios Biográficos*. São Paulo, [s.e.]

Choay, Françoise. 2001. *A Alegoria do Patrimônio*. Tradução de Luciano Vieira Machado. São Paulo, Estação Liberdade/Editora da Unesp.

Dulles, John W. F. 1984. *A Faculdade de Direito de São Paulo e a Resistência Anti-Vargas: 1938-1945*. Rio de Janeiro/São Paulo, Nova Fronteira/Edusp.

Fonseca, Maria Cecília Londres. 1997. *O Patrimônio em Processo: Trajetória da Política Federal de Preservação no Brasil*. Rio de Janeiro, UFRJ/MINC/IPHAN.

Gonçalves, José Reginaldo dos Santos. *A Retórica da Perda. Os Discursos do Patrimônio Cultural no Brasil*. Rio de Janeiro, Editora UFRJ/MINC/IPHAN, 1996.

Haddad, Jamil Almansur. 1959. *Álvares de Azevedo, a Maçonaria e a Dança*. São Paulo, Conselho Estadual de Cultura.

Kersten, Márcia Scholtz de Andrade. 2000. *Os Rituais do Tombamento e a Escrita da História. Bens Tombados no Paraná entre 1938-1990*. Curitiba, Editora da UFPR.

Kujawski, Gilberto de Mello. 1999. *O Sabor da Vida*. São Paulo, Letra Viva.

Le Goff, Jacques. 1986. "História". *Enciclopédia Einaudi. Memória – História*. Lisboa, Imprensa Nacional/Casa da Moeda, v 1.

Martins, Ana Luiza & Barbuy, Heloisa. 1999. *Arcadas. Largo de São Francisco. História da Faculdade de Direito da Universidade de São Paulo*. São Paulo, Alternativa/Melhoramentos.

Morse, Richard. M. 1970. *Formação Histórica de São Paulo. De Comunidade à Metrópole*. São Paulo, Difusão Européia do Livro.

Octavio, Rodrigo. 1934. *Minhas Memórias dos Outros*. Rio de Janeiro, José Olympio.

O Espaço da USP: Presente e Futuro. 1985. São Paulo, Prefeitura da USP.

Oliveira, Cecília Helena de Salles & Mattos, Claudia Valladão de (org.) 1999. *O Brado do Ipiranga*. São Paulo, Edusp/Museu Paulista/Imprensa Oficial.

Prado, Maria Lígia Coelho. 1986. *A Democracia Ilustrada: o Partido Democrático de São Paulo, 1926-1934*. São Paulo, Ática.

Processo de Tombamento do prédio que abriga a Faculdade de Direito da Universidade de São Paulo no Largo de São Francisco, nº 21369/80. 2003. São Paulo, Secretaria de Estado da Cultura.

Riegl, A. 1984. *Le culte moderne des monuments. Son essence e sa genése*. Paris, Seuil.

Schubsky, Cássio (coord.) 2003. *A Heróica Pancada: Centro Acadêmico XI de Agosto, 100 anos de lutas*. São Paulo, MEMOJUS.

Santos, M. C. L. 1998. *USP Universidade de São Paulo Alma Mater Paulista 63 anos*. São Paulo, Edusp.

Telles Junior, Goffredo. 1999. *A Folha Dobrada. Lembranças de um Estudante*. São Paulo, Nova Fronteira.

Venâncio Filho, Alberto. 1982. *Das Arcadas ao Bacharelismo*. São Paulo, Perspectiva.

Zaluar, Augusto-Emílio. 1953. *Peregrinação pela Província de São Paulo. 1860-1861*. São Paulo, Comissão do IV Centenário da Cidade de São Paulo.

Jornais

Diário Oficial de 1.1.2003. São Paulo, Imprensa Oficial do Estado.

O Estado de S. Paulo. 9.8.1935, p. 3

O Estado de S. Paulo. 20.11.1932, p. 8.

Folha de S. Paulo. 11.8.1977, p. 14.

O centro universitário Maria Antonia, entre universidade e cidade

*Lorenzo Mammì**

Em 1968, após a invasão e depredação dos prédios da Faculdade de Filosofia, Letras e Ciências nas ruas Maria Antonia e Vila Nova, grande parte das atividades da Universidade de São Paulo foi transferida para um *campus* que, na época, estava bastante afastado do centro mais densamente urbanizado da cidade. É opinião comum que esse acontecimento teria marcado o início de um gradual isolamento da Universidade da vida ativa do tecido urbano e um encerramento paulatino em um universo acadêmico relativamente autônomo. Isso não significa, obviamente, que a Universidade teria deixado de exercer uma influência social e política determinante – o tamanho e peso estrutural da instituição, para não falar da relevância de suas atividades de pesquisa, tornavam sua presença, em todo caso, incontornável. Mas não resta dúvida de que a função da Universidade se exerceu sempre mais por linhas internas, mediante atividades que diziam respeito em primeiro lugar, se não exclusivamente, a seu público interno. O Museu de Arte Contemporânea tornou-se progressivamente um museu universitário, enquanto sua sede externa, no Parque Ibirapuera, perdia peso. As atividades musicais e teatrais também tenderam a se tornar progressivamente "universitárias" em sentido estreito, e o próprio debate político assumiu um caráter mais acadêmico. Tornou-se sempre mais importante a defesa de uma certa tradição uspiana, buscando preservar uma liberdade de pensamento e uma capacidade crítica herdada da década de 1960, no entanto sem a flexibilidade e a aderência ao fato social concreto que caracterizara aqueles anos. Segundo o professor Marcos Nobre[1], com a dissolução da antiga faculdade de Filosofia, Ciências e Letras, perdeu-se também boa parte do diálogo entre questões filosóficas, científicas e estéticas, que fora até então um ponto forte do pensamento universitário paulista.

Na última década, houve uma inversão de tendência: a Universidade voltou a se projetar para fora, buscando recuperar o enraizamento no território que perdera com o advento dos anos mais sombrios da ditadura. Iniciativas como a Estação Ciência, o Centro Universitário Maria Antonia, o Museu da Ciência, uma discussão mais atenta sobre o papel extra-universitário dos museus pertencentes à USP, a atuação sempre mais extrovertida de órgãos como a Osusp, o Tusp e o Cinusp, e criação de novos espaços como a Casa da Dona Yayá e o Parque das Ciências, apontam para um crescimento acelerado, quase tumultuoso, dessa projeção da USP para a comunidade extra-universitária.

Essa abertura, diga-se de passagem, coloca o problema de uma revisão urgente da infra-estrutura universitária. Na década de 1960, a relação entre Universidade e cidade se dava, de certa forma, naturalmente, pelas próprias unidades de ensino e pelas organizações estudantis. Hoje, demanda órgãos ou unidades especializados, dedicados especificamente a essa tarefa. Atualmente, as entidades universitárias dedicadas à produção e divulgação cultural são moldadas na estrutura das unidades de ensino, com graves defasagens entre estrutura interna e função, como é o caso dos museus; ou então são órgãos depen-

* Professor doutor do Departamento de Filosofia da Faculdade de Filosofia, Letras e Ciencias Humanas da USP e diretor do Centro Universitário Maria Antonia.

dentes diretamente da reitoria e das pró-reitorias, com organogramas e recursos muito diversificados, dependentes de soluções empíricas e contingenciais que apenas recentemente começaram a passar por um processo de uniformização e regularização.

Dentro desse quadro, o Centro Universitário Maria Antonia (Ceuma) ocupa, a meu ver, uma posição particular, por três razões: em primeiro lugar, por seu peso simbólico; secundariamente, por ser um órgão com atividades muito diversificadas, não tendo um campo de atuação claramente delimitado; finalmente, por estar localizado numa região da cidade que é um dos focos principais do debate urbanístico, político e cultural dos últimos tempos. Tentarei abordar separadamente esses aspectos.

I

A Maria Antonia é, antes de tudo, um lugar. A força evocativa do espaço, para a comunidade universitária e boa parte da extra-universitária, é mais forte do que qualquer atividade que possa vir a ser desenvolvida nela. É a *alma mater* da Universidade, um símbolo da resistência ao regime militar, um repositório de lembranças afetivas e marcos culturais e políticos. Tudo isso deve ser levado em conta ao pensarmos uma destinação para esses edifícios, ainda mais porque eles necessitam de uma profunda reforma estrutural para voltarem a ser utilizados plenamente, e toda reforma radical comporta um certo grau de ruptura com o passado.

Por fortes que sejam, as lembranças que a Maria Antonia carrega não deixaram vestígios físicos relevantes. Os prédios são pouco significativos arquitetonicamente, o mobiliário e a infra-estrutura da época, quando não foram destruídos, foram destinados a outro uso; os próprios estudantes e professores que vivenciaram aquela época, quando interrogados, parecem conservar uma lembrança muito nítida de fatos e pessoas, mas bastante indistinta e fragmentária quanto a coisas e espaços. Além disso, o sentimento generalizado é de que o período em que os prédios da Maria Antonia hospedaram a Universidade, de 1949 a 1968, deve ser visto como uma experiência interrompida de maneira abrupta e injustificada, e não como um ciclo concluso. Algo, portanto, que seria caso de retomar, mais do que comemorar como um fato histórico. A imagem da Maria Antonia está ligada a uma idéia de projeto cultural, de construção do futuro, se não de vanguarda. Nesse contexto, o pior dos erros possíveis, a meu ver, seria pensar um espaço como um memorial, em que os ideais da década de 1960 fossem considerados como pertencentes a um passado já distante.

O conjunto original constava de quatro prédios. Um foi demolido. Dos outros, o edifício principal, chamado Rui Barbosa, foi devolvido pelo governo do estado à USP em 1991 e reaberto em 1993; é o que está atualmente em funcionamento, embora precise de modificações para se adequar às normas atuais de segurança e circulação de público. O segundo edifício, Joaquim Nabuco, foi devolvido sem condições de uso, e está passando por uma reforma radical. Um terceiro, Duque de Caxias, com acesso pela rua Dr. Vila Nova, é atualmente ocupado pela Fundação de Assistência aos Presidiários (Funap), mas sua devolução à USP já foi aprovada pela Comissão de Patrimônio do Estado e está em processo de formalização. O conjunto conta também com um pátio interno de 350 metros quadros.

O projeto de reforma arquitetônica, elaborado pelo escritório de arquitetura Una, preocupou-se em recuperar o espírito da antiga faculdade, mais do que a letra dos detalhes arquitetônicos. Foram mantidos os elementos simbolicamente mais representativos: as fachadas, as escadas internas, e alguns outros detalhes. O eixo da circulação, porém, foi transferido da rua para o antigo pátio, que foi aberto para a rua e transformado numa praça cultural, cercada por um teatro, um auditório e um *café-foyer*.

A fachada do edifício Joaquim Nabuco que dá para o pátio será substituída por uma parede de vidro, que deixará entrever as diferentes camadas estruturais do prédio: a cornija da construção original, da década de 1920, a que se sobrepõe a fachada *art déco*, e finalmente a nova estrutura em aço, criada para sustentar os pisos reforçados, necessários aos novos usos dos espaços internos.

Desta maneira, o conjunto se abrirá para a rua, densamente freqüentada pela população estudantil (o distrito da Consolação conta com 150 mil estudantes) e, ao mesmo tempo, acentuará a comunicação entre os diferentes edifícios. O projeto ganhou o prêmio de melhor projeto institucional não realizado na Bienal Internacional de Arquitetura de São Paulo em 2003.

Ao mesmo tempo em que se elaborava a reforma, entre 2001 e 2003, dois artistas alemães e um artista argentino, Horst Hoheisel, Andréa Knitz e Marcelo Brodsky, cujos trabalhos nos respectivos países são centrados sobre a memória de acontecimentos históricos traumáticos (o nazismo, a ditadura militar argentina), trabalharam no prédio abandonado, junto com artistas e estudantes brasileiros, na recuperação de sua memória histórica. O trabalho redundou, em 2003, numa exposição, na qual colaborou também a artista brasileira Fulvia Molina, testemunha direta dos acontecimentos daqueles anos. Parte do material utilizado, em particular as fotografias de grande formato de Marcelo Brodsky, passou a integrar o acervo do Centro Maria Antonia. Está sendo preparado um catálogo, na Alemanha, sobre a experiência.

II

Quanto à função atual do Centro: no momento de sua instalação, em 1993, foram definidas algumas linhas de atuação, em parte ligadas à sua história, em parte derivadas de uma análise das necessidades atuais. Essencialmente, essas linhas se reduziam a três:

Desenvolver um campo de reflexão e formação sobre democracia, cidadania e diretos humanos.

Atuar como ponte entre a Universidade e a sociedade, sobretudo na área de artes e ciências humanas.

Apoiar a melhoria do ensino na rede pública, pela atualização de professores e experimentação didática.

O primeiro ponto mereceu o principal destaque na época da inauguração do Centro, em 1993, com grandes eventos dedicados aos diretos humanos e, logo em seguida, com a cessão de espaços a entidades como a Comissão de Direitos Humanos, coordenada pela professora Maria Luísa Marsílio, e a Escola de Governo, sob a coordenação do professor Fábio Konder Comparato.

O apoio à rede pública teve, e ainda tem, um ponto de força na organização da Jornada Científica, ciclo de encontros e *workshops* com pesquisadores de ponta que, embora não se destine exclusivamente aos professores da rede pública, encontra neles seu público preferencial (em média mais de 70 % dos inscritos). A Jornada foi criada em 1996 e encontra desde então um sucesso crescente.

No entanto, e apesar de seus êxitos pontuais, entre 1993 e 1999, o Centro teve em geral uma atuação episódica e fragmentada, devida em grande parte à fragilidade de sua estrutura interna. O Centro era, na época, administrado por funcionários, e a programação era escolhida predominantemente por pareceres externos, sem que nenhum dos pareceristas tivesse uma visão de conjunto das atividades propostas. Dessa maneira, ele se tornava mais um receptor de iniciativas de proveniência variada do que uma entidade capaz de elaborar propostas e produzir eventos segundo uma linha de atuação coerente.

A reestruturação do organograma, prevendo um diretor docente, um conselho deliberativo e um conselho diretor, foi realizada em 1999. Nessa ocasião, fui convidado a dirigir o Centro.

A primeira preocupação foi profissionalizar as condições de apresentação dos eventos culturais, principalmente nas áreas de música e de artes plásticas, e definir uma linha de atuação. Os espaços expositivos foram reformados, com a instalação de paredes em *dry wall* e um novo sistema de iluminação; a sala destinada aos recitais foi transferida para um outro espaço, maior e mais adequado acusticamente; o piano de cauda foi substituído; foi revista a qualidade e a diagramação do material gráfico e as estratégias de divulgação.

Ao mesmo tempo nos preocupamos em estabelecer uma linha coerente de atuação. No campo das artes plásticas, nossa intenção inicial foi hospedar uma produção que não encontrava espaço em outras instituições públicas: não a de artistas já plenamente consagrados, merecedores de retrospectivas em grandes museus, nem a dos emergentes, objeto de um trabalho de levantamento muito sério e já tradicional em espaços como o Centro Cultural São Paulo, mas sim a produção de artistas já com um certo percurso e mercado e que, no entanto, encontram dificuldade em apresentar projetos pessoais nas galerias comerciais ou nas exposições coletivas de que costumam participar. Julgamos que esse tipo de produção podia proporcionar um nível elevado de inovação e ousadia e, ao mesmo tempo, uma maturidade que permitisse uma reflexão mais aprofundada, como convém a um centro universitário.

Quanto à música, a natureza dos espaços e dos recursos tornou obrigatória a escolha de um repertório de câmara. Isso, no entanto, não representou uma limitação, sendo justamente a música de câmara o tipo de repertório que mais perdeu espaço em São Paulo. Existe na cidade uma grande quantidade de excelentes intérpretes, que encontram poucas ocasiões de se apresentar como solistas ou em pequenos conjuntos, já que as temporadas de concertos mais prestigiosas são dominadas por programas de orquestra e intérpretes internacionais. Esses músicos têm interesse em se apresentar, ainda que por cachês reduzidos, se houver condições básicas dignas: acústica adequada, um bom piano, um programa impresso, uma divulgação razoável. Por um breve período, graças a uma parceria com o Instituto Martius Staden e o Colégio Porto Seguro, foi possível desenvolver um programa de música popular de alta qualidade, sob o nome de *Cantos do Som*. Com a dissolução da parceria, esse programa teve de ser interrompido. A recuperação do projeto continua um dos nossos objetivos para um futuro próximo.

Recentemente, a Maria Antonia pôde arriscar programas mais ambiciosos, como o ciclo de exposições históricas sobre a arte concreta paulista, em 2002, com patrocínio da Petrobrás, e a série centrada sobre fotografia, em 2003, com apoio da editora Cosac & Naify (*Labirinto e Identidade*, retrospectiva da fotografia brasileira; *Evgen Bavcar*; *Alexander Wollner*). A parceria com o Instituto de Arte Contemporânea, fundação sem fins lucrativos que administra um acervo de importantes artistas brasileiros de tendências geométricas e construtivas (Sérgio Camargo, Willys de Castro, Mira Schendel), permitiu a realização esse ano de uma exposição dedicada a Sérgio Camargo. Para 2004 são previstas outras duas exposições com a mesma parceria, com obras de Amílcar de Castro e Willys de Castro. O IAC é também nosso principal parceiro na reforma do edifício Joaquim Nabuco, que irá hospedar sua valiosa coleção.

É intenção do Centro que as exposições não sejam vistas como eventos avulsos, mas criem linhas de reflexão que se prolonguem no tempo. As exposições sobre a arte concreta, por exemplo, geraram desdobramentos em 2003, como a retrospectiva de Rubem Ludolf, concretista carioca, e a própria exposição de fotografias de Alexander Wollner. Uma versão ampliada e modificada do ciclo está sendo elaborada para itinerância.

A programação musical também mudou de escala este ano, quando o Ceuma passou a organizar o Festival Música Nova, o mais antigo e conhecido evento de música contemporânea do país.

Quanto às duas outras linhas de atuação, ou seja, a atividade no campo da cidadania e dos direitos humanos e o apoio à rede pública, é preciso dizer que a primeira continua se desenvolvendo em grande parte graças à colaboração de entidades internas e externas à USP, enquanto a contribuição original do Ceuma diz respeito sobretudo à sua inserção no território e à discussão de questões urbanas de que tratarei a seguir. Em relação ao apoio à rede pública de ensino, não obstante o sucesso crescente do programa da Jornada Científica, que hoje se desdobra também em outros espaços (Estação Ciência, sede da Apeoesp), ele de resto custou um certo tempo para encontrar um perfil definido. A solução veio este ano, pelo estabelecimento de uma parceria com a Faculdade de Educação, que cedeu parte da carga horária de uma professora especialista em programas de arte e educação, prof. Rosa Iavelberg. Graças a ela e a seus colaboradores, o setor educativo é hoje o que mais rapidamente cresce, na Maria Antonia, em termos de número de projetos e de público atendido. A criação de oficinas de arte para o público em geral, ao contrário, não teve os resultados esperados, e foi quase totalmente desativada.

Embora todas as áreas citadas apresentem desenvolvimentos específicos e diferenciados, é importante que se mantenha um plano comum, uma capacidade de reflexão mais geral. É isso, a meu ver, que pode fazer a diferença entre um centro universitário e um centro cultural estranho à Universidade. Em relação aos muitos centros culturais existentes na cidade (Centro Cultural São Paulo, Instituto Tomie Othake, Centro Cultural Banco do Brasil, para não falar da rede do Sesc), o Ceuma dispõe de uma estrutura e de recursos muito limitados. Seu ponto de força está na massa crítica de especialistas e de pesquisa que a Universidade proporciona, em todas as áreas do conhecimento, e que não tem concorrentes em nenhuma outra instituição do país. Mesmo especialistas externos à USP, em linha geral, respondem a um convite da Universidade de maneira mais simpática do que ao de uma instituição particular ou de menor prestígio acadêmico. Isso permite manter uma programação de cursos de difusão, encontros e debates de alto nível, que funcionam por assim dizer como uma espécie de colante teórico, atrelando a programação existente a uma discussão mais aprofundada. Não acho necessário que a discussão teórica esteja diretamente ligada aos eventos, como, por exemplo, encontros e debates sobre as exposições em curso. Isso pode acontecer, mas, se a relação se tornar mecânica, a reflexão fragmenta-se em discursos ocasionais, enquanto ela deveria seguir seu próprio ritmo.

Fundamental para a realização de nossa programação foi também a criação de uma Associação de Amigos, atualmente presidida pelo professor José Arthur Giannotti, que permitiu a captação mediante as leis de incentivo fiscal e uma circulação mais ágil de recursos. A manutenção da associação, no entanto, choca-se com uma regulamentação ainda muito incipiente quanto à relação desse tipo de entidades com a USP, dificultando a criação de um relacionamento regular, claramente definido e plenamente transparente.

III

A terceira questão a ser abordada é a da relação com o território, que diz respeito a todos os órgãos da USP que atuam fora do *campus*, mas que é especialmente importante para a Maria Antonia, devido à importância estratégica da região em que se encontra.

Como já apontado, os arredores da antiga Universidade, incluindo os bairros Vila Buarque, Santa Cecília e Higienópolis, são regiões de alta concentração estudantil. Já foram considerados uma espécie de *Quartier Latin* paulista, pela riqueza de espaços culturais e de pontos de encontro e de lazer, que entraram na história da nossa cidade (típico é o caso do Johann Sebastian Bar, berço da música popular paulista). Chico Buarque se apresentou nesses bares, quando estudante; Dorival Caymmi morou na rua Rego Monteiro e ali compôs, ao que dizem, suas canções praieiras. Aqui funcionava o teatro Arena (hoje Eugênio Kusnet). A região já foi de classe média, com edificações de alta qualidade arquitetônica (prédios de Bratke, Hepp e Levi, entre outros).

Com o advento do regime militar, a área que vai da rua Dona Veridiana à praça da República passou por um processo de progressiva degradação e desmantelamento, culminando com a expulsão da Universidade (1968), a construção do elevado Costa e Silva (1971) e outras intervenções menores, como a destruição do tradicional teatro Leopoldo Fróis, na praça Rotary (1972). Hoje, há uma inversão de tendência: atraídas pela abundância de infra-estruturas e pelos preços ainda abordáveis, várias instituições estão se instalando na vizinhança, entre elas, a sede paulista do Fórum Social Mundial, a organização não governamental Ação Educativa, a Escola da Cidade e o Instituto Polis, todos na rua Geral Jardim. A sede da Aliança Francesa, que quase foi fechada há poucos anos, foi recentemente restaurada, incluindo a reforma do tradicional teatro. A FAU-Maranhão e o Centro Histórico da Universidade Mackenzie, além da Maria Antonia, também estão passando por um processo de reforma. O comércio do bairro está se tornando mais ambicioso e diversificado. Apesar disso, a região ainda é, por assim dizer, de fronteira, ocupando uma posição intermediária entre um bairro de classe média alta e de alta escolaridade como Higienópolis e uma região degradada como a Boca do Lixo. O saneamento do bairro Vila Buarque (que, aliás, não está incluído no programa Viva o Centro) choca-se, em todo caso, com o obstáculo da presença do Minhocão, que gera uma faixa de tecido urbano semi-abandonado.

O ponto de força da região é a presença de uma formidável infra-estrutura educativa e cultural, em parte subutilizada e degradada, mas ainda substancialmente intacta. No raio de cerca de um quilômetro a partir da Maria Antonia se encontram, além das instituições já citadas, a

Escola de Sociologia e Política, a Santa Casa, a biblioteca Monteiro Lobato, o Instituto dos Arquitetos do Brasil, o Sindicato dos Jornalistas, o Sesc Consolação, o Senac da rua Dr. Vila Nova, a associação Grupo pela Vida, e ainda várias escolas públicas e um bom números de teatros – uma densidade de instituições culturais e sociais que possivelmente não se encontre em nenhum outro ponto da cidade.

Foi nossa preocupação inicial criar um clima de colaboração e de troca de experiências entre essas instituições, inicialmente com a colaboração da ONG Ação Educativa e da biblioteca Monteiro Lobato, em seguida com a adesão de um número sempre mais consistente de instituições. A partir daí foi criado um Circuito Vila Buarque de Educação e Cultura, que é mais um hábito de encontros e colaboração na produção de eventos do que uma associação estabelecida formalmente.

A função do Circuito é, por um lado, otimizar o aproveitamento dos espaços e dos recursos e, por outro, chamar a atenção sobre a vocação educativa e cultural do bairro. Organiza um evento coletivo por semestre, sempre centrado sobre um tema específico. Foram quatro até agora: *Genius Loci. O Espírito do Lugar*, que discutia a relação entre arte e espaço público; *Teatro Aqui? Onde?*, uma espécie de romaria/censo dos espaços teatrais da região; *Instantâneo Coletivo*, sobre os vários usos da fotografia, e *Elevado Dois Sentidos*, que focalizava o problema do Minhocão e sua relação com a vida do bairro. Além disso, é mantida uma rede permanente de colaborações e intercâmbios: o festival *hip-hop*, por exemplo, organizado pela Ação Educativa, é parcialmente hospedado pela Maria Antonia; algumas das exposições da Maria Antonia tiveram desdobramentos na biblioteca Monteiro Lobato; outros eventos, incluindo um concerto do Festival Música Nova, aconteceram no teatro da Aliança Francesa. Um desdobramento recente e muito promissor foi a criação, na FAU-Maranhão, de um grupo de trabalho chamado Vila Buarque 24 horas, coordenado pelo professor Carlos Zibel, que reúne estudantes e profissionais de quatro faculdades de arquitetura (FAU, Mackenzie, Faap e Escola da Cidade), com o intuito de estudar intervenções e soluções para a região.

A colaboração do Ceuma com outros espaços é em parte ditada por seu próprio crescimento. De 1999 a 2003, a Maria Antonia passou de 18 mil a 80 mil visitantes, com um ritmo de atividades de quase um evento por dia. Até a inauguração dos novos espaços, não há mais como crescer. Mesmo após a reforma, a capacidade de público será limitada, certamente não comparável à de gigantes como o CCSP ou o Instituto Tomie Othake. Neste ano, no entanto, houve uma mudança de perspectiva: a atividade do setor educativo e a criação de exposições itinerantes geraram um público externo, que é a nova fronte de intervenção do Ceuma. Atualmente o Ceuma desenvolve projetos educativos que interessam a um circuito de escolas não apenas da cidade como, num futuro próximo, de outras cidades do Estado. Exposições organizadas pela Maria Antonia já foram montadas em São Carlos e São José do Rio Preto, por convite das unidades do Sesc daquelas cidades, e no Itaú Cultural da avenida Paulista. Outras itinerâncias são previstas para 2004, em colaboração com a Secretaria de Cultura do Estado.

Sob esse ponto de vista, acredito que o intercâmbio entre os diferentes órgãos da USP é ainda insuficiente. Os limites de espaços e de recursos se tornam menos asfixiantes se o circuito for mais integrado. Na área de música, por exemplo, seria possível criar uma rede de apresentações de boa qualidade e baixo custo se houvessem os necessários cuidados com as condições acústicas e as contrapartidas oferecidas aos músicos. No campo das artes plásticas e, em geral, das exposições, um intercâmbio seria também extremamente proveitoso, tanto no sentido da circulação de uma mesma exposição em diferentes espaços quanto na definição de tipos de programação que sejam complementares, evitando superposições e redundâncias.

Finalmente, gostaria de observar que os bons resultados obtidos recentemente pela USP, nessa sua investida cultural sobre a cidade, deram-se num regime extremamente franciscano quanto à infra-estrutura e recursos. Até agora essa carência foi compensada graças ao enorme potencial de que a USP dispõe no campo dos recursos humanos. Não estou prestando, com isso, uma homenagem formal. Um funcionário público não costuma trabalhar em função da carreira ou da estabilidade do emprego, porque suas chances de demissão ou de promoção são bastante limitadas. Mas, justamente por isso, suas motivações, quando motivado, podem ser mais profundas e eficazes: orgulho profissional, solidariedade com a equipe, crença no valor do projeto em que está envolvido. Eu mesmo me considero, junto com a maioria das pessoas com quem trabalho na Maria Antonia, um funcionário motivado. Formado para desenvolver um trabalho teórico, tive de lidar com canos estourados, manutenção predial, aprovação de plantas na prefeitura. Acredito ter ganhado com essa experiência a consciência concreta, e não apenas hipotética, de que cuidar de uma calçada envolve problemas estéticos, assim como organizar uma exposição é uma questão prática e socialmente relevante. Em outras palavras, minha visão da relação entre teoria e praxe mudou a partir de meu envolvimento concreto com a solução de problemas práticos.

No entanto, e talvez justamente por isso, estou consciente de que a assunção por parte da Universidade de uma responsabilidade social e cultural que vai muito além dos perímetros de seus *campi* está tencionada ao máximo, baseada na dedicação extraordinária e no idealismo de funcionários, amiúde de baixo salário, que acreditam no que fazem. Ainda um passo e será necessário escolher entre recuar, voltando a uma atividade estritamente didática e de pesquisa, deixando eventualmente a administração das relações entre Universidade e sociedade aos cuidados de profissionais contratados, ou investir de uma vez na relação entre Universidade e sociedade, entre reflexão e atuação prática, encontrando modelos que certamente não podem ser tão espontâneos e imediatos como na década de 1960, mas que também não se cristalizem em setores completamente separados e autônomos em relação à atividade didática e de pesquisa.

Não há nada de escandaloso na primeira hipótese: em muitos países, alguns deles altamente desenvolvidos, a universidade exerce um papel muito mais limitado do que aquele exercido pela USP. Mas me parece enxergar, na evolução recente de nossa Universidade, a possibilidade de um modelo inédito de envolvimento entre elaboração teórica e atividades práticas. Um modelo certamente atípico, mas por isso mesmo adequado a um país em rápida evolução, com enorme potencial e já capaz, estruturalmente, de uma linha original de atuação.

Nota

1 *Comparativ*, a. 8, n. 6, dezembro de 1998; *Novos Estudos*, n. 53, 1999.

O *CAMPUS* DO IPIRANGA

*Heloisa Barbuy**

O Ipiranga é lugar de grande significação.

Tal significação é dada, em primeiro lugar, por uma trajetória histórica sempre retomada, seja por análises acadêmicas, por ideologias nacionalistas ou pela via afetiva, todos processos de que são dignos os *lugares de memória*, na consagrada expressão de Pierre Nora. São aqueles lugares nos quais a memória se cristaliza e intensifica, o que necessariamente inclui tudo o que foi deixado de lado durante seus processos de seleção. Corresponde, portanto, a uma idéia mais ampla do que aquela de identidade: os lugares de memória, sempre segundo Nora, "não são aquilo de que nos lembramos e sim onde a memória atua; não a tradição em si mas o seu laboratório"[1]. Em outras palavras, são lugares cuja grande força simbólica os mantém vivos justamente pelo permanente processo de ressignificações que ensejam[2].

Nosso lugar reúne, de forma intensa, a idéia de um fato, a força de um marco urbano, a prática das visitas nos dias sete de setembro, com as características de repetição reiterativa que todo ritual comporta, a profundidade das recordações afetivas, a lembrança dos simples passeios no lugar aprazível, realizados por grupos de amigos, famílias ou pessoas sós. Todas vertentes de uma memória múltipla e complexa, sobre a qual continuamos estimulados a refletir[3].

O MONUMENTO DO IPIRANGA: UM GRANDE PROJETO DO IMPÉRIO

Rezam as tradicionais narrativas históricas que no dia sete de setembro de 1822, quando se encontrava, com sua comitiva, a meio caminho entre Santos e São Paulo, foi o príncipe regente Dom Pedro colhido por notícias, trazidas por mensageiros, de que a Coroa exigia sua volta imediata a Portugal e a prisão de José Bonifácio. Foi então que teria se rebelado bradando, espada em punho: – "Independência ou Morte!". Com isso proclamara a Independência do Brasil e tornara-se o Imperador Dom Pedro I.

Mostra Cecilia Helena de Salles Oliveira que a assunção desse momento como sendo aquele em que se tinha proclamado a Independência não foi coisa tão imediata. Somente alguns anos depois, em 1826, é que se oficializou o Sete de Setembro como festa nacional em todo o Império[4]. Tal decisão vinculava-se, por certo, ao projeto político paulista, liderado por José Bonifácio de Andrada e Silva, que alçou a velha província, antes meio desgarrada, ao centro da cena nacional. O nascimento da Nação ganhou, assim, um berço concreto: as margens do riacho Ipiranga, em solo não por acaso paulista.

No mesmo processo de afirmação, enquanto se elegia aquele símbolo de emancipação política, engendrava-se outro, que já surgia forte, também decorrente da Independência: a Academia de Direito de São Paulo, criada em 1827, que representava a emancipação intelectual do recém-criado Estado. Também o velho convento do largo

* Historiadora, museóloga e professora doutora do Museu Paulista da USP.

de São Francisco em que foi instalada tornou-se lugar simbólico, mito fundador da Nação. Universidade antes da Universidade, partiam de lá, aliás, muitos dos esforços pelo fortalecimento da memória da Independência associada a São Paulo. O Barão de Ramalho é talvez a personalidade que melhor represente a ligação entre aquele centro de pensamento e política que era a Faculdade de Direito e a construção do Monumento do Ipiranga, pois foi ele quem esteve à frente da Comissão incumbida de sua realização.

Embora, desde aqueles primeiros anos após o "fato", já se tornassem habituais os passeios até o Ipiranga e a realização, ali, de solenidades oficiais nos dias sete de setembro, o governo imperial sentia necessidade de marcar o lugar com um monumento.

Vários projetos se seguiram[5] até que, nos anos 1880, foi aprovada e iniciada a construção de um edifício-monumento, próximo ao riacho mas no alto da colina, para marcar definitivamente o "lugar da independência". Concreto, sólido, duradouro, aliás perene. Imponente, sobranceiro, com longa frente – de muitas portas, janelas e terraços – voltada para a cidade de São Paulo, ainda algo distante dali, mas cuja febre de mudanças, no encalço da modernidade, a fazia expandir-se a olhos vistos, esparramando-se em novas construções por sobre as velhas chácaras que a circundavam.

A força do edifício-monumento, que se ia erigindo no "lugar do fato", logo se fez sentir. No alto da colina, impunha-se à visão de quem ia se aproximando, ao mesmo tempo em que se constituía em mirante privilegiado para uma vista panorâmica da cidade ao longe. O edifício-monumento era, no entanto, projeto do Império e, proclamada a República em 1889, houve um período de transição repleto de conflitos e incertezas quanto ao destino do Monumento, que se encontrava ainda inacabado.

O Museu Paulista: Um grande projeto da república

Embora não se possa creditar inteiramente à República a idéia de instalar, no Monumento, um museu, pois essa era cogitação que vinha já perpassando toda a discussão a respeito da destinação a dar ao edifício, foi sob o regime republicano que ocorreu a criação do Museu do Estado (logo em seguida denominado Museu Paulista), pela Lei n. 46 de 25 de agosto de 1893. Estadual, regional portanto em princípio, instalou-se porém num monumento nacional, já firmado como tal[6]. O alcance que se atribuía ao estado de São Paulo não era menor: para ele se avocava a memória de fundador da Nação e da República. Assim, no Museu Paulista, as memórias regional e nacional confundiram-se entre si.

A instituição tinha sido concebida para estabelecer uma identidade cheia de grandeza para São Paulo, não apenas por meio de uma *memorabilia* da Independência Nacional, mas também pela pesquisa de nível, sistemática, que tinha como objeto o território brasileiro, tratado sob a óptica das ciências naturais: geologia, mineralogia e principalmente zoologia; também a etnografia, a arqueologia e a "história pátria". Dizia o naturalista Hermann von Ihering, primeiro diretor da instituição:

> O fim destas coleções é dar uma boa e instrutiva idéia da rica e interessante natureza da América do Sul e do Brasil em especial, como do homem sul-americano e de sua história[7].

Havia todo sentido, naqueles dias, em criar-se um museu que reunisse todas as áreas do conhecimento possíveis. O objetivo era compreender e mostrar o Brasil: a terra, os rios, a flora, a fauna, as populações aborígenes, a história pós-cabralina, tudo ali se interligava. Para designar-se esse tipo de museu, muito próprio do século XIX, cristalizou-se a expressão "museu enciclopédico". Mas qual era, então, o sentido da enciclopédia? Muito longe da conotação pejorativa que viria a ter mais tarde, a enciclopédia era perfeito reflexo dos ideais científicos do século XIX, tempo em que se almejava tudo conhecer e sistematizar, vendo-se o mundo todo pelos olhos do naturalismo classificatório.

Algumas tendências confluíram, no século XIX, para a formação desse tipo de museu, que tinha o mundo físico como objeto de estudos. Em primeiro lugar, a história natural, muito desenvolvida no período anterior, tinha criado a necessidade de organização de instituições científicas para abrigar e cuidar das coleções geradas e utilizadas pelas pesquisas. O precursor matricial dos museus de história natural era o Ashmolean Museum, de Oxford, tributário da doutrina filosófica de Francis Bacon, que pregava observação e experiência concreta como método de pesquisa para compreensão do mundo; em segundo lugar, o enciclopedismo em si, que fez do século XIX "o século dos dicionários", trazendo à sua frente as obras referenciais francesas de Émile Littré e Pierre Larousse[8], e como terceira tendência, as práticas de vulgarização científica, que acompanharam a formação da sociedade de massas e seu adestramento para o mundo novo que se formava. Surgia ali a própria idéia de "grande público", como massa de leigos que precisavam receber instrução científica para poder inserir-se no novo contexto, nele exercendo algum tipo de função que atendesse às novas necessidades.

O encontro dessas tendências gerou, pelo mundo afora, instituições como o Museu Paulista, que tinham objetivos científicos pautados pela ambição de um conhecimento esquadrinhador, completo e sistematizador do mundo natural, ao mesmo tempo em que apresentavam também uma face popular, tomando a educação do grande público como missão.

O MUSEU E A CIDADE

Museus e exposições eram importantes veículos do processo modernizador, vinculados à expansão da sociedade industrial no Ocidente e consistindo em espetáculos didáticos de seus valores e práticas. A criação do Museu Paulista, embora de envergadura inédita na cidade, encontrava terreno numa verdadeira cultura de exposições que já se disseminava então em São Paulo. Aquele tipo de compreensão pela impressão visual, que o Museu podia proporcionar, não estava desligado da vida urbana local. Exposições agro-industriais já se tinham realizado na cidade, os *vernissages* se multiplicavam, organizados em casas comerciais, e elas próprias providenciavam reformas modernizantes, que criavam ambientes internos mais amplos e introduziam vitrines por toda parte, para exibição de produtos[9]. A Faculdade de Direito já há décadas vinha formando, em seu Salão Nobre, uma galeria de retratos de lentes e diretores destacados[10], sem falar no museu do coronel Sertório, cuja coleção viria a compor o núcleo inicial do próprio Museu Paulista.

Em 1894 começou-se a preparar o edifício para sua abertura ao público, que ocorreria no ano seguinte, no Sete de Setembro. Reformas para dar acabamento à parte interna do Monumento, confecção de estantes e vitrines, acondicionamento e organização dos acervos, tudo se fez, em intensas atividades para a inauguração do Museu.

Os conflitos entre o governo republicano e a concepção daquele monumento, originalmente previsto para enaltecer o Império, refletiram-se claramente na decoração interna do edifício. Em disputa judicial com a Comissão do Monumento, o autor do projeto, Tommaso Gaudenzio Bezzi, juntou várias fotografias do edifício (realizadas por Guilherme Gaensly), que legendou com comentários seus, reveladores de alguns elementos decorativos acrescentados ao edifício nos primeiros tempos do Museu e que não estavam no projeto original, do qual nos dá também algumas indicações:

> [...] 1º – Os vasos de cimento pintados como mármore, tendo dentro palmas naturais, colocados sobre pilastras por mim destinadas a sustentar grandes candelabros de bronze. 2º – O busto em gesso do Presidente da república com o respectivo suporte coberto de veludo. 3º – A enorme inscrição comemorativa que foi colocada naquele lugar, por ordem desse governo, expressamente para substituir aquela com o meu nome, datada no campo de uma única pedra [...] 4º – A tacanha estátua em gesso da república, colocada no lugar destinado àquela de S.M. o Imperador Dom Pedro I. 5º – O tapete da escadaria com os bastõezinhos de latão, instalação feia, cor feia e tacanho demais. 6º – A prateleira em madeira para os chapéus, bengalas etc. dos visitantes do museu e uma grande mesa para o empregado daquele serviço, que cobre [...] metade da parte curva dos três primeiros degraus.
>
> São Paulo, Abril de 1898 – Tommaso Gaudenzio Bezzi [11].

Na concretização daqueles tantos ideais que fundamentavam a existência do Museu Paulista, alguns percalços havia, a começar pela dificuldade em estabelecer-se, no dia-a-dia, uma ligação mais fluida com a cidade: se, por um lado, o significado de grandeza e modernidade do Monumento não cessava de ser assinalado, a prática de visitação do Museu pelo público era dificultada pela precariedade do transporte coletivo. Rodolpho von Ihering (que substituía temporariamente seu pai na direção do Museu), apontava a diminuição de público a cada ano, fato este que atribuía ao problema das más condições dos bondes da Companhia Viação Paulista[12]. Ao que tudo indica, tinha razão em sua avaliação, pois assim que se instalou uma linha de bondes elétricos da Companhia Light, em 1903, a visitação tomou o fluxo do crescimento, como registra o relatório institucional referente aos anos 1906-1909:

1906 .... 44.619
1907 .... 40.680
1908 .... 40.374
1909 .... 63.441 visitantes[13]

Outro problema que restringia a instituição era a falta de espaço. Desde aqueles inícios, Ihering já apontava para a idéia de que outros edifícios deveriam ser construídos ali para formar-se uma "Cidadela dos Museus", inspirada no *Zwinger* de Dresden. Propunha efetivamente a construção de um segundo pavilhão, que viria a constituir "uma galeria especial para os quadros do Estado", uma vez que o lugar já contava com público certo. Naquele momento, as telas do Museu tinham sido levadas à exposição no edifício do Liceu de Artes e Ofícios, prefigurando a Pinacoteca do Estado, mas comentava-se que os artistas estavam insatisfeitos, pois àquele local, embora tecnicamente mais adequado, não vinham visitantes[14].

A proposta, porém, não prevaleceu. Consolidou-se, isto sim, a Pinacoteca do Estado de São Paulo, iniciada com grande número de pinturas provenientes do acervo do Museu Paulista mas em outro lugar.

O Centenário da Independência no Ipiranga: Um grande projeto paulista

Para as comemorações do Centenário da Independência, que se realizariam em torno de 1922 – e conduzida por um novo diretor, Affonso d'Escragnolle Taunay, que assumiu a instituição no início de 1917 – foi cuidadosamente planejada e paulatinamente executada uma ampla reformulação das exposições do Museu, em que a História ganhou espaço e relevo[15]. Para mencionar apenas algumas das principais criações desse projeto, datam desse período quase toda a ornamentação pictórica e escultórica interna do edifício, a maquete que representa São Paulo em 1841 e o Museu Republicano "Convenção de Itu", extensão do Museu Paulista no interior do estado.

A valorização do Museu como marco urbano motivou um projeto urbanístico de monta: com novo ajardinamento à sua frente e o erguimento de um monumento escultórico aos pés desse jardim, o edifício-monumento seria o ponto literalmente alto do conjunto que formaria com a avenida Dom Pedro I e o Parque Dom Pedro II: compara-se o conjunto à Voie triomphale napoleônica em Paris, o Jardim Francês do Museu Paulista correspondendo ao Jardin des Tuileries do Louvre, e o monumento escultórico à Independência, de autoria de Ettore Ximenes, a partir do qual tem início a avenida Dom Pedro I, ao obelisco egípcio na Place de la Concorde, de onde se inicia a avenida dos Champs Elysées. O conjunto paulistano culminaria no Parque Dom Pedro II, como o parisiense no Arco do Triunfo.

Entretanto, apesar dos grandes investimentos intelectuais, técnicos, operacionais e financeiros que se fizeram nessa ocasião, o problema de espaço interno para o Museu continuava e Taunay pleiteava a construção de um outro edifício, próximo, semelhante ao que Ramos de Azevedo construíra para a Escola Politécnica na Luz, para abrigar as coleções de ciências naturais, além da secretaria e do arquivo[16]. Entretanto, como as soluções demorassem a vir, não se pôde evitar outros desmembramentos e saídas do Ipiranga, como o da Seção de Botânica, que em 1927 deixou o Museu Paulista para integrar-se ao Instituto Biológico de Defesa Agrícola e Animal.

No caso da Zoologia, porém, no final dos anos de 1930, por tratar-se de área científica que já estava fortemente identificada com o Museu Paulista, conseguiu-se fazer com que permanecesse no Ipiranga no momento em que se tratou de seu desmembramento. Construiu-se, para tanto, no mesmo Parque, um novo edifício especialmente concebido para as exposições e atividades científicas dos zoólogos. O projeto arquitetônico ficou a cargo de Christiano das Neves, que o concebeu em estilo *art déco*, comportando vitrais e azulejos ornamentais com motivos zoológicos. Foi inaugurado em 1939, concretizando, de algum modo, as antigas propostas de von Ihering e reivindicações de Taunay.

Em 1963, o Museu Paulista foi integrado à Universidade de São Paulo (o Museu de Zoologia, em 1969), mas a operação teve mais um caráter formal do que propriamente científico; quer dizer, não se projetou, nessa época, um futuro acadêmico para essa instituição, o que, entre aquele momento e os anos de 1980, realizou-se talvez mais pela atuação de alguns de seus pesquisadores do que propriamente em razão de algum grande projeto institucional da Universidade.

Um outro desmembramento sobreviria ainda, cujo processo teve início na década de 1960, quando se propôs a criação, na Universidade de São Paulo, de um Museu de Arqueologia e Etnologia. Mais uma vez, poder-se-ia ter cogitado de um novo edifício no Ipiranga, no qual se renovariam, enriqueceriam e projetariam os muitos trabalhos que se tinham realizado no Museu Paulista e os ricos acervos já formados nessas áreas do conhecimento. Entretanto, prevaleceu a opção mais facilmente factível: a instalação de um outro museu, longe dali, embora igualmente sem edifício adequado.

Foi assim, que mais de trinta anos depois, promoveu-se a reunião de todos os acervos de arqueologia e etnologia da Universidade de São Paulo em seu Museu de Arqueologia e Etnologia, gerando, no Museu Paulista, o desmembramento de mais essas duas áreas. De fato, o edifício mostrava-se muito pequeno para abrigar tantas coleções. Além disso, o desenvolvimento pouco coordenado das últimas décadas tinha transformado cada uma dessas áreas e a de história em departamentos estanques, sem interação científica. Isto se refletia nas exposições, que eram também divididas, com diferentes e separadas curadorias. Nada parecia haver restado, em verdade, dos velhos desígnios iniciais, quando o enciclopedismo, apesar de tudo o que nele hoje se condena, tivera o mérito de conferir aos diretores e curadores do Museu uma visão ampla, sistêmica e unitária da instituição. É bem verdade que este último desmembramento significou uma verdadeira refundação do Museu, com a abertura para a um importante redimensionamento conceitual da instituição e conseqüente estabelecimento de um projeto consistente, que a definiu como museu histórico e universitário com atuação no campo específico da cultura material, com coerente política científica e cultural e de formação e aperfeiçoamento de pessoal técnico e científico[17]. Embora justificado, assim, mais aquele desmembramento (o maior desde 1939, quando se tinha retirado a Seção de Zoologia), poder-se-ia ter buscado, talvez, a mesma solução que a esta se dera: teria sido um terceiro edifício na “Cidadela dos Museus” do Ipiranga.

Um novo grande projeto para o Ipiranga

Tantos museus e institutos que saíram do Museu Paulista poderiam ter sido criados sem perda total de vínculos com a instituição-matriz. Poderiam ter-se mantido ao menos fisicamente próximos, beneficiando-se do público constituído, dos significados do lugar. Todos estariam hoje, provavelmente, mais fortes. Teriam ganho muito a cidade e o público usuário.

Partindo-se da realidade atual – considerando-se, porém, o lastro de sua história – é preciso agora repensar o Ipiranga, tendo como eixo o Museu Paulista e o Museu de Zoologia, ambos órgãos da Universidade de São Paulo, ambos dentro do mesmo Parque, ambos partes da mesma história. Pode-se conceber um novo grande projeto, que permita à Universidade de São Paulo otimizar muitos de seus recursos, expandir-se nessa zona da cidade e ser finalmente identificada com seus museus do Ipiranga.

Já hoje, mesmo desarticulados como estão, o Museu Paulista e o Museu de Zoologia juntos representam importante pólo científico e cultural no Ipiranga, bairro marcado por forte identidade, para a qual em muito corrobora a presença dessas duas instituições. Em seu entorno, o Sesc, as várias universidades ali sediadas, além de outros tantos pontos de interesse histórico, científico e cultural, a eles se somam para tornar a região promissora para o desenvolvimento de projetos de várias naturezas.

Nos anos de 1996 e 1997, o edifício do Museu Paulista, por decisão e perseverança de sua própria diretoria, apoio da Reitoria da Universidade, colaboração de outras unidades da USP e patrocínio da iniciativa privada, foi objeto de ampla reforma de seus telhados e recuperação geral de suas instalações. Este foi passo decisivo para a preservação do prédio, condição *sine qua non* para qualquer projeto, que trouxe ainda, como conseqüência imediata, uma nova projeção e repercussão para o Museu, relançado assim na cena urbana e cultural da cidade e do país[18].

Entretanto, é certo que o Museu Paulista, assim como o Museu de Zoologia, necessita ainda e urgentemente de um programa complexo e dispendioso de reabilitação, com ampliação de suas áreas de exposições, laboratórios, reservas técnicas, salas de trabalho e, especialmente, infra-estrutura voltada para o conforto do visitante, com restaurante, livraria, banheiros e, possivelmente, sistema de locomoção dentro do Parque, interligando os dois edifícios. Em outras palavras, uma expansão física mostra-se necessária para a adequada continuidade e desenvolvimento tanto de suas atividades científicas como daquelas de extensão, voltadas para seu numeroso público, que está bem merecendo melhores condições de visitação e uso. Tudo destinando-se a reativar, com mais intensidade, o velho *lugar de memória*, aquele laboratório no qual se processam representações sociais múltiplas e plenas de vitalidade.

Observe-se, a propósito, que o Parque da Independência, que por suas marcas históricas e características paisagísticas é conjunto único em São Paulo, foi indevidamente ocupado por edificações ali surgidas sem planejamento, uma delas destinada a abrigar uma seção do Corpo de Bombeiros e duas outras para funcionamento de um hospital municipal. Conquanto tais instituições tenham relevantes funções sociais, sua localização não nos parece adequada. Poder-se-iam propor permutas entre o governo do estado e a prefeitura municipal, que permitissem reverter tais edifícios para uso dos Museus do Ipiranga.

De qualquer forma, é preciso estabelecer, de novo, um projeto de envergadura, capaz de otimizar e revalorizar todo o patrimônio – material e imaterial – construído e sedimentado ao longo de 110 anos num lugar já tão particularizado, pleno de história e memória, que constitui patrimônio da Universidade de São Paulo e, assim, de nosso estado e país.

Urge pensar e replanejar o "*campus*" do Ipiranga: é preciso um projeto de reabilitação arquitetônica que equacione não apenas todas as necessidades que se fazem sentir mas também o potencial do lugar. Também um projeto urbanístico deveria partir da Universidade de São Paulo, para que se possa bem administrar o processo de transformação urbana do entorno de seus museus. Observe-se que ainda é possível preservar a força de marco urbano – físico e simbólico – do conjunto formado pelo Parque da Independência, seus edifícios, jardins e monumento. Para tanto, porém, será necessário reforçar as medidas legais de proteção de sua área envoltória e, principalmente, elaborar projeto que recupere a inserção urbanística do conjunto, o que significa religar os museus com a cidade.

O lugar pode ser considerado, em última instância, por um lado em seu recorte geográfico, tendo-se como eixo o curso do riacho do Ipiranga (a recuperar), cujas nascentes estão situadas em outro riquíssimo patrimônio da Universidade de São Paulo, o Parque de Ciencia e Tecnologia (antigo Instituto Astronômico e Geofísico), e, por outro lado, em sua inserção no velho Caminho do Mar – Caminho de Santos –, percorrido por muitos ao longo dos séculos e emblematicamente por Dom Pedro I e sua comitiva, no início do mês de setembro de 1822[19].

Nesse caso, o principal ponto de vista a considerar seria, então, aquele do usuário, que não se constituiria em mero consumidor de um equipamento urbano qualquer, mas como beneficiário privilegiado de todo um processo de fundamentos acadêmicos e objetivos culturais e educacionais; ponte por excelência entre universidade e cidade, entre universidade e sociedade.

Talvez seja possível assumir de fato como *campus* o Ipiranga – a "USP Zona Sul" –, com um grande projeto da Universidade, em cooperação com os governos do estado e do município.

Notas

1 Pierre Nora, "Présentation", em Pierre Nora (dir.), *Les lieux de mémoire*, Paris, Gallimard, 1984. v. 1 ("La République"), p.x.

2 A propósito, ver Heloisa Barbuy e Vânia Carneiro de Carvalho, "Imagens e Impressões: Caleidoscópio de Significados", em José Sebastião Witter (dir.), *Museu Paulista: Um Monumento no Ipiranga (História de um Edifício Centenário e de Sua Recuperação)*, São Paulo, Edusp/Fiesp, 1997, pp. 303-343.

3 Sobre a memória política da Independência construída em torno do Ipiranga, de seu edifício-monumento e do Museu Paulista nele instalado, Cecilia Helena de Salles Oliveira é autora de referência. Cito, entre suas obras, *O Espetáculo do Ypiranga: Mediações entre História e Memória* (tese de livre-docência no Museu Paulista da USP, 288 p., 1999), precedida pelo artigo "O Espetáculo do Ipiranga: Reflexões Preliminares sobre o Imaginário da Independência" (*Anais do Museu Paulista: História e Cultura Material*, v. 3, n. sér., pp. 195-208, jan.-dez. 1995), e *O Brado do Ipiranga*, co-organizado com Claudia Valladão de Mattos (Edusp/ Museu Paulista/ Imprensa Oficial, 1999; "Delimitação do Lugar do 'Grito': Propostas e Contradições", em José Sebastião Witter (dir.), *Museu Paulista: Um Monumento no Ipiranga (História de um Edifício Centenário e de Sua Recuperação)*, São Paulo, Edusp/Fiesp, 1997, pp. 212-225, além do texto didático "O Museu Paulista e o Imaginário da Independência", publicado em Cecilia Helena de Salles Oliveira (org.), *Museu Paulista: Novas Leituras*, Museu Paulista, 1995, pp. 5-11.

4 Cf. Cecilia Helena de Salles Oliveira, "Delimitação do Lugar do 'Grito': Propostas e Contradições", em José Sebastião Witter (dir.), *Museu Paulista: Um Monumento no Ipiranga (História de um Edifício Centenário e de Sua Recuperação)*, São Paulo, Edusp/Fiesp, 1997, pp. 212-216.

5 Sobre os diferentes projetos, ver Maria Helena Flynn, "Concursos Públicos para o Monumento do Ipiranga", em Ulpiano T. Bezerra de Meneses (dir.), *Às Margens do Ipiranga, 1890-1990*, São Paulo, Museu Paulista da USP, 1990, p. 14.

6 Para compreensão da primeira fase do Museu Paulista, que corresponde à gestão de Hermann von Ihering, ver Ana Maria de Alencar Alves, *O Ipiranga Apropriado: Ciência, Política e Poder. O Museu Paulista, 1893-1922*, São Paulo, História Social USP/Humanitas-FFLCH, 2001 (série Teses).

7 Hermann von Ihering, "História do Monumento do Ipiranga e do Museu Paulista", *Revista do Museu Paulista*, v. 1, 1895, p. 20.

8 Ver Nicole Savy, *Le siècle des dictionnaires*, Paris, Réunion des musées nationaux, 1987 (Les dossiers du Musée d'Orsay, 10).

9 Cf. Heloisa Barbuy, *A Cidade-Exposição: Comércio e Cosmopolitismo em São Paulo, 1860-1914*, São Paulo, Edusp, no prelo (originalmente tese de doutorado pela FAU-USP).

10 Cf. Comissão de Museu da Faculdade de Direito, *Retratos em Pintura no Acervo da Faculdade de Direito* (catálogo em andamento), São Paulo, jun. 2003 (datilografado).

11 "Monumento d'Ipiranga, commemorativo dell'Indipendenza del Brasile (ancora incompleto). Architetto l'Ingegnere Tommaso Gaudenzio Bezzi. La cassa del grande scalone d'onore como trovasi attualmente coi lavori e abbelimenti che non sono del mio progetto, eseguiti, dopo l'illegale rescissione del mio contratto, per ordine di questo governo quando per lege [...] il monumento destinato a Panteon brasiliano e a museo dello stato. I detti lavori sono: 1º – I vasi di cimento dipinti a marmo con dentro delle palme naturali, collocati sui pilastri da me destinati a portare dei grandi candelabri di bronzo. 2º – Il busto in gesso del Presidente della republica col rispettivo suporto coperto di velluto. 3º – L'enorme iscrizione commemorativa che fu collocata in quel posto, per ordine di questo governo espressamente per sostituire quella col mio nome adattata nel campo d'una sol bugna, como si puo vedere nelle fotografie 8 e 9 di questa collezione. 4º – La meschina statua in gesso della reppublica collocata nel posto destinato a quella di S.M. L'Imperatore Don Pietro I. 5º – Il tappeto dello scalone coi bastoncini d'ottone, bruta collocazione, bruto colore e tropo meschino. 6º – Le rastelliere in legno per i cappelli, bastoni ece. dei visitanti del museo e un grande bancone per l'impiegato di quel servizio, il quale copre [...] della metà della parte curva dei tre primi scalini. São Paulo Aprile 1898 – Tommaso Gaudenzio Bezzi" (Museu Paulista, Serviço de Documentação Textual e Iconografia, Fundo Museu Paulista, Coleção Bezzi, legenda da fotografia n. 16, tradução nossa para o português).

12 Rodolpho von Ihering, "O Museu Paulista nos Annos de 1903 a 1905", *Revista do Museu Paulista*, 1907, p. 7.

13 Hermann von Ihering & Rodolpho von Ihering, "O Museu Paulista nos Annos de 1906 a 1909", *Revista do Museu Paulista*, 1911, p. 2.

14 Rodolpho von Ihering, *op. cit.*, p. 14.

15 Sobre esse processo, ver Ana Cláudia Fonseca Brefe & Maria José Elias, *Museu Paulista: Memória e História*. São Paulo, 1996, 2 v. (tese de doutoramento – FFLCH-USP). Para um detalhamento preciso da ornamentação do edifício, ver Miyoko Makino, "A Ornamentação Alegórica", em José Sebastião Witter (dir.), *Museu Paulista: Um Monumento no Ipiranga (História de um Edifício Centenário e de Sua Recuperação)*, São Paulo, Edusp/Fiesp, 1997, pp. 266-301, e *A Constituição da Identidade Nacional: Afonso de E. Taunay e a Decoração do Museu Paulista*, São Paulo, 2003, 252 p. (tese de doutorado – FFLCH-USP).

16 Cf. Ana Cláudia Brefe *et al.*, *op. cit.*, p. 102.

17 Ver Ulpiano T. Bezerra de Meneses, *Plano Diretor do Museu Paulista da USP*, 1990, 8 p. (datilografado).

18 Ver José Sebastião Witter (dir.), *Museu Paulista: Um Monumento no Ipiranga (História de um Edifício Centenário e de Sua Recuperação)*, São Paulo: Edusp/Fiesp, 1997.

19 Ver Benedito Lima de Toledo, "O Edifício na Cidade: Uma Visão Urbanística", em José Sebastião Witter (dir.), *Museu Paulista: Um Monumento no Ipiranga (História de um Edifício Centenário e de Sua Recuperação).*

O *CAMPUS* E A CIDADE

*Marco Antonio Xavier**

Somente a História nos instrui sobre o significado das coisas. Mas é preciso sempre reconstruí-la, para incorporar novas realidades e novas idéias ou, em outras palavras, para levarmos em conta o Tempo que passa e tudo muda.

Basta não considerar o espaço como simples materialidade, isto é, o domínio da necessidade, mas como teatro obrigatório da ação, isto é, o domínio da liberdade. A vida não é um produto da Técnica mas da Política, a ação que dá sentido à materialidade.

MILTON SANTOS, 1997**.

Falar do desenvolvimento da cidade de São Paulo não é somente falar de seu crescimento, tanto em termos populacionais quanto na área ocupada pelas edificações. Mas é também tentar entendê-la nas suas formas e desenhos, no traçado das ruas, na integração de setores da economia e na maneira como a população se relaciona com a cidade.

É perfeitamente possível (mas não completamente realizável) traçar uma relação entre as formas de uma cidade ou de um edifício e as suas funções. Esta relação não é direta e nem sempre ficam claras as intenções por trás do desenho, mas o interessante, nesse tipo de estudo, é quando ele sofre modificações e adaptações que são resultados de novas maneiras de entender a apropriação do espaço.

Cada ideologia imagina o mundo à sua maneira e o visualiza com seus próprios olhos; para mudar o mundo é preciso mudar o espaço onde vivemos e, se a função muda, a forma também deve mudar ou, no mínimo, ser adaptada.

A intenção deste texto é buscar nos projetos para o *campus* da USP uma comparação com o desenvolvimento da cidade de São Paulo, baseado nas idéias e ideais de "universidade" e sua relação com a ocupação das áreas urbanas. Por ser um espaço "projetado", o *campus* Butantã permite que nos limitemos a um determinado espaço, em um período relativamente longo de tempo (quase cinco décadas), mas que é fruto direto das diferentes "imagens", das várias definições e das diversas formas de encarar as funções de uma universidade pública, gratuita e produtora de ciência e cultura, inserida dentro de um centro urbano.

O acaso me levou a este tema, pois, no início dos anos de 1990, participei do projeto de organização do Arquivo da Escola Politécnica[1], sob a coordenação do Prof. Dr. José Sebastião Witter, tendo então oportunidade de tomar contato direto com uma série de documentos e publicações. Ainda na fase de higienização e identificação dessa documentação, deparei com uma série de pastas contendo mapas de situação e plantas de diversos edifícios, possivelmente retirados de outras massas documentais. Eram cópias heliográficas e originais feitos a bico de pena, alguns deles facilmente identificáveis, pois apresentavam lugares conhecidos, como os prédios da antiga Politécnica, no bairro do Bom Retiro. Mas foram os demais mapas que chamaram minha atenção, especialmente por não terem identificação do local desenhado ou essa ser conflituosa com parâmetros atuais. A sistemática do trabalho cedeu espaço à curiosidade do historiador.

Na busca por indícios, consegui achar alguns pontos

* Mestre em História Social pelo Departamento de História da Faculdade de Filosofia, Letras e Cências Humanas da USP e historiador e curador do Memorial do Imigrante.

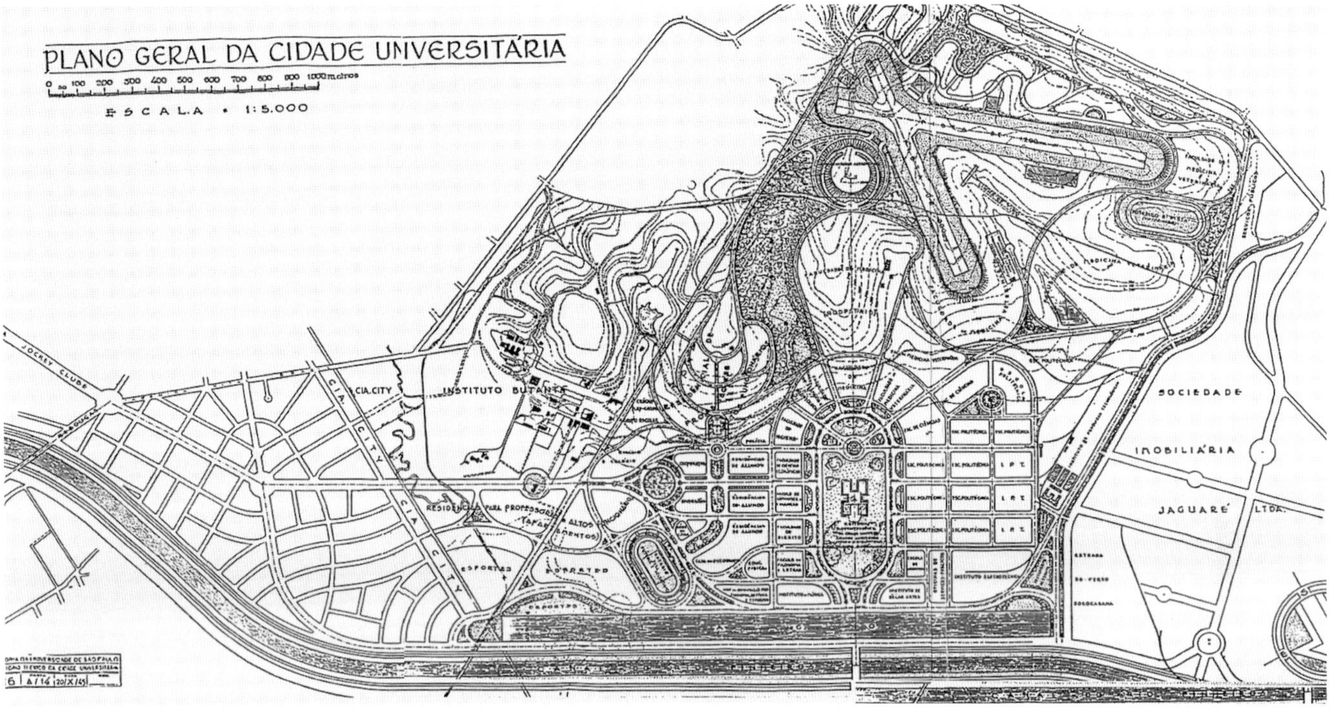

Plano Geral da Cidade Universitária (projeto) – outubro 1945.

de referência. Lá estava o rio Pinheiros, ao norte, com seus antigos meandros atravessados por duas retas tracejadas e paralelas, ou finalmente retificado. Havia também o então nonagenário Instituto Butantan, cuja entrada era localizada na face leste do morro, pela estrada de Itu[2], uma rota que traçava suave curva de norte para sul e depois para oeste. Nos espaços mais a oeste dos mapas, aparecia um empreendimento da Imobiliária e Construtora Jaguaré e projetos para o IPT (Instituto de Pesquisas Tecnológicas), além da própria Escola Politécnica. Com esses limites tive absoluta certeza de que se tratava da área do *campus* da USP, na atual Cidade Universitária Armando de Salles Oliveira (Cuaso).

Uma dúvida pertinente, quando da identificação, era a de que os desenhos de edifícios e suas localizações não correspondiam na sua quase totalidade à Cidade Universitária atual, ou mesmo àquela que conhecia desde 1981. Prédios de aparência velha, como os do Instituto de Biociências, Adriano Marchini (IPT), "Tio Patinhas" (Instituto de Eletrotécnica), Alexandre Volta e Basílio Jafet (Física) não constavam das plantas ou, pelo menos, não se localizavam nos seus espaços atuais. A partir daqueles desenhos, alguns datados e outros não, deduzi que se tratava de projetos para a ocupação da área nunca implementados. Fiquei intrigado, bem como meus companheiros, uspianos de diversas áreas, com aquela USP que não existiu.

Em alguns daqueles projetos podíamos imaginar uma Universidade muito diferente, que também teria algo de fazenda, nos imensos espaços para pastos, estrebarias e lavouras. Em outras plantas, as demarcações de um horto botânico e zoológico; havia também pistas de pouso, observatório astronômico e até um campo de golfe.

Para responder às muitas perguntas que foram surgindo, decorrentes do trabalho de identificação dos documentos e da curiosidade pessoal, comecei a busca por alguns livros sobre o assunto, descobrindo que muito pouco havia sido escrito a respeito desses projetos. Estava ali a chance, e o desafio, de tentar suprir aquela lacuna e divulgar os projetos, na esperança de que mais pessoas tivessem a mesma sensação de deslumbramento diante dos desenhos, verdadeiros sonhos do passado, e refletissem sobre o destino que a Universidade trilhou. Uma outra razão é porque acredito que ambas – as pessoas e a Universidade – têm direito a compartilhar essas memórias ou à construção delas, nas nossas mentes, mesmo que estejam ligadas a um tipo de utopia, um local ideal e imaginário.

Baseado nos relatos de época sobre a Universidade de São Paulo e a sociedade, juntamente com os estudos que foram feitos sobre seus principais idealizadores, e comparando com os projetos e espaços ocupados pela Cidade Universitária, procurei traçar um perfil entre a ideologia e ideário dos principais envolvidos, com suas atitudes frente ao espaço real. Esse espaço real é o espaço das ações, em contraposição ao espaço imaginário, que é o espaço das idéias. No entanto, o real e o imaginário são indissociáveis de um tipo de discurso que podemos chamar de "arquitetônico" ou edificado, e que toma forma a partir deles. É de acordo com este posicionamento que analiso a construção da Cuaso.

Formação da USP e a idéia de universidade

Para entender a forma atual da USP, é preciso entender como ela surgiu e desenvolveu-se ao longo de setenta anos. Podemos começar constatando que o Estado de São Paulo, assim como o Brasil, até a década de 1930 não possuía uma estrutura real de ensino superior, somente escolas isoladas, isto é, sem um foco comum de atuação e de proposta curricular. Podemos entender que as escolas e institutos então existentes eram fruto de iniciativas esparsas, calcadas na vontade de pessoas como Luiz Armando Queiroz, Arnaldo Vieira de Carvalho e Francisco de Paula Souza, ou da benemerência de governantes e intelectuais.

Algumas pessoas, entre elas empresários, pesquisadores e políticos, acreditavam que a educação era a chave de uma nova época. Uma população minimamente letrada e uma elite bem preparada (segundo o pensamento corrente na época) fariam do Brasil uma potência. Havia também recursos naturais, espaço e uma nova fonte de renda: o café. Não devemos, contudo, olhar essa idéia de uma "elite pensante" com os preconceitos atuais contra tais palavras. Naquele momento, com o fim da caquética política *café com leite*, a opinião pública, especialmente a classe média, considerava como elite aqueles que tivessem um nível de instrução superior, largamente chamados de "doutores", e um grau de erudição que lhes permitisse discutir e opinar em uma série de matérias.

Imaginada como um desenvolvimento natural frente a uma necessidade histórica, a Universidade de São Paulo foi idealizada primeiramente nas mentes de um grupo relativamente coeso de pessoas, formado por jornalistas, profissionais liberais, literatos e políticos do Partido Democrático (PD), conhecido como *Grupo do Estado*, além de contar com membros da Liga Nacionalista e dos "renovadores", também conhecidos como "educadores profissionais".

Esta necessidade de uma universidade não era baseada unicamente em um problema concreto, uma solução para o ensino superior em São Paulo, mas num posicionamento político daquele grupo frente à situação do país e da atuação que, acreditavam, o estado de São Paulo deveria ter naquele momento. À parte certas posições, como racismo, xenofobismo e elitismo, que pontuam o Decreto de criação da USP, a solução de fundar uma universidade foi também a alternativa encontrada para a luta política, que se desenrolava fora dos partidos estabelecidos.

Excetuando alguns detalhes quanto ao funcionamento da Universidade – alguns bem sérios, como a contratação de professores e definição de salários, resultado do pouco tempo das discussões da Comissão[3] –, no ano de 1934, no dia em que se comemora a fundação da cidade de São Paulo, 25 de janeiro, data intrinsecamente ligada à mítica do colégio jesuíta e dos valentes bandeirantes, é assinada a Lei Estadual n. 6283 (portanto um ato de direito e oficial), que cria a Universidade de São Paulo, com sede na Capital. Meses depois já são dados os artigos de seu estatuto, no Decreto Estadual n. 6533, de 4 de julho de 1934, reiterados pelo Decreto Federal n. 39, de 3 de setembro do mesmo ano. No caso deste texto, o trecho dessas leis que mais interessa está na Lei n. 6283 e é o seguinte:

Título VII – Do espírito universitário

Art. 47 – Para a criação de um ambiente e uma tradição, de espírito universitário, serão adotados meios de desenvolver o espírito de iniciativa, de trabalho e de pesquisa, a união e solidariedade de professores, auxiliares de ensino, e dos antigos e atuais alunos das diversas Faculdades, Escolas ou Institutos, na defesa da eficiência e do prestígio das instituições universitárias.

Parágrafo único – A aproximação e o convívio dos professores e alunos das diversas Faculdades, Escolas ou Institutos, serão promovidos especialmente: pela proximidade dos edifícios e construção de vilas universitárias [...][4].

Nesse texto, embora não esteja explícita a construção de uma cidade universitária, pode-se deduzir a necessidade de definir um local, na forma de um espaço físico, específico e real, para o início e desenvolvimento das atividades acadêmicas. Somente o caráter imposto ao local não ficava claro no corpo da lei. Era preciso criá-lo e dar-lhe forma.

A Universidade de São Paulo não deveria ser uma "Sorbonne", nem a cidade continuar como "burgo de estudantes". A USP deveria ser uma "universidade bandeirante", marchando para novas terras no oeste, conquistando territórios. Essas escolhas, sejam elas dos espaços, formas ou localização de monumentos e edificações, não são fruto do acaso, mas de uma vontade política e de um imaginário cultural que, é lógico, tende a mudar (algumas vezes radicalmente) com o passar do tempo.

A USP e a sua realização física, a Cidade Universitária, são parte desse arcabouço político-ideológico. Sua localização a oeste, caminho da conquista dos bandeirantes, pode ser entendida como a conquista do interior do estado, e também do restante do país, dando as costas ao litoral. Interessante notar a importância dada, ou mistificada, para o oeste, nas palavras de Dumont Villares: "Como é sabido, as grandes cidades tendem a desenvolver-se para o lado do poente. Não foge a esta regra São Paulo"[5].

No entanto, a rapidez na criação da USP deixou em segundo plano necessidades concretas a todo órgão público: espaço, material e pessoal (professores e assistentes) para o funcionamento. Uma missão vai ao estrangeiro a fim de conseguir os professores para ministrar as matérias[6], outros são encarregados aqui de encontrar os locais para instalar as aulas. A falta de preparo fica mais evidente quando se sabe que até mesmo os alunos das primeiras turmas, na sua maioria, tiveram de ser convencidos e incentivados a ingressarem na Faculdade de Philosophia, Sciencias e Letras (FPSL), a *alma mater* da USP. Vinham eles da Politécnica, da Medicina e do Direito. Os professores secundaristas que assistiam aos cursos do Instituto de Educação tinham garantidos seus vencimentos, caso optassem por uma vaga na FPSL.

O início da FPSL não podia ser mais desolador. Funcionando precariamente em locais emprestados das escolas e institutos já existentes[7], as aulas são iniciadas na Philosophia, o *pólo irradiador* que deveria coordenar os destinos da Universidade.

Uma série de distúrbios, entre *inquilinos* e *locatários*, irrompem no seio da Universidade, como os ocorridos quando houve a intenção de construir um novo pavimento na Faculdade de Medicina, mas isso gerou reações dos professores e estudantes dessa escola, provocando uma crise que culminou com a exoneração dos diretores de ambas as instituições! A missão ambiciosa conferida à Faculdade de Filosofia despertava desconfianças e reações nos meios tradicionais.

Assumindo em 24 de junho de 1937 a direção da escola, Ernesto de Souza Campos procurou dotá-la de sede própria. Primeiro, até o fim daquele ano, em um edifício destinado à demolição [...] A sede seguinte foi a antiga residência do industrial Jorge Street [...] Em dois meses, construiu o Departamento de Química, um pavilhão de dois andares, no terreno; mesmo assim, os espaços ainda eram insuficientes. Outras seções foram alojadas no terceiro pavimento do Instituto Caetano de Campos, na Praça da República, acréscimo projetado em 1933 e construído para alojar o Instituto de Educação, incorporado à Faculdade quando esta foi criada[8]. Existem na Secretaria de Obras do Estado documentos que mostram os acréscimos e modificações no acabamento, visando tornar os espaços compatíveis às novas funções[9].

Tornou-se óbvio que a FPSL precisava de um espaço próprio, e que este deveria ser grande o bastante para comportar as outras instituições *irmãs*, que funcionariam em *comunhão*, dentro de um *espírito elevado*. Já no início de 1936, no dia 9 de janeiro, uma Lei Estadual, de n. 2521, fala sobre a aquisição de terrenos para a Cidade Universitária. A questão do espaço para o funcionamento das escolas criadas em 1934 – que praticamente se reduzem à FPSL, pois as Belas Artes e Ciências Econômicas só serão efetivadas mais tarde – reflete uma eterna luta pelo poder dentro da Universidade.

Uma luta pelo poder, em parte passiva e imobilista, começa a tomar forma dentro da USP. Os espaços onde funcionavam a Politécnica (bairro da Luz), Medicina (Araçá) e Direito (Largo de São Francisco), além de alguns institutos menores ou localizados fora da capital, já faziam parte da maneira de ser dessas instituições. Quase todos esses locais haviam sido conquistados com muita luta e esforço de seus idealizadores e professores, ao longo dos anos. Ceder os espaços, sem uma definição precisa e vantajosa, estava fora de cogitação. Era necessário sonhar, mas com os pés na terra.

Tudo parecia que iria melhorar com a formação da Comissão para a escolha do local da Cidade Universitária[10], em junho de 1935. As dificuldades iniciais começam a dar lugar a esperanças de solução para o conflito, e as imagens que se fazia de uma universidade paulista são postas no papel. Talvez Ernesto de Souza Campos tenha sido a figura mais marcante para entendermos a Cidade Universitária, não só no aspecto físico, de escolha do terreno e ocupação daquela área no bairro do Butantã, mas no conceito do que deveria ser uma cidade universitária. Defendia ele a idéia de centralização de todos os cursos num mesmo *campus* – que foi sendo abandonada ao longo dos anos –, além de outras "necessidades e características", pelo seu ponto de vista, como o conceito de universidade-parque, as grandes áreas para expansão, a agregação da Faculdade de Direito ao conjunto, a existência de um horto botânico, de um zoológico e de um campo de experimentação para a Agronomia e Zootecnia, a construção de um grande edifício para a Faculdade de Filosofia, Ciências e Letras, além da centralização bibliográfica e museológica. Sempre apreciou os projetos e estudos do amigo Hyppolito Gustavo Pujol Jr., engenheiro-arquiteto, muito parecidos com a estética fascista de Piacentini, grandiosa e desprovida de maiores enfeites, mas contrária ao modernismo de Le Corbusier. A USP carecia de um modelo a ser seguido, acabando por misturar características portuguesas, inglesas, francesas e alemãs. Mas, para Souza Campos, "Não há dúvida, por isso, que *devemos compor as nossas universidades, de acôrdo com as condições locais específicas*, ainda que seja possível a constituição de um núcleo uniforme e obrigatório para todas as instituições dêste gênero que existam ou se venham a formar no Brasil"[11] [grifos meus].

Mas a situação em que se encontrava a FPSL da USP em 1945, apenas onze anos após a sua criação, era um retrato do abandono dos sonhos de um espaço de integração, uma cidade universitária. Dividida entre os espaços da alameda Glete (seções culturais), avenida Tiradentes (Física) e uma ala do edifício Caetano de Campos com as demais seções científicas na praça da República, a Faculdade de Filosofia não tinha a mínima condição de permitir aos alunos das outras Escolas freqüentar seus cursos, já que não dava conta de suas próprias necessidades de espaço e equipamento. Aqueles alunos também não poderiam ficar se deslocando pela cidade para assistir as aulas nas matérias "básicas".

Esta é a razão de haver uma Cidade Universitária, o lugar onde os preceitos de uma universidade modelar passariam a existir. Mas um detalhe importante escapou aos que projetavam o *campus*: como a idéia de *alma mater* poderia ser passada para uma planta? Mais ainda, quem era afinal a *alma mater* da Universidade? Souza Campos, um eterno defensor da centralização física e organizacional da universidade, sabia desse problema e alertava sobre a contínua desagregação das Escolas. Ele escreveu:

> *A* 'alma mater' *é a universidade*. Ali o estudante recebe não só os ensinamentos proporcionados pela sua escola como outros que lhes vêm das possibilidades determinadas pela vizinhança e contato com outras instituições[12] [grifo meu].

Aquele erro, de caracterizar a *alma mater* na figura da FPSL, foi devido à confusão, talvez não intencional, entre duas entidades diferentes. A *alma mater* é, como seu próprio nome diz, uma entidade mística, até mesmo esotérica, no que diz respeito à sua existência. Outras entidades desse tipo, como o "espírito de corpo" das unidades militares, são criados ao longo da existência das instituições, e não *a priori*. A universidade, tomada como entidade, necessita de uma memória e de uma história para passar a ter uma caracterização, pois ela é uma entidade real, com atos concretos e reflexos dessas ações na sociedade.

O ESPAÇO DA FPSL E DAS OUTRAS ESCOLAS

Nos discursos e elegias à recém-fundada Universidade de São Paulo, a Faculdade de Filosofia, Ciências e Letras aparecia sempre como peça fundamental, indivisível e em plena comunhão com suas escolas irmãs. Porém a realidade era bem diferente. A precariedade no funcionamento da FPSL, tida como temporária, acabou sendo uma marca registrada dessa Escola. Nas suas "andanças" pela cidade, ela passa a ter a real noção de sua situação dentro da USP, e de sua importância na sociedade paulistana.

As primeiras aulas da FPSL foram nos porões da Faculdade de Medicina. Espaço improvisado e provisório, demonstra a consideração que as Escolas mais velhas tinham com sua "irmã caçula". O professor Omar Catunda fala a respeito disso no vídeo *O Brasil, os Índios e, Finalmente, a USP* (Tassara, 1988): "[...] A Física, quando começou, foi instalada no quarto andar da Escola Politécnica, numa sala que era, ao mesmo tempo, a sala dos professores, tinha uma oficina, tinha a sala de café e era a sala de aulas". A pompa e o formalismo prestados à FPSL não se refletiram na sua instalação em locais adequados. Fossem os professores estrangeiros eminentes e conhecidos doutores, ao invés de cientistas e pesquisadores de espírito jovial, teriam eles aceitado aquelas condições? Creio que não. Mas retornar aos seus países, naquele instante, significaria uma derrota acadêmica, o fim da oportunidade única de estruturar uma universidade com base em premissas de sua época. O prestígio que possuíam na sociedade paulistana era bem superior aos seus salários.

Os políticos já haviam feito a sua parte: criado leis e assinado decretos. Os agitadores culturais, que não participaram do corpo docente, arrefeceram os ânimos. A situação política e econômica era desfavorável, se não castradora, aos incentivos, enquanto as possibilidades de insucesso eram grandes.

Analiso agora a situação dos espaços das faculdades e institutos que compunham a USP em 1934, na cidade de São Paulo, para melhor entendermos as razões que poderiam estar por trás do fato de se isolarem ou de estes se integrarem ao "tecido universitário".

Comecemos pela mais velha, a Faculdade de Direito do Largo de São Francisco, ou a "São Francisco", como é conhecida entre os uspianos. É na São Paulo de meados do século XIX, que ainda tinha ares de vila, com um comércio incipiente e algumas lavouras espalhadas pelos arredores, que começam a afluir estudantes do Brasil todo. Apesar de a Faculdade de Direito ser uma das principais causas da evolução urbana da cidade, as relações entre seus estudantes e a população eram ambíguas. Ao mesmo tempo em que uma parte do comércio de São Paulo dependia das mesadas e ajudas enviadas pelos pais dos alunos para sustento de seus filhos, a população, especialmente seus moradores, considerava esses adolescentes como uma ameaça constante à tranqüilidade pública, devido às constantes traquinagens e às serestas noturnas, decorrentes da liberdade que gozavam, longe da vigilância da família. A São Francisco estava, quando da criação da USP, totalmente integrada, tanto nos aspectos históricos quanto nos sociais, ao centro da cidade.

A segunda escola mais velha que compõe a USP é a Escola Politécnica, carinhosamente chamada de Poli. Passou a funcionar, efetivamente, em 1894, mas desde 1892 seu fundador, Antonio Francisco de Paula Souza, já discutia a criação de uma escola técnica superior. A Politécnica, para ele, devia ser um contraponto à Faculdade de Direito. A Poli se instalou no "distante" bairro da Luz, a cerca de meia légua (3 quilômetros) do centro da cidade, num local que possibilitaria a expansão dos cursos e até mesmo outras escolas, numa futura "confederação universitária", idéia que consta de um relatório, de 28 de março de 1894, ao presidente do estado. Naquele bairro estavam instalados o Jardim da Luz (desde 1825), o Convento da Luz, que ocupava a área desde os tempos coloniais, e, mais tarde, o Grupo Escolar Prudente de Moraes (1894), o Liceu de Artes e Ofícios

(1895), a nova Estação da Luz da São Paulo Railway, do início do século xx, e a Escola Livre de Pharmacia (1905), que serviria de sede também à Faculdade de Odontologia. Mas o bairro cresceu mais rápido que a Poli, e os espaços para expansão desapareceram. Esse crescimento será a grande razão da ida da Poli para a Cidade Universitária, e da imensa área negociada com a Comissão para a Instalação da Cidade Universitária, em 1952.

Somente em dezembro de 1912, a Lei n. 1357 instala a Faculdade de Medicina e Cirurgia. São Paulo estava muito atrasado nesta área da educação, em relação aos outros estados, embora os serviços de saúde pública e de pesquisa fossem, desde o começo do século, reconhecidos internacionalmente, tendo à frente os institutos Butantan, Bacteriológico (mais tarde Adolfo Lutz) e Pasteur. Alojada em salas emprestadas pela Escola de Comércio Alvares Penteado (de 1902), no largo de São Francisco, e na Escola Politécnica, onde houve a aula inaugural em abril de 1913, a Faculdade de Medicina sabia que devia achar um local próprio, onde as instalações de equipamentos e salas de aula fossem definitivas e não adaptações temporárias e precárias. Essas instalações viriam na forma de três casarões na rua Brigadeiro Tobias, de números 1, 42 e 45, na região entre o Centro Novo e a Luz, sendo uma dessas casas a antiga residência da Marquesa de Santos. Mesmo assim, esses espaços eram reduzidos e mal dimensionados, pois se tratava de antigas residências. Pensando nisso, o primeiro diretor da Faculdade, o cirurgião Arnaldo Vieira de Carvalho, encomendou um projeto de cinco blocos de prédios, com térreo e 1º andar, localizados no outro lado da colina do Araçá, oposto ao cemitério. Em 1921, com a constatação de que os espaços do projeto haviam sido mal divididos, só foi construído um dos blocos, usado mais tarde como sede do Instituto Oscar Freire. O ano de 1922 começava auspicioso, quando membros da Fundação Rockefeller estipularam condições para o custeio de um novo projeto. As obras duraram de 1928 até 1930, resultando num edifício monobloco, com 5 pavimentos, e um outro bloco menor, do Departamento de Higiene (de 1924) que, com o Instituto Oscar Freire (de 1918), eram isolados, separando o convívio entre os alunos de Medicina e os usuários.

No início do segundo semestre de 1937, a FPSL conseguiu um edifício na rua da Consolação, 16, e teve de adaptá-lo em dez dias para que as aulas começassem a tempo. Os móveis foram arranjados no almoxarifado da Secretaria do Interior, sem a papelada necessária, apesar dos queixumes do funcionário responsável. Enquanto as aulas aconteciam, Souza Campos e outros encarregados procuravam um outro prédio, desta vez para a compra, pois no lugar do que estavam usando seria construída a Biblioteca Municipal, com o prazo de dezembro de 1937 para o início dos trabalhos de demolição. Três locais foram considerados. Dois ficavam na Bela Vista: o Palácio Cardinalício, na rua Pio xii, com espaço para futuras ampliações, e a Casa Roosevelt, onde funcionava a Sociedade Cultural Brasil-Estados Unidos, situada na rua Santo Antonio. O terceiro espaço era o antigo casarão do industrial Jorge Street, que pertencia à Companhia de Seguros Sul-América, na alameda Glete, localizado quase atrás da sede do governo, o vetusto Palácio dos Campos Elísios. As preferências recaíam no local da rua Pio xii, mas o Secretário Estadual de Educação, Cantídio de Moura Campos, após visitar os locais, decidiu pela alameda Glete. A pechincha com os proprietários conseguiu um desconto de cerca de um quarto do valor de venda. Nova mudança em tempo recorde, com o começo das aulas no prazo, e novamente um burocrata constatava "irregularidades". Quando esse funcionário perguntou sobre os desenhos e especificações do mobiliário, para iniciar o processo de concorrência, foi informado que estava sentado e escrevendo naqueles "futuros" móveis. Aliás, tinham sido comprados com um desconto de dez por cento do valor que pagou a Faculdade de Medicina Veterinária, pelo mesmo tipo e qualidade. Aquele Secretário de Estado usou de sua influência e normalizou o processo, aprovando as compras. A FPSL, para sobreviver, abusava do informalismo e de um certo *laissez faire*. Na Politécnica, os espaços para as seções de Física e Matemática da FPSL eram mais que exíguos, eram ridículos. A Física funcionava numa saleta de 9m^2, enquanto a Matemática nem isso tinha, alojada num canto sem serventia da Biblioteca. Esta situação foi parcialmente resolvida quando o governo permitiu à USP alugar um prédio na avenida Tiradentes, n. 11, ao lado da Politécnica, em

1937. Mais tarde, ocorreu uma nova transferência, desta vez para a avenida Brigadeiro Luís Antonio.

A Escola de Belas Artes e o Instituto de Ciências Econômicas e Comerciais, que são mencionados no decreto de criação da USP, só foram instalados mais tarde e de modo diferente do imaginado inicialmente.

A Belas Artes passou a funcionar realmente em 1966, como a Escola de Comunicações e Artes (ECA), embora tivesse existência oficial desde 1925. A ECA acabou juntando aos cursos de Artes Clássicas, como música, teatro e artes plásticas (pintura e escultura), novas modalidades, como Artes Visuais (cinema, televisão e fotografia) e Rádio, além de cursos profissionais, como Jornalismo, Relações Públicas, Propaganda e Biblioteconomia.

Uma outra *bela-arte*, que deveria compor aquela Escola com as demais artes clássicas em 1934, era a Arquitetura, que só seria desmembrada do Curso de Engenheiros Civis da Politécnica em 1948, formando uma escola à parte, a Faculdade de Arquitetura e Urbanismo, por iniciativa de vários professores, especialmente Anhaia Mello.

As Ciências Econômicas e Comerciais só existirão realmente em 1946, por um decreto estadual de 26 de janeiro (e não 25 como poderíamos supor), n. 15601, que instalou a Faculdade de Ciências Econômicas e Administrativas, embora houvesse um outro decreto, anterior à USP, de 15 de abril de 1931, n. 4968, criando uma Faculdade de Ciências Econômicas e Sociais (esta última ciência será um atributo da FPSL), além da Escola de Comércio Alvares Penteado, particular, já mencionada quando falamos da Faculdade de Medicina.

A Escola de Medicina Veterinária, hoje Faculdade de Medicina Veterinária e Zootecnia, havia sido fundada no último dia do ano de 1928, pela Lei n. 2354. Quando é anexada à USP, em 1934, irá incorporar um órgão ligado à Secretaria de Agricultura, o Instituto de Veterinária, criado em 1919. A Escola saiu da rua São Luiz, de um imóvel arrendado, e foi para a Pires da Mota, na Aclimação, por volta de 1937. Mas a Faculdade carecia de outros espaços de experimentação que não os da Secretaria de Agricultura, como o Parque da Água Branca. Seria a Faculdade que mais lucraria com a construção da Cidade Universitária, pois estavam previstos um parque zootécnico e um zoológico.

A mesma Lei n. 19, de 1891, que havia criado a Academia de Medicina e Cirurgia, mencionava também o curso de Farmácia. Porém, somente em 11 de fevereiro de 1899 instala-se a Escola Livre de Pharmacia. Ela é transferida de sua sede à rua Brigadeiro Tobias, n. 1, onde seria instalada a Faculdade de Medicina, e a partir de 1905 passa a ocupar um enorme edifício, de dois pavimentos, na rua Três Rios, no bairro do Bom Retiro, próximo à Politécnica. Nessa segunda sede ela já havia agregado a Faculdade de Odontologia e a de Obstetrícia (1902), sendo esta última desvinculada quando da incorporação à USP, em 1934, passando à denominação de Faculdade de Farmácia e Odontologia. Em 1962, estas escolas são separadas, indo a Farmácia para o *campus* e a Odontologia ficando na antiga sede.

O decreto-lei que criou a USP falava de instituições oficiais[13], que eram autônomas para *"expedir certificados, diplomas e conferir grau nas diversas atividades profissionais"*[14], mas era bastante amplo no que se referia aos institutos complementares, incorporados à Universidade, deixando em aberto quais faziam parte da Universidade ou não. Dentre estas instituições figurava o Instituto Butantan, derivado do Instituto Serumtherapico (Soroterápico), criado por Vital Brasil em 1899, na Fazenda Butantan, e que, em 1901, terá sua autonomia, separando-se do Instituto Bacteriológico. Essa fazenda, como observaremos nos planos, teve grande importância na definição do local da Cidade Universitária. Embora fizesse parte, desde 1934, dos institutos complementares da USP, o Instituto Biológico (de 1927) construiu sua sede própria no final da década de 1930, no então aprazível bairro de Vila Mariana, próximo ao Ibirapuera, nem se cogitando de sua transferência para a Cidade Universitária.

Os demais órgãos e institutos "anexos" foram surgindo ou sendo extintos. Alguns são incorporados às faculdades existentes, como o Instituto de Educação, que tornou-se uma simples seção da FPSL (1938), ou formando outras escolas, como a Faculdade de Higiene e Saúde Pública, em 1945, decorrente da Escola de Saúde Pública, criada em 1934 e que foi, por sua vez, a nova designação do Instituto de Higiene. Alguns outros institutos são transformados em autarquias, como no caso do Instituto de Pesquisas Tecnológicas (IPT), criado em 1934, que era uma autarquia ligada à Poli, pois tinha sua origem no antigo Gabinete de Resistência de Materiais. Suas "novas" instalações, construídas em meados dos anos de 1930, ficavam entre os dois edifícios mais velhos, Paula Souza e Ramos de Azevedo, no "centro" do conjunto politécnico da Luz. Outro instituto que teve sua existência ligada à Politécnica foi o Astronômico e Geofísico, denominado assim em 1930, mas que possuía um observatório no parque Trianon (avenida Paulista), na década de 1920. A Politécnica, cujo Gabinete de Geodésia e Astronomia era de 1910, tinha outro observatório, de "instrução", na praça Buenos Aires, em Higienópolis, nos idos de 1930. Devido à "forte iluminação pública", foi iniciada a construção de um outro, no Parque do Estado, em 1932. As obras foram concluídas em 1941. Alguns planos para a Cidade Universitária apresentam a indicação de um observatório astronômico, indicando a grande distância do centro urbano. O IAG tornou-se uma Faculdade independente em 1972.

O Museu Paulista, ou do Ipiranga, como é popularmente conhecido, é uma das poucas instituições complementares que permaneceram realmente ligadas à USP. Sua função original era de um "monumento à Independência", uma idéia que vinha se arrastando desde 1824. Sua construção, iniciada em 1885, só terminaria quatro anos depois. O Museu foi fundado em 1893. Foi cogitado seu uso como sede da Universidade, mas a proposta foi abandonada. Mencionado como "Museu de Arqueologia, História e Etnografia" na fundação da Universidade, foi incorporado a ela em definitivo no ano de 1963. Acabou sendo desmembrado em dois, no ano de 1964, dando origem ao Museu de Arte e Arqueologia, atual Museu de Arqueologia e Etnografia (MAE). Em 1939, sua Seção de Zoologia tornou-se o Departamento de Zoologia da Secretaria de Agricultura, cujas excelentes coleções viriam a compor o acervo inicial do Museu de Zoologia da USP, em 1969, instalado num edifício próximo ao Museu Paulista.

Embora instalada no interior, cabe mencionar a Escola Superior de Agricultura Luís de Queiroz (Esalq), localizada em Piracicaba, porque talvez fosse a mais prejudicada com a criação de uma Cidade Universitária e a transferência de suas atividades para a Capital. No entanto, seu distanciamento permitiu que continuasse sempre suas atividades e rotinas, longe das influências e discussões sobre a localização e forma do *campus* de São Paulo. A idéia de *construir* uma fazenda em plena cidade de São Paulo deveria parecer ridícula, pois parte do terreno da Cidade Universitária, escolhido na *solução Araçá*, possuía construções, com sucessivas intervenções nos alicerces e ruas demarcadas, tornando boa parte do solo estéril. Além disso, a Esalq estava localizada no centro agrícola do Estado, próxima de cidades como Campinas, São Carlos e Bauru, e eqüidistante de Ribeirão Preto e São Paulo.

Nesta longa descrição, onde temos idéia de como se localizavam e distribuíam pela cidade de São Paulo e interior paulista as escolas e institutos que formaram a USP em 1934, tento deixar claro que, apesar dos percalços e seguidas mudanças de quase todos esses órgãos, era a FPSL a que apresentava a situação mais discrepante entre seu papel na Universidade e a definição ou construção de um local para sua sede. Apesar de todas as discussões, relatórios e afirmativas pessoais, a protelada construção da Cidade Universitária acabou servindo de desculpa para instalar a FPSL onde fosse possível, desmembrando as Cadeiras em vários prédios pela cidade. A Faculdade de Filosofia havia aprendido a conviver com a promessa de uma unificação no *campus*, e mantinha sua atividades inalteradas, independente disso.

À procura de *Neverland*

Para que a Universidade de São Paulo se tornasse uma verdadeira "universidade", e não a pura agregação de faculdades e institutos estanques, era necessária uma integração não só de conteúdo e proposta curricular, como acabamos de ver, mas também uma integração física de suas escolas, instituições anexas e administrativas:

> A Cidade Universitaria é, pois, a solução pratica que, não só, melhor attende as condições proprias da vida Universitaria como, tambem, aos imperativos da ordem economica na installação e custeio dos seus serviços. [...]
> Não é um monumento architectonico dictado por motivos estheticos. É uma creação que se impõe por necessidades educacionaes[15].

A primeira providência que os responsáveis precisavam tomar era estabelecer um espaço onde isso se concretizasse. Devia ser grande o bastante para comportar todas as partes que compunham a USP, incluindo seus laboratórios, salas de aula, museus didáticos e suas coleções, prevendo acomodações para as cátedras que existiam ou que viessem a existir.

Com estes parâmetros para guiá-la, a escolha dos possíveis lugares poderia ser ampla, optando-se pela construção de um prédio único e monumental ou um grupo deles, ordenados segundo conceitos estéticos e funcionais, concentrados numa área ou dispersos pela cidade. Porém, todas as preferências recaem na mesma "lógica" e "imperativa" decisão: uma enorme área nos limites entre o urbano e rural da cidade de São Paulo. Decorreria, a partir dessa escolha, o abandono de lugares que vinham sendo ocupados e mantidos por décadas, mas também a solução de espaço e edificação para algumas escolas. Nos projetos iniciais para uma cidade universitária a tônica é a imposição de limites para a liberdade de concepção e escolha dos locais, causando um misto de racionalização de regras, sistematizando os pontos desejáveis, e de uma busca pelo local ideal, onde os sonhos de uma USP unida tomariam forma, fosse uma *Utopia*, o lugar nenhum, existente somente no livro de Thomas More, ou a *Neverland*, a "Terra do Nunca" de Peter Pan e dos Meninos Perdidos.

O interventor Salles Oliveira não tinha condições de sozinho, sem o laudo dos interessados, escolher um lugar para localizar a Cidade Universitária e, para tanto, em junho de 1935, nomeou uma *comissão encarregada de estudar a localização da Cidade Universitária*, a Comissão da Cidade Universitária (CCU), como era chamada. Ela foi composta por pessoas que deveriam representar os vários interesses da USP, da sociedade e dos fundadores. Foi chamado o professor Alexandre Albuquerque, da Escola Politécnica, que teve participação nas obras dos edifícios dessa Faculdade, na Luz. Outro que foi escolhido pelo seu trabalho na construção de prédios "escolares", foi o nosso conhecido Ernesto de Souza Campos, o principal mentor das novas instalações da Faculdade de Medicina. Completando o trio formado pelas grandes escolas da Capital, temos Ernesto Leme, da Faculdade de Direito, que poderia ajudar nas razões de ordem jurídica. O Presidente da Comissão era o reitor Reynaldo Porchat, também da Faculdade de Direito, mas que funcionaria como o sistematizador das discussões na CCU, além de se ater aos interesses da reitoria e da esfera administrativa da USP. Para representar a FPSL, foi escolhido Fernando de Azevedo, que na verdade era do Instituto de Educação, mas que conhecia de perto as necessidades da Faculdade. Os institutos anexos e complementares teriam sua propostas defendidas por Afrânio do Amaral, do Instituto Butantã, e para completar a amplitude dessa Comissão estava o diretor do Departamento Municipal de Cultura, Mário de Andrade. As bases para as escolhas e recusas dos locais pelos membros da CCU levavam em conta a situação do país naquele momento, especialmente no que dizia respeito à educação, mas tendo uma vaga idéia do que representava, realmente, uma universidade; mais por falta de vivência nesse tipo de instituição do que ignorância da estrutura necessária, os membros da CCU se perdiam em considerações e comparações.

Nas únicas três reuniões feitas pela CCU, nos dias 21 de junho, 25 de julho e 30 de agosto de 1935, as atas registraram uma discussão superficial e desigual, como se pode apreciar por estes resumos:

> ACTA DA PRIMEIRA SESSÃO [...]
> [...] no caso de uma localisação afastada do centro urbano será imprescindivel para a Faculdade de Medicina a situação actual. [...]
>
> ACTA DA 2ª SESSÃO ... [...]
> Abrindo a sessão, o Sr. Presidente entrega á casa uma *proposta de venda de terrenos situados no bairro da Acclimação* bem como *um projecto da Universidade entregue pelo presidente do Gremio Politechnico*, elaborado e apresentado ao Sr. Reitor da Universidade antes da organização da Commissão. [...] Ernesto de Souza Campos que mostra a necessidade de uma area ampla para a localização da Universidade [...] suggerindo a area de 100 alqueires para a Universidade de São Paulo e demonstrando ser já escassa a area presentemente reservada a Faculdade de Medicina para a realização de seu programma completo. A Commissão acceita o offerecimento dos professores *Alexandre Albuquerque e Ernesto de Souza Campos que se promptificaram a apresentar uma planta acompanhada de uma exposição de motivos sobre a area necessaria, localizada de accordo com a resolução da Commissão, nos terrenos comprehendidos entre o divisor das aguas do rio Pinheiros-Tiete e a margem direita do rio Pinheiros.*

ACTA DA 3.ª REUNIÃO [...]

[...] Dr. Ernesto Leme pede a palavra afim de communicar á Commissão *o pronunciamento unanime da Congregação da Faculdade de Direito, contrario a transferencia da Faculdade para o local em que fôr installada a Universidade.* Explica o Professor Leme *os motivos* que levaram a Congregação a opinar desse modo, *dividindo-os, segundo a sua ordem, em sentimentaes e juridicos*[16] [grifos meus].

Além de percebermos que havia outras propostas para a Cidade Universitária, talvez mais favoráveis e econômicas, houve o infeliz incidente com a posição da Faculdade de Direito. A única voz discordante, veementemente, da determinação da *São Francisco* foi a de Mário de Andrade.

Apesar da polêmica, foi elaborado um relatório minucioso das atividades da CCU, no mesmo dia de sua última reunião:

[...] é difficil admittir que uma organisação universitaria moderna possa occupar area inferior a um milhão de metros quadrados, mesmo não incluindo a escola de agricultura [...] é preciso não só attender as condições de expansão futura como também á necessidade de um conjuncto urbanistico aprazivel. Um agrupamento de edificios, collocados uns ao lado dos outros, com espaçamento minimo, forma uma [sic] ambiente mal adequado á vida universitaria. Nas universidades bem delineadas, taes edificios são dispostos em parques amplos e bem arborisados, formando um centro atrahente e convidativo a uma permanencia mais prolongada, o que constitue elemento de valor inestimavel para a formação do espirito universitário[17].

O relatório continua explicitando os componentes deste *campus*, além das Faculdades e Institutos:

É preciso ainda considerar a Bibliotheca Central, a Imprensa Universitaria, o grande Auditorium, os clubs dos professores, os dos antigos alumnos e os dos estudantes, a residencia dos estudantes e dos funccionarios, o edificio da Reitoria e do Conselho Universitario, etc.

Outro sector cuja area é consideravel é o reservado aos esportes. Nesse capitulo é preciso admittir o Stadium, o tennis, a natação, o gymnasium, a Escola de Educação Physica, etc.

Os jardins botanico e zoologico ainda não existentes em S. Paulo poderiam talvez completar o quadro com grandes vantagens para o ensino pratico das sciencias naturaes[18].

Indicando a possibilidade, mas não escolhendo definitivamente o local da USP, a Comissão leva ao Interventor um outro relatório, deixando em aberto a matéria. As proporções desse projeto nos deixam boquiabertos até hoje. Seria como construir uma Brasília dentro da cidade de São Paulo, com os recursos técnicos de pré-Segunda Guerra Mundial, num estado sob intervenção federal e com recursos financeiros abalados pelo *crack* de 1929, e uma revolta armada, três anos antes, que fechara os portos para exportação durante três meses. A industrialização ainda engatinhava, e os empresários não viam vantagens econômicas na existência de uma universidade, pois os técnicos eram formados da mesma forma, nas mesmas escolas. As discussões sobre a participação da iniciativa privada na manutenção de órgãos públicos nem era cogitada, além de contrária ao liberalismo em voga. Precisamos ter isso em mente quando lemos estes trechos daquele relatório:

Comprehendidos todos estes terrenos; reunidos em um só bloco, teriamos *cerca de 10 milhões de metros quadrados* ou mais de 400 alqueires de terra, *incluidos no coração da cidade, na zona de maior expansão urbana.* [...]

...ao preço pouco elevado seria conveniente a acquisição da maior area possivel, não só para facilitar qualquer *expansão futura do nosso centro de estudos*, como tambem para a locação actual ou potencial dos jardins botanico e zoologico. [...] na sua extremidade distal, junto á varzea de Pinheiros, para o *futuro campo de aviação de São Paulo.* [...]

[...] a commissão tem a felicidade de poder apontar *uma zona extensa, de desapropriação facil*, cuja area a ser adquirida pelo Estado poderá ser determinado por V. Excia, com o alto descortino de homem de governo. [...]

É verdade que nem sempre existe esta centralização absoluta. Tal situação resulta, porém, de factores diversos que subordinam seus planos a uma condição especial relativa ao tempo em que foram fundadas ou determinada pela extensão de area disponivel nos centros urbanos ou nos arredores das cidades. São, sobretudo, *as escolas de agricultura que solicitam as universidades para fóra dos centros urbanos* pela extensa area dos seus campos de demonstração. *As escolas medicas, ao contrario, attrahem-nas para os centros populosos* pelas necessidades de numero e variedade na frequencia hospitalar. [...] *é sempre preferivel localisar as universidades nos grandes centros. Só ahi é possivel recrutar professores* [...][19] [grifos meus].

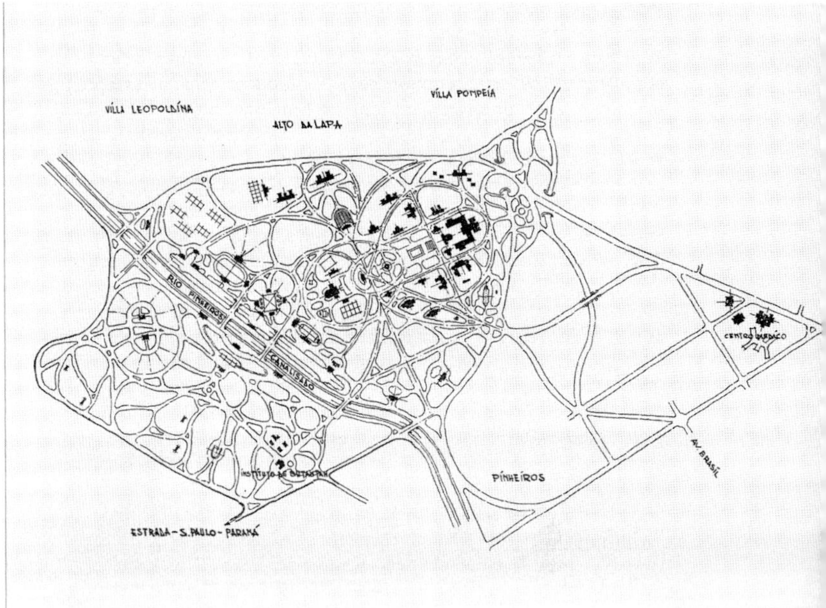

Estudo n. 4 *do Escriptorio Techinico do Plano da Universidade – 1937.*

Para que suas idéias fossem aceitas, Souza Campos chega a ignorar dados que ele mesmo reitera como favoráveis. Por exemplo, em um de seus textos, considera a várzea do rio Pinheiros como imprópria, para que seja aprovada a proposta que ele primeiro defende, de uma imensa cidade universitária do Araçá até o Butantã, reafirmando que os terrenos da Fazenda Butantan eram muito acidentados. Outro dos pontos chaves de sua argumentação é o que prega a centralização e setorização: "...impõem a localização das unidades universitarias num mesmo campo, grupando-se, sytematicamente, em sectores"[20].

Outros pontos dizem respeito a fatores secundários, como a distância das unidades, idealizada no máximo a dez minutos a pé, e o aproveitamento do rio Pinheiros, idéia modificada anos depois: "Abandono do Rio Pinheiros, poluído. Excluído como elemento integrante do conjunto. Isolamento dêsse rio [...] Substituição do rio por um lago que lhe acompanha o rumo retificado"[21].

> Terminados os trabalhos da Commissão encarregada da localisação da Cidade Universitaria, foi organizado um escriptorio technico para o estudo do plano geral e das primeiras unidades a serem construidas na zona escolhida[22].

Os trabalhos do Escritório foram muito mais produtivos que as elucubrações da Comissão. A primeira sistematização dos setores foi feita e, estranhamente, não incluía um setor politécnico, que anos mais tarde será a maior área de uma só escola no *campus*. Os dez setores listados acrescentavam algumas novidades, como o setor residencial e o dos anexos (Correio, Bombeiros etc.).

Se existiam vozes discordantes dos rumos do projeto elas se perderam, talvez por "pregar no deserto" ou por terem sido postas de lado pela história oficial. Outros deviam apostar na imobilidade e na permanência, esperando que o tempo cuidasse de abortar os planos. Foram feitos onze estudos de localização, abrangendo um área que tinha limites nas atuais avenidas Rebouças e Dr. Arnaldo, incluindo o bairro do Sumaré e toda a região de Pinheiros, além dos terrenos do Butantã atravessando o rio Pinheiros.

De todos os esboços e planos sobraram só dois, chamados de *soluções*, com os prós e contras de cada um. Foram mandados em forma de relatório para o Secretário da Educação[23], em 28 de setembro de 1936. A primeira solução, chamada de *Butantan*, era menor, ocupando somente algumas áreas do bairro e a fazenda do mesmo nome. A segunda, Sumaré, era uma área contínua desde a Faculdade de Medicina até a Fazenda Butantan. O projeto que Souza Campos acreditava ser o melhor, desconsiderando indicações e condições consideradas essenciais por ele, como vento e insolação, mantinha a Faculdade de Medicina dentro do *campus*. Era a *solução dois – Sumaré*: "Os edificios serão collocados periphericamente, assumindo o seu conjunto a forma de um baculo episcopal, cuja base assenta no actual bloco medico. A zona interna do baculo, [...] é um valle que será occupado pelo Jardim Botanico. A entrada nobre foi escolhida na intersecção da rua Oscar Freire na av. Rebouças."[24]

Para a outra solução (*Butantan*), as unidades da Universidade planejadas eram a Reitoria e Biblioteca, a FPSL, o Colégio Universitário, a Faculdade de Ciências Econômicas e Comerciais, a Escola Politécnica, o Instituto de

Pesquisas Tecnológicas, o Instituto Eletrotécnico, a Belas Artes e, estranhamente, a Faculdade de Direito, com a indicação "*futuro*", ao lado. Com exceção da Politécnica, do IPT, do IE e do Direito, as demais unidades não tinham sede própria, algumas nem existindo de fato, como vimos anteriormente. "Esta solução tinha, porém, o grande inconveniente d[e]os terrenos não serem contiguos, nem aos da Faculdade de Medicina, nem aos do Butantan. Ficaria a Universidade tripartida, em tres grupos isolados e relativamente distantes: O centro medico (Araça), a zona a ser adquirida e o Butantan."[25]

Os políticos não aceitaram a solução um, monumental e megalomaníaca:

> [...] *esta escolha do terreno do Butantan para séde do centro universitario foi feita pelas altas autoridades do Estado*, em consequencia das difficuldades que surgiram por occasião de se dar inicio aos trabalhos de desapropriação da zona comprehendida no outra vertente de aquem-rio. [...] Todo esse conjuncto poude ser disposto em *um terreno de configuração ideal*, isto é, quasi circular: perimetro minimo para area maxima[26] [grifos meus].

Estava definida, finalmente, a Cidade Universitária, ou pelo menos seus limites gerais, pois, como vamos ver, ela irá sofrer mudanças na setorização, no traçado de ruas e avenidas e até nas unidades. Algumas áreas serão utilizadas para fins outros que não os planejados e alguns detalhes interessantes serão abandonados, como a pista de pouso e o campo de golfe. Mas a hierarquia das funções passa a ser básica para os projetos, devendo, por exemplo, o setor esportivo e os museus ficarem na periferia do *campus*, para evitar que pessoas estranhas à atividade científico-acadêmica se sintam tentadas a entrar nesse lugar divinizado por seus idealizadores.

A rejeição aos terrenos do Butantã cede espaço aos elogios, não tanto pela mudança de opinião, mas para evitar que as discussões continuassem se arrastando.

> Este plano (Solução n.1), *pela sua extensão, zoneamento, composição, urbanização e outras condições technicas, é realmente magnifico*. [...] É *uma solução ideal*. O único inconveniente consiste em ficar este grande nucleo universitario um pouco distante do bloco medico. É facil, porém, estabelecer, com este bloco, meios de communicação rapidos e permanentes[27] [grifos meus].

Nesse plano, as três faculdades mais velhas e maiores da Capital ficaram de fora. Politécnica, Direito e Medicina não precisavam preocupar-se com mudanças, pois as demais escolas, especialmente a FPSL, teriam seus edifícios construídos primeiro. Enquanto isso, o Escritório cuidaria de construir e aumentar as instalações já existentes e utilizadas. Mas a USP vivia, e vive, num mundo real, não no imaginário. Seus delírios viraram sonhos, tornando-se depois pesadelos. Os terrenos ao norte serão a perdição da *solução Butantan*, não tanto pelo seu tamanho ou valor, mas na disputa judicial com a Cia. City, que retardou a efetivação da posse e uso de toda a área. Além disso, as prolongadas e antigas disputas entre dirigentes paulistas e o governo federal estavam para contar outro capítulo da história; chegara o ano de 1937, e com ele o golpe do Estado Novo.

O que aconteceu depois foi o final, lamentável e triste, de anos de trabalho e dinheiro perdidos. Num espaço de poucos dias, todo o futuro da Cidade Universitária se via ameaçado.

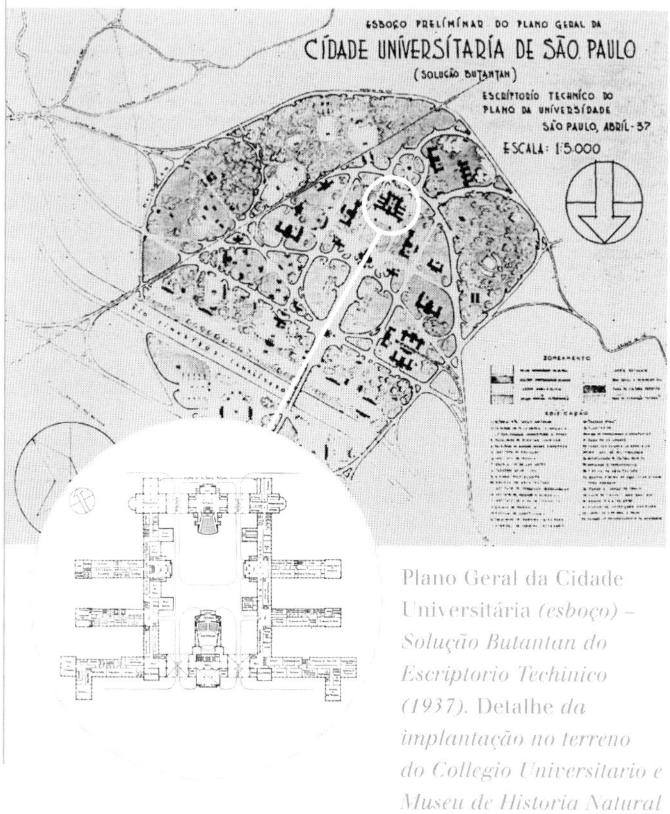

Plano Geral da Cidade Universitária *(esboço) – Solução Butantan do Escriptorio Techinico (1937).* Detalhe *da implantação no terreno do Collegio Universitario e Museu de Historia Natural da FPLS (1936).*

Os projetos e obras de ocupação do *campus* passariam por uma longa hibernação. Mas Souza Campos não perdia uma oportunidade de ver seu sonho realizado:

> Recolhemos tôdas as plantas e estudos cuidadosamente em nosso departamento na Faculdade de Medicina. Decorreram dois anos sem que o problema entrasse novamente a participar das cogitações oficiais quando, em 1940, o plano de centralização tão carinhosamente estudado, quase sofreu um golpe fatal. Naquele ano o interventor que então dirigia a administração paulista resolvera edificar um novo edifício para a Faculdade de Filosofia, junto ao hospital das clínicas da Faculdade de Medicina. E, a 25 de janeiro de 1940 foi ali lançada a pedra fundamental do futuro prédio![28]

Como sabemos, a construção nunca se efetivou. No ano seguinte

> o interventor Fernando Costa baixou o decreto-lei designando para a construção da Cidade Universitária tôda a área da antiga fazenda Butantã, compreendida entre a linha adutora de Cotia e o ribeirão Jaguaré. Quase ao mesmo tempo o Instituto de Pesquisas Tecnológicas resolveu e conseguiu instalar-se definitivamente na gleba referida, margeando o ribeirão Jaguaré [...] Ocorreram debates públicos em uma Semana da Cidade Universitária realizada na Galeria Prestes Maia[29]. Foram depois publicados. Houve, portanto, ampla liberdade para os que quisessem explanar seus pontos de vista sôbre o assunto. Formulou-se um empréstimo, por apólices, para a execução das obras, falho diante das condições do então mercado monetário"[30].

Finalmente para algumas escolas voltavam as discussões sobre um projeto para a Cidade Universitária.

A USP do IV Centenário

Com a proximidade dos quatrocentos anos da cidade de São Paulo,

> O Conselho Universitário da Universidade de São Paulo resolveu, em março de 1951, nomear uma comissão especial para promover

Accuratus. *Projeto vencedor do concurso público para o plano da Cidade Universitária.*

a participação do nosso centro de estudos nas comemorações da fundação da metrópole. [...] ficou assim constituído o projeto definitivo: livro, medalha e congresso, por conta da Universidade e as seguintes *obras, no campus, a serem financiadas pela Comissão do IV Centenário: execução do* parkway *de ingresso à Cidade Universitária, construção da Tôrre Universitária e de um bloco do setor residencial de estudantes.* [...] Esforçou-se porém a Comissão da Cidade Universitária, em executar parte do *parkway* e teve a ventura de que a Tôrre Universitária viesse a ser oferecida pela colônia portuguêsa de São Paulo, sob os auspícios da Casa de Portugal [...][31] [grifo meu].

O *Core*, ou Praça Magna, onde seria localizada a Torre, tendo ao seu redor os principais prédios da Universidade, seria um outro símbolo e teria grandiosidade paisagística.

Este logradouro formará imponente moldura para os edifícios da Reitoria, da Biblioteca Central e Teatro Universitário. O primeiro prédio acima referido está em fase adiantada de construção; os demais estão estudados em anteprojetos[32].

Dessa praça central, lembrando os átrios das igrejas, o som metálico de um sino chamaria a todos para as aulas e pesquisas. Doado pela Universidade de Coimbra, em 1954, somente em 1966 ele seria instalado ao lado da Antiga Reitoria, numa estrutura "provisória", acomodando o sino, em 16 de agosto de 1966. Com a mudança para a Reitoria nova, o Cabra (como é chamado o sino) foi junto.

Além da Torre, outro símbolo da USP era o *parkway*, "a avenida principal de ingresso, [...] com 1.300 metros de extensão por 100 de largura. [...] constituirá a maior e mais bela avenida da América do Sul. [...] A arborização é magnífica"[33].

Estas medidas absurdas demonstram o caráter simbólico da obra, e não o funcional. Para termos como comparar: a largura definida para uma das maiores obras de sistema viário da década anterior, a construção das avenidas marginais do rio Pinheiros, foi de 60 metros.

Mas essa idéia de uma avenida monumental ficaria latente até a polêmica criada pela derrubada de um dos edifícios do Crusp, em 1966, para a extensão da avenida até a Reitoria, numa queda de braço entre o reitor Gama e Silva e os arquitetos, por causa da desfiguração do conjunto residencial, que acabou separado em dois. Podemos perceber, também, a íntima relação com o *Core*, abordado alguns parágrafos acima.

O fim das comemorações do IV Centenário arrefeceram as obras no *campus*, que vinham num crescente. Enquanto isso, a FPSL [já grafada FFCL], ainda sem um lugar definitivo no *campus* Butantã, vai instalar-se num edifício da rua Maria Antonia, perto da Faculdade de Economia (rua Dr. Vila Nova), na Vila Buarque, que acabou conhecida como o *Quartier Latin* tupiniquim, dado o número de faculdades que ali se instalaram. Há, até hoje, além do antigo prédio da FFCL, a Universidade Mackenzie, a Escola de Sociologia e Política e parte da Faculdade de Arquitetura da USP, sem contar a Fundação Armando Álvares Penteado, nas proximidades. Nos distúrbios de 1968, que agitaram todo o centro da cidade, ficou evidente para as autoridades que este agrupamento de faculdades era prejudicial "à ordem pública". A partir daí, inicia-se uma onda de construções temporário/permanentes na Cuaso, ao lado de obras "assinadas" por grandes arquitetos[34], visando a levar a "massa de estudantes" para o afastado e semi-rural bairro do Butantã, resultando numa ocupação que reflete uma certa alienação (forçada) da USP sobre seus destinos.

A grande falha no processo de idealização e construção da Cidade Universitária foi a preponderância do *construtor* – Escritório Técnico e outras entidades – sobre o *usuário* – escolas, institutos e laboratórios, representados então pelos professores – porque as consultas feitas a esses últimos foram mais de caráter informativo do que deliberativo, aplicando-se questionários esquemáticos, feitos não propriamente para leigos em arquitetura. Pode ter ocorrido, também, de os membros do Escritório Técnico acharem que, por conhecerem a arquitetura de edifícios e construções similares aos da USP, tinham uma perfeita definição, o modelo ideal, das necessidades e exigências de um *campus* universitário moderno e funcional.

Todos estas coisas, essas construções ou objetos, possuem uma simbologia de caráter concreto, realizável e palpável, ocupando um certo lugar no espaço. A USP ainda hoje é um caleidoscópio e está em constante mudança, mas se faz indispensável conhecer seu passado para entender as "cores e formas" que adquire quando a olhamos.

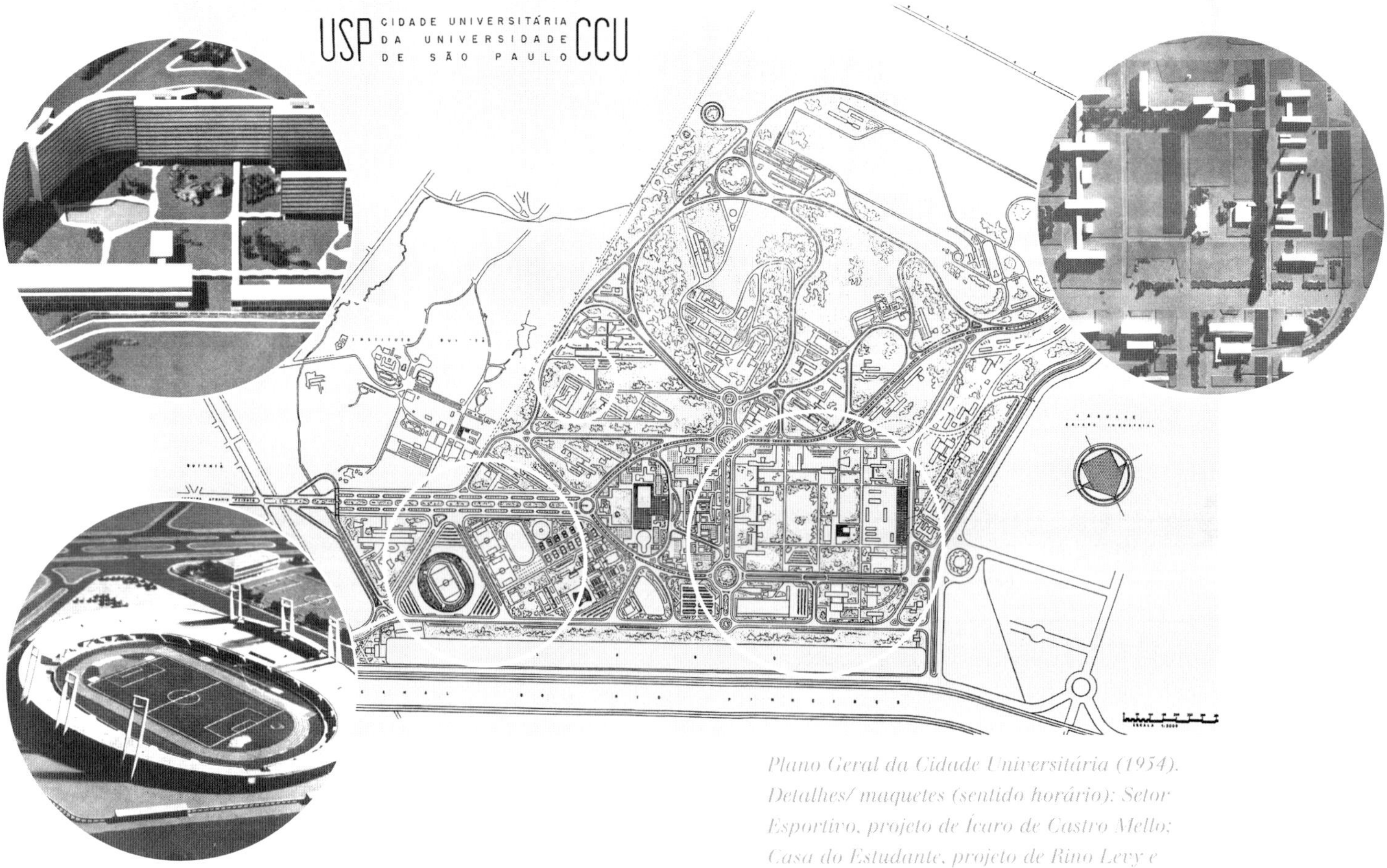

Plano Geral da Cidade Universitária (1954). Detalhes/ maquetes (sentido horário): Setor Esportivo, projeto de Ícaro de Castro Mello; Casa do Estudante, projeto de Rino Levy e Roberto Cerqueira César; Escola Politécnica, projeto de José M. Silva Neves.

A Cidade Universitária (ou as várias cidades universitárias imaginadas) e a cidade de São Paulo guardam, cada uma, as marcas que a história imprimiu nelas. Mas entre si, em quase setenta anos, houve uma complexa forma de aproximação e distanciamento, de superação dos limites em uma época e das necessidades de períodos de penúria em outras. Quando a Cuaso parecia querer fugir da área urbana, em pouco tempo era engolfada pela malha de ruas e edifícios. Seus habitantes devem ter sempre em mente as palavras do mestre Luiz de Anhaia Mello:

> "Arquitetura é a expressão mais acabada da cultura nacional [...] é creação e não simples imitação. Creação não apenas material, mas psicológica. Obra viva, pessoal, humana [...] está [a arquitetura] sujeita a exigências e fatores de ordem material, de ordem social e econômica, de ordem psicológica; fatores comuns e específicos e certas épocas, regiões ou povos e que lhe impõem rumos determinados. Estes fatores constituem o "Zeitgeist", o espírito da época e deles deriva o estilo [...] O estilo é o homem, mas o homem social, o "zoon politicon" aristotélico [...] *A arquitetura é a representação plástica da própria História Universal.* História com figuras [...] Como língua, é um vernáculo, que todos podem e devem compreender; não é língua morta, do domínio dos eruditos, nem esperanto, sem estilo local ou nacional [...] *a arte de fazer coincidir conteúdo e formas de uma civilização* [35] [grifos meus].

Vamos então desfrutar desta cidade dentro de uma cidade, e fazer dela uma forma viva dos nossos desejos, pois ela foi assim desde o início e continuará para além de nossa existência.

Notas

** Milton Santos, *Técnica, Espaço, Tempo: Globalização e Meio Técnico-Científico Informacional*, São Paulo, Hucitec, 1997, pp. 15 e 39.

1 *Arranjo, Descrição e Informatização do Arquivo Histórico da Escola Politécnica – USP*. Projeto financiado pela Fapesp, desenvolvido de fevereiro de 1991 a outubro de 1993.

2 A atual avenida Corifeu de Azevedo Marques é, com algumas alterações, parte do trecho inicial dessa estrada, que ligava o interior de São Paulo com a Capital desde os tempos coloniais, acompanhando parcialmente o trajeto do rio Tietê. A ferrovia e as novas estradas de rodagem determinaram o abandono desse caminho, que ainda pode ser percorrido em alguns trechos.

3 A Comissão que discutiu e elaborou o projeto base da Lei n. 6283 de criação da USP foi composta por: Vicente Ráo e Waldemar Ferreira (Faculdade de Direito), Agesilao Bittencourt e Rocha Lima (Instituto Biológico), Almeida Junior e Fernando de Azevedo (Instituto de Educação), Teodoro Ramos e Fonseca Teles (Escola Politécnica), André Dreyfus e Raul Briquet (Faculdade de Medicina), além de Júlio de Mesquita Filho, Paulo Duarte e Armando de Salles Oliveira.

4 *Coleção de Leis e Decretos do Estado de São Paulo – 1934*, São Paulo, Imprensa Oficial do Estado, 1934, tomo XLIV, p. 37.

5 Henrique Dumont Villares, *A Indústria em São Paulo, Estudo para Sua Localização – Centro Industrial Jaguaré*, São Paulo, Melhoramentos, 1939, p. 28.

6 É interessante citar que, dependendo da matéria a ser ministrada, a maioria dos professores contratados para a FPSL tinha a mesma nacionalidade. Assim, para as humanidades (História, Geografia, Sociologia, Economia, Política e Filosofia) os professores eram franceses; para as ciências "puras" (que incluíam Biologia, Química, Geologia e Física) vieram alemães e italianos, ficando estes últimos também com as cadeiras de Matemática e Línguas Clássicas. Esses professores acabaram marcando o caráter dos primeiros alunos da FPSL, que se tornariam os futuros professores da USP e outras instituições de ensino superior, como Antonio Cândido de Mello e Souza, Eurípedes Simões de Paula, Omar Catunda, Mário Schenberg, Marcelo Damy de Souza Santos, Oscar Sala, Abraão de Morais, Florestan Fernandes e muitos outros.

7 Na Medicina funcionavam as seções de Ciências Sociais e Políticas, História, Filosofia, Letras e Geografia, enquanto na Politécnica ficavam as Cadeiras de Matemática e Física.

8 Há uma pequena confusão neste ponto, pois no mesmo livro, página 220, consta que só em 1938, pelo Decreto Estadual n. 9268-A, foi extinto o Instituto de Educação e criada a Seção de Educação da FPSL.

9 Prefeitura da Cidade Universitária Armando de Salles Oliveira, *O Espaço da USP: Presente e Futuro*, São Paulo, Prefeitura da Cuaso, 1985, p. 36.

10 Composta pelo reitor e presidente Reynaldo Porchat (Faculdade de Direito), tinha como membros: Ernesto de Souza Campos (Faculdade de Medicina), Ernesto de Moraes Leme (Faculdade de Direito), Alexandre de Albuquerque (Escola Politécnica), Afrânio do Amaral (Instituto Butantã), Mário de Andrade (Departamento Municipal de Cultura) e Fernando de Azevedo (Instituto de Educação), este último o único que participou das discussões e ajudou a elaborar a lei de criação da USP.

11 Ernesto de Souza Campos, *Universidades: Cidades Universitárias*, São Paulo, Imprensa da Universidade, 1945, pp. 86-87.

12 *Idem*, p. 101.

13 Eram elas: a) Faculdade de Direito, b) Faculdade de Medicina, c) Faculdade de Farmácia e Odontologia, d) Escola Politécnica, e) Instituto de Educação, f) Faculdade de Filosofia, Ciências e Letras, g) Instituto de Ciências Econômicas e Comerciais, h) Escola de Medicina Veterinária, i) Escola Superior de Agricultura, e j) Escola de Belas Artes. Interessante notar que esta distribuição alfabética, no seu início, é parecida com o ranking de reitores.

14 Diário Oficial do Estado de São Paulo – Diário do Executivo, Atos do Interventor Federal no Estado, 27.1.1934, em Prefeitura da Cidade Universitária Amando de Salles Oliveira, *op. cit.*, p. 24.

15 Ernesto de Souza Campos, *Estudos sobre o Problema Universitário*, São Paulo, Empreza Graphica da Revista dos Tribunais, 1938, p. 117.

16 *Idem*, pp. 185-186.

17 *Idem*, p. 189.

18 *dem*, p. 194.

19 *Idem*, pp. 200-205.

20 *Idem*, p. 115.

21 Ernesto de Souza Campos, *Cidade Universitária da Universidade de S. Paulo – Aspectos Gerais do Planejamento e Execução*, São Paulo, Comissão da Cidade Universitária USP, 1954, p. 24.

22 Ernesto de Souza Campos, *Estudos sobre o Problema Universitário*, p. 212.

23 Dr. Cantidio de Moura Campos.

24 Ernesto de Souza Campos, *op.cit.*, pp. 224-226.

25 *Idem*, p. 230.

26 *Idem*, pp. 230-233.

27 *Idem*,, p. 223.

28 Ernesto de Souza Campos. *Universidades: Cidades Universitárias*. São Paulo, Imprensa da Universidade, 1945, p. 130-131.

29 *Concurso de Idéias e Sugestões sobre a Cidade Universitária*, finalizado em 27 de agosto de 1945.

30 Ernesto de Souza Campos, *Cidade Universitária da Universidade de S. Paulo – Aspectos Gerais do Planejamento e Execução*, p. 18.

31 *Idem*, pp. 115-119.

32 *Idem*, p. 111.

33 *Idem*, pp. 105 e 107.

34 Rino Levi, Eduardo Kneese de Mello, Jorge Wilheim, Paulo Mendes da Rocha, Vilanova Artigas, Eduardo Corona, Ícaro de Castro Mello, entre outros.

35 Palestra "*A Arquitetura da Cidade Universitária – O Problema da Forma e o* 'Zeitgeist'", em 24 de outubro de 1944, durante a Semana da Cidade Universitária, e que consta de material do Arquivo da Escola Politécnica, composto de 11 palestras (do total de 14 proferidas), datilografado e sem revisão de ortografia.

Arquitetura e sociabilidade na cidade universitária de São Paulo

*Fernanda Fernandes**

Na verdade todos vivemos em cidades, não em Estados ou nações. As cidades são o local onde se dá o processo de acumulação de valores históricos e de práticas sociais vividas pelos seus moradores, e todas elas, das mais simples às mais complexas, possuem um caráter, bom ou mau que seja. Contudo, freqüentemente nos esquecemos que a cidade, com seus muros, ruas, praças e edifícios, é a escola onde se forma a sociedade civil. Então, o que dizer de uma cidade que se volta inteiramente para a educação e onde todos os edifícios se destinam ao ensino?

Os territórios da Universidade de São Paulo pontuam as cidades paulistas com outras cidades, que se definem pelas atividades de ensino e pesquisa. Cidades particulares onde a população se renova a cada ano, e de cujo interior aprende-se a olhar a cidade maior onde essas se inserem, e a partir daí todas as outras cidades que de alguma forma passarão a fazer parte de sua vida.

Para pensar essas cidades, iremos nos deter na Cidade Universitária Armando de Salles Oliveira, buscando seus diálogos com a cidade de São Paulo, com quem irá compartilhar mudanças, propostas de inovação, problemas e dificuldades do quotidiano.

Em 1935, o governador Armando de Salles Oliveira nomeou uma comissão, presidida pelo reitor Reinaldo Porchat, cujo objetivo era a escolha do local para a concentração de toda a Universidade de São Paulo. Era o início do plano de centralização a que se deu a denominação de Cidade Universitária. Até então, as faculdades espalhadas pelo tecido urbano de São Paulo compartilhavam da vida da cidade, constituindo pontos de referência – a Faculdade de Direito no Largo de São Francisco, a Politécnica na região da Luz, a Faculdade de Medicina instalada na contigüidade do espigão da Avenida Paulista. Foi a partir dessa última, e caminhando em direção ao rio Pinheiros, que foram cogitadas as primeiras ocupações da Cidade Universitária de São Paulo, que acabou por localizar-se depois do rio, em terras da fazenda Butantã, e assim se colocando em posição destacada em relação à cidade que iria hospedá-la.

A Cidade Universitária era concebida a partir de uma nova situação urbana, pois o crescimento da cidade de São Paulo solicitava medidas mais urgentes de organização e previsão de crescimento. Na verdade, a concentração das faculdades num único *campus* era um fenômeno que já se concretizara na Europa e nos Estados Unidos, fruto da expansão das cidades no final do século XIX e início do XX. O conseqüente adensamento populacional demandava habitação e reformulações nas vias de comunicação, com a abertura de largas avenidas que transformaram as configurações urbanas existentes. Esse crescimento e as novas condições de vida conduziram a um aumento do número de estudantes universitários. E também resultaram em novos métodos de ensino, tornando os edifícios anteriormente destinados à universidade inadequados.

Frente a esse quadro, a solução foi o abandono dos antigos edifícios e a concentração, em vastos terrenos urbanos menos centrais mas de fácil acesso, de todo um conjunto de instalações composto não apenas de faculdades,

* Arquiteta, doutora em história pela Faculdade de Filosofia, Letras e Ciências Humanas da USP e professora da Faculdade de Arquitetura e Urbanismo da USP.

institutos e escolas, mas também de locais destinados ao convívio, ao lazer, às atividades físicas e à residência dos estudantes. Estes conjuntos, como Berkeley, Columbia e Harvard, desenvolveram-se inicialmente nos Estados Unidos, financiados principalmente pela iniciativa privada. Na Europa, as primeiras cidades universitárias construídas a partir desse novo enfoque foram as de Atenas, Roma e Madrid[1].

Depois da Segunda Guerra Mundial, cidades universitárias se concretizam como centros autônomos de estudo e pesquisa. Essas cidades são equipadas com todos os serviços e atributos necessários a uma comunidade urbana dimensional e funcionalmente bem definida. Nesse momento, os governos vêem no aumento de seus quadros técnicos e no investimento em pesquisa a possibilidade de um melhor aproveitamento de seus recursos econômicos[2]. A partir desse contexto, a moderna concepção de cidade universitária ganha também soluções na América Latina: na Cidade do México, em Caracas, no Rio de Janeiro, em São Paulo e em Recife.

No Brasil, a construção de cidades universitárias acompanha a transformação de faculdades isoladas em universidades. A primeira a ser projetada, em 1936, é a do Rio de Janeiro, por uma equipe formada por Lúcio Costa, Affonso Reidy e Oscar Niemeyer, com a participação de Le Corbusier, que vem ao Brasil à convite do ministro Gustavo Capanema e desenvolve trabalhos nos ateliês do Ministério da Educação e Saúde e no planejamento do *campus* da Universidade do Distrito Federal[3].

Anteriormente Marcelo Piacentini, arquiteto italiano, tinha vindo ao Brasil para apresentar a sua proposta para a cidade universitária do Rio, dentro do quadro das relações entre fascismo e getulismo, e aproveitando sua experiência na elaboração da Cidade Universitária de Roma. Esta última, valendo-se da colaboração dos principais arquitetos atuantes na Itália nesse momento, como Gió Ponti e Giuseppe Pagano, apresentava constituição compacta, concretizada em arquitetura de linhas monumentais. Ao contrário, a proposta de Le Corbusier continha características de suas últimas formulações urbanísticas, como a proposta da Ville Radieuse, apresentando a cidade organizada por funções e os edifícios envolvidos por amplas áreas verdes. Essas diretrizes irão, com variações, caracterizar as principais cidades universitárias brasileiras construídas no período. A presença de arquitetos estrangeiros participando de suas formulações enfatiza a importância do tema cidade universitária dentro do projeto de modernização do país.

Os sucessivos estudos realizados para a cidade universitária do Rio acabaram por resultar no projeto elaborado pelo arquiteto Jorge Machado Moreira e equipe, que finalmente se concretizou. No seu programa geral, além dos edifícios das faculdades estavam previstos edifícios administrativos, hospital, centro de esportes, centro cultural e blocos residenciais para alunos e professores[4]. O conjunto possui grande autonomia em relação à cidade do Rio e o fato de se localizar numa ilha enfatiza a situação de isolamento em relação à cidade maior que o contém, indicando a tendência crescente de organização da cidade contemporânea por funções, no caso específico a de ensino. O seu processo de concepção correu paralelo às discussões sobre a arquitetura moderna, que ganhava espaço no Brasil nesse momento, e o *campus* passou a funcionar como local para a realização de edifícios inovadores, tanto em relação ao programa como em relação às soluções arquitetônicas. Ao mesmo tempo em que as teorias urbanísticas mais atuais informavam a organização das cidades universitárias, simultaneamente se formulava a própria concepção da universidade.

Em 1949 foi instituída a Comissão da Cidade Universitária da USP, que elaborou um plano geral para a organização do conjunto. Em linhas gerais, o planejamento previa o traçado das ruas e o zoneamento das áreas a partir de atividades idênticas ou afins, ou seja, a divisão da área em setores diferenciados a partir de categorias de uso, considerando as funções de habitação, trabalho, circulação e lazer. Cada setor estaria subdividido em unidades referentes a cada faculdade ou área de conhecimento, sendo prevista para cada um deles uma área de expansão. Uma grande avenida de ingresso (*parkway*) conduziria da entrada diretamente ao centro cívico, grande praça que deveria abrigar a reitoria, a biblioteca e um teatro, funcionando como lugar de encontro e ponto de referência para o conjunto e mantendo o caráter de monumentalidade presente nas primeiras formulações européias[5].

Dessa forma pretendia-se constituir uma estrutura elástica e funcional, dentro da qual as várias atividades pudessem ser exercidas com amplas possibilidades de contato, transformação e ampliação, buscando assim a obtenção de um conjunto equilibrado, fruto da adequada localização dos setores na rede viária. Um dos objetivos do agrupamento em um único *campus* era a necessidade de intercâmbio técnico e científico entre as diferentes unidades. As áreas mais periféricas ficariam destinadas aos setores de medicina, veterinária, engenharia, esportes e residências de estudantes, setores que se relacionavam mais diretamente à população exterior ao *campus*. Nas áreas mais centrais estariam localizados os setores de administração, filosofia, ciências e letras, direito, arquitetura e belas artes.

A concretização do planejamento da Cidade Universitária efetivou-se em 1950, em virtude do auxílio financeiro conseguido do governo federal que viabilizou o início das primeiras obras, com a realização de terraplanagem e a construção do edifício de alta tensão do Instituto de Eletrotécnica. Já no final da década anterior o Instituto de Pesquisas Tecnológicas tinha se instalado na área, em localização próxima ao setor depois destinado à Escola Politécnica. Em função do IV Centenário da Cidade de São Paulo, em 1954, foi possível viabilizar algumas obras, como a avenida de ingresso que conduzia ao centro cívico, sendo também proposta a construção de uma torre, como marco das comemorações realizadas nesse momento.

O centro cívico contava com um estudo preliminar realizado pelo arquiteto Rino Levi, em que uma grande praça de forma triangular abrigava a Reitoria, a Biblioteca Central e o Teatro Universitário, envolvidos por proposta paisagística de Burle Marx, que previa um espelho d'água de forma retangular e canteiros de formas geométricas onde seriam plantados espécimes diversos da flora brasileira, seguindo tendência consagrada pelo nosso mais importante paisagista.

Nesse momento já estava em construção o edifício da Reitoria, projeto do arquiteto José Maria da Silva Neves, que então fazia parte da Comissão da Cidade Universitária[6]. Este edifício é formado por um bloco central vertical, com nove pavimentos, e dois laterais mais baixos, de três pavimentos, marcados pela simetria e pela precisa definição volumétrica. Caracteriza-se pela sobriedade, sendo o ritmo da fachada definido, no plano central, por pilares exteriores e nas laterais por colunas. Esses elementos denunciam a matriz classicista da solução, afinada com a formação e atuação de Silva Neves. Segundo a proposta de Rino Levi, os edifícios destinados à biblioteca e ao teatro se localizariam frente à frente, ocupando as laterais do edifício da reitoria.

O projeto da torre também foi confiado a Rino Levi, que o resolveu de forma simples e precisa: duas placas paralelas de concreto armado, com as faces externas decoradas com baixos-relevos de autoria de Elizabette Nobling. A torre emerge de um lago de forma circular e situa-se em frente ao centro cívico, enfatizando o eixo de ingresso da grande avenida e seu caráter monumental, que o diferencia da sistematização das ruas adotadas no restante do *campus*.

Coube ainda a Rino Levi a primeira proposta de residência para estudantes. O projeto, que não foi realizado, era resolvido em blocos que se interceptavam nas áreas de circulação definindo um desenho de linhas curvas, sendo a organização interna resolvida em apartamentos individuais para os alunos, de forma a garantir um espaço de uso privado numa situação de vida universitária que privilegiava as atividades em grupo. Esses blocos se ligavam a edifícios de uso comum destinados a clube, enfermaria e administração. A disposição do conjunto conformava um espaço mais circunscrito, frente à distância e à dispersão dos edifícios localizados na trama viária da Cidade Universitária[7].

Nesse momento, a Comissão da Cidade Universitária estava empenhada na formação de um parque no *campus* do Butantã, à semelhança de outros parques já existentes em São Paulo, como o Horto Florestal e o Jardim Botânico. O crescimento da metrópole paulista tinha despertado a preocupação com a inserção e a preservação de áreas verdes no tecido urbano, em movimento contrário ao da sua constituição, que se dá como contraponto ao espaço natural. Seguindo essa tendência, tínhamos assistido, no início do século, à implantação dos bairros jardins pela companhia City, em solução residencial permeada pelo verde e que, segundo sua concepção original, apresentava-se como alternativa à vida metropolitana e ao conseqüente afastamento do homem da natureza. Também um dos maiores investimentos do município e do estado, no início da década de 1950, foi a construção do Parque Ibirapuera, destinado a abrigar as comemorações do IV Centenário da Cidade de São Paulo. O projeto do parque foi concebido em 1952 por Oscar Niemeyer, liderando equipe formada por Hélio Uchoa, Gaus Estelita, Kneese de Melo e Zenon Lotufo, portanto associando arquitetos do Rio e de São Paulo, e tinha como finalidade a constituição de um espaço de cultura e lazer para a cidade. À semelhança do centro cívico do *campus*, o projeto do Ibirapuera também não foi concluído, não tendo sido realizado o edifício do teatro e o projeto paisagístico de Burle Marx.

A história de projetos não realizados ou incompletos irá marcar o processo de ocupação do *campus* do Butantã. Devido ao lento processo de construção dos edifícios, sempre se defrontando com a exigüidade de recursos, a história da formação do *campus* é também o percurso do que não foi realizado, registrando nos seus projetos as perspectivas de várias gerações e as experiências dos arquitetos mais atuantes no quadro da arquitetura que se produzia no período.

De 1935 a 1955, foram elaborados cerca de dez anteprojetos para a urbanização da área escolhida. A reitoria promoveu um concurso de idéias, e ocorreram debates públicos em uma Semana da Cidade Universitária, realizada na Galeria Prestes Maia. Esses estudos propunham várias adaptações, mas em geral foram mantidas as linhas mestras do plano inicial, com ênfase no planejamento dos setores inseridos em áreas verdes. Uma das críticas recorrentes ao planejamento do *campus* era a distância que se verificava entre as várias faculdades, fato que parecia se contrapor ao espírito de integração presente na sua concepção inicial[8]. A justificativa usualmente apresentada contra esse argumento se baseava na necessidade de expansão dos vários setores que compunham a organização do *campus* e também na necessidade de implantação de novas faculdades como a de Artes Plásticas e Jornalismo, então inexistentes. Esta última apresentava um campo de atuação novo frente à ampliação da atividade da imprensa na vida metropolitana e na sociedade de massa.

Em 1956, o arquiteto Hélio de Queiroz Duarte propõe o replanejamento do *campus* da Cidade Universitária, visando à obtenção de um plano orgânico, eficiente e funcional[9]. Nessa reformulação, o ponto mais enfatizado é a concepção do centro de comunidade (*core*), em substituição à antiga proposta do centro cívico. O centro de comunidade deveria funcionar como local de convergência da zona residencial e da zona de ensino, e sua inserção implicou na reformulação do traçado viário no final da avenida principal. Ainda adjacente ao *core*, deveria situar-se a praça de esportes. Dessa forma, eram revistas as relações até então estabelecidas entre as diversas funções presentes na Cidade Universitária. Essa iniciativa visava à integração entre os vários grupos que compunham a população da Cidade Universitária e pretendia assim fomentar as "relações humanas".

Assim, o novo centro comunitário deveria conter, além dos edifícios anteriormente propostos para o centro cívico, como a Prefeitura e a Reitoria, uma Biblioteca Central, Aula Magna e outros destinados a implementar as desejadas relações sociais, como atividades estudantis, imprensa universitária, hotel para professores visitantes e alunos bolsistas, lojas, correio, restaurante, bar, salão de festas e cine-teatro. A proposta, assim reformulada, incorporava o antigo prédio da Reitoria e a Torre Universitária, além de vetar na área o trânsito de veículos.

A terminologia do *core* utilizada nessa proposta indica a familiaridade de Hélio de Queiroz Duarte com as mais recentes formulações urbanísticas propostas pelo Ciam – Congressos Internacionais de Arquitetura Moderna. O "coração da cidade" foi tema do VIII Ciam (1951), que se caracterizou pela revisão dos princípios da Carta de Atenas, amplamente difundidos e associados ao urbanismo modernista. Dessa forma, buscava-se reverter a tendência funcionalista que havia predominado no entre guerras e também propor soluções para os centros urbanos degradados durante a Segunda Guerra Mundial. Vai destacar-se nesse congresso o arquiteto Josep Luís Sert, então presidente do Ciam[10], que no seu texto buscava nas origens da *polis* o lugar privilegiado destinado às funções públicas. Ao contrário da *domus*, que diz respeito ao indivíduo e à família, a cidade foi edificada com o fim de discutir os problemas sociais[11].

Ainda no mesmo texto, Sert alertava para o estado de grave decadência em que se encontravam as zonas centrais da cidade, sofrendo um processo de desintegração que tinha como contraponto a expansão sem precedentes das periferias urbanas, apoiadas no valor crescente atribuído ao processo de descentralização. Apontava, ainda, o arquiteto a crescente especulação sobre os terrenos, que ameaçava todas as grandes cidades, e a necessidade de reverter esse processo criando meios para que um novo fluxo de centralização pudesse ocorrer. Nesse sentido, a construção de novos centros de convívio para os cidadãos era fator essencial. A idéia de centro cívico (*core*) vinha incorporada ao princípio de organização das cidades por setores, estabelecendo centros para cada um deles, onde se agrupariam os edifícios públicos, formando espaços adequados para a reunião da população, de forma a poder desenvolver-se o espírito cívico. Também as mais diversas atividades humanas deveriam encontrar lugar nesses centros, promovendo as mais diversas manifestações culturais a partir de um ambiente físico especial, no qual pudesse manifestar-se, de modo concreto, o sentido da comunidade.

A nova proposta de implantação da Cidade Universitária da USP, com a inserção da dimensão do *core* , buscava a integração entre os diferentes setores e colocava o problema da relação do próprio *campus* com a cidade de São Paulo. À semelhança do processo de discussão iniciado pelos Ciam, buscava-se a humanização da Cidade Universitária como complemento à postura funcionalista das primeiras formulações que seguiam as diretrizes da Carta de Atenas. Assim, o *core* seria a expressão da sociabilidade e confraternizaçãopretendida para o ambiente universitário.

São Paulo, no pós-guerra, tinha assumido a condição de mais importante centro econômico e industrial do país, e já se tinha, nesse momento, a consciência de que o tão desejado "progresso" trazia graves conseqüências para o crescimento urbano, implicando em prejuízos para a vida de seus habitantes. As reflexões propostas pelo Ciam sobre os problemas relativos ao crescimento das cidades vinham ao encontro da situação vivida pela metrópole paulista, embora posteriormente as soluções então aventadas tenham se revelado insuficientes para resolver a situação caótica das grandes cidades. Ainda no período, acentuavam-se os debates urbanísticos em função do concurso para o plano piloto de Brasília (1957), mobilizando os principais arquitetos atuantes, num momento em que a arquitetura brasileira alcançava um papel importante no quadro político cultural, e o domínio de uma tecnologia própria constituía uma das questões programáticas do nacional-desenvolvimentismo.

Dois dos mais significativos arquitetos, Rino Levi e Oswaldo Bratke, vão realizar projetos para o "coração" da Cidade Universitária. Na solução proposta por Bratke para o centro cívico, a grande praça aparece circundada pelo Museu e pela Biblioteca Central, incorporando o prédio da Antiga Reitoria. Rino Levi soluciona o projeto do centro social com uma grande cobertura que abrigaria um conjunto de funções ligadas a atividades diárias da vida universitária, visando a um espaço de convivência com dimensão cultural. A estação rodoviária se instalava em marquises criadas pelo desdobramento dessa grande cobertura e nela se faria a confluência do sistema de transportes urbano e daquele interno à Cidade Universitária. A complexidade da proposta visava, em última instância, a articular os diversos núcleos da Cidade Universitária e ligá-la à cidade de São Paulo[12].

Um dos mais atuantes críticos do período, Mário Pedrosa, vai manifestar-se sobre a proposta do *core* para a Cidade Universitária. A proximidade com a produção arquitetônica brasileira, da qual foi um dos principais divulgadores, e também a organização do Congresso Internacional de Críticos, realizado em 1959, tendo como objetivo promover o debate sobre a recém-construída cidade de Brasília, faziam de Pedrosa uma referência significativa na reflexão sobre os problemas urbanos.

Nesse momento, Mário Pedrosa era diretor do Museu de Arte Moderna de São Paulo, instituição criada por Francisco Matarazzo Sobrinho na década de 1950. Em 1962, o acervo do MAM é doado à Universidade de São Paulo, constituindo o atual Museu de Arte Contemporânea, e surge então a possibilidade de sua transferência para a Cidade Universitária, com sede própria que ocuparia a praça cívica. Pedrosa coloca como prioridades do *core* um museu e seus anexos, além do conjunto formado por Reitoria, Conselho Universitário e Aula Magna e Biblioteca Central. Essa configuração servirá de referência para a proposta elaborada por Oswaldo Bratke. O crítico também alerta para o risco de o centro tornar-se um lugar deserto por lhe faltarem os elementos recreativos próprios de uma comunidade urbana. Apesar das várias propostas e do esforço em viabilizá-las, também desta vez a Cidade Universitária não ganhou o seu centro.

No governo Carvalho Pinto (1958-1962), a construção da Cidade Universitária adquire novo estímulo, e várias obras são concluídas, como o laboratório de Hidráulica, de Ariosto Mila, e o de Física Experimental, projeto de Paulo Camargo de Almeida e A. Pinheiro. Também se inicia a construção dos edifícios dos cursos básicos da Escola Politécnica, projeto de Hélio de Queiroz Duarte.

O edifício proposto por Hélio Duarte para a Politécnica (1962) é composto de três blocos, dois retangulares e um circular, que se utilizam do concreto protendido em sua resolução, assinalando, desta forma, a nova técnica que irá dominar as construções em São Paulo a partir de então, transformando o concreto em expressão contemporânea da técnica construtiva brasileira.

A contribuição de Hélio Duarte para a arquitetura escolar é bastante significativa e vai além dos limites da universidade. Tendo trabalhado anteriormente em Salvador, o arquiteto traz para São Paulo o conceito de "escola parque", formulação pedagógica de Anísio Teixeira, que conceitua a escola como um centro social na vida do bairro. Hélio Duarte procurou inserir essa nova visão de escola nos seus projetos para o Convênio Escolar (1949-1955) desenvolvido pela prefeitura de São Paulo, em que o arquiteto atuou como coordenador[13]. Esse convênio tornou possível a concepção de escolas inovadoras pelas novas intenções pedagógicas e finalidade social. A experiência assim adquirida irá contribuir para as propostas dos edifícios da Cidade Universitária, e verificando-se nos dois empreendimentos a atuação dos mesmos arquitetos, como Eduardo Corona, Oswaldo Correia Gonçalves, Zenon Lotufo e o engenheiro Ernest Robert de Carvalho Mange, todos de alguma forma ligados aos princípios da arquitetura moderna difundidos pelo grupo carioca a partir da década de 1940.

Dos edifícios concluídos no início da década de 1960, destacam-se dois projetos de Paulo Camargo Almeida – o do Anfiteatro da Biologia e o da Física Experimental, realizado em parceira com A. Pinheiro. Este último tem características da arquitetura consagrada nos anos de 1950, a partir da difusão das experiências do grupo carioca. Resolvido em estrutura de concreto armado, utiliza os *brise soleil* nos planos de fachadas, elementos que marcam as soluções arquitetônicas do período. No Anfiteatro da Biologia, localizado na proximidade da reserva ecológica, o arquiteto adota solução recorrente nas propostas realizadas para o *campus* nos anos seguintes. Em concreto armado, o edifício é sustentado por pilares gigantes que deixam o espaço do térreo livre e aberto, destinado ao encontro de alunos e professores. O andar superior fica, assim, destinado às atividades especificamente acadêmicas, que exigem maior concentração. Esse partido será bastante explorado em outros projetos, enfatizando o aspecto da sociabilidade já presente na proposta do *core*, e assinalando a preocupação com a esfera pública que irá dominar as formulações arquitetônicas do período[14].

Nesse momento, Paulo Camargo e Almeida assume, como primeiro diretor executivo, o recém-criado Fundo para a Construção da Cidade Universitária, que favorecia uma visão inovadora para o *campus* da USP. O plano de ação do governo Carvalho Pinto garante recursos para a continuidade da obra e o clima de debates e reformas no interior da universidade alimenta a formulação de novas propostas. No plano nacional, 1961 é um ano significativo na vida universitária do país, com a fundação da Universidade de Brasília, a partir de proposta acadêmica formulada por Anísio Teixeira e Darci Ribeiro.

Em 1962 ocorre a promulgação dos novos estatutos da USP, e em 1963 se realiza o primeiro Forum Universitário. Um dos temas de discussão, "A Integração Universitária da Cidade Universitária", retomava questões colocadas quando da proposta do *core*, agora adensadas por questões políticas. Nesse sentido, as propostas arquitetônicas procuravam enfatizar as relações entre os vários setores do *campus* e dotá-lo de caminhos, ruas, que, como nas cidades, promovessem o encontro de pessoas e a troca de idéias. É o caso do projeto de integração dos departamentos da Faculdade de Filosofia, Ciências e Letras associado ao da Faculdade de Arquitetura e Urbanismo, formando um conjunto coeso, situado em local privilegiado na avenida fronteira ao centro cívico. Até então essas duas faculdades ocupavam edifícios vizinhos na área central da cidade, e apenas no final da década de 1960 seriam transferidas para o *campus*.

Desde a reitoria de Reynaldo Porchat (1934-1938), a Faculdade de Filosofia, Ciências e Letras era considerada elemento nuclear da nascente Universidade de São Paulo. Alguns dos departamentos dessa faculdade ocuparam, durante anos, o edifício da Escola Normal Caetano de Campos, na praça da República. Em 1949, a faculdade transferiu-se para o edifício adquirido pela reitoria, na rua Maria Antonia, vizinho à Universidade Mackenzie. Anos depois também a Faculdade de Arquitetura e Urbanismo da USP se instala nas proximidades no edifício da Vila Penteado[15]. Esta região da cidade vai transformar-se, na década de 1960, no principal centro de manifestações estudantis, e posteriormente haverá grande resistência por parte dos estudantes frente à mudança da escola da rua Maria Antonia para a Cidade Universitária. O principal argumento veiculado então era que, com essa transferência, a faculdade perderia o contato com a vida urbana nos seus aspectos culturais e humanos.

Os projetos propostos para o *campus* durante a década de 1960 buscavam exatamente sanar as dificuldades de comunicação entre as várias unidades espalhadas ao longo da vias de circulação, problema já identificado desde as primeiras propostas de planejamento para a área. Entre esses, o projeto da Faculdade de Filosofia, Ciências e Letras e o da Faculdade de Arquitetura era um dos mais interessantes, por enfatizar o desejo de sociabilidade e convivência. O térreo dos edifícios, organizado por pátios e jardins, abrigava atividades de uso comum, como cantinas e grêmio, e também de caráter cultural, como museus e bibliotecas, constituindo espaços que deveriam propiciar a convivência entre a população universitária. Realizado por um grupo de arquitetos que compartilhavam afinidades profissionais e políticas, quase todos professores da USP, o projeto promovia uma espécie de rua que faria a conjugação entre o edifício da Arquitetura, o mais distante, e o da História e Geografia, o primeiro da seqüência. Entre eles se sucediam os edifícios destinados aos departamentos de Sociologia e Filosofia, Letras e também o de Geologia, Paleontologia, Mineralogia e Petrologia, constituindo um caminho que direcionava o fluxo de pessoas para o Centro Cívico e a área contígua, ocupada pela habitação de estudantes[16].

Desses projetos foram construídos apenas os edifícios da História e Geografia (1966), projeto de Eduardo Corona, e o da Faculdade de Arquitetura e Urbanismo (1969), projeto de um de seus fundadores, o arquiteto Vilanova Artigas, juntamente com Carlos Cascaldi. O edifício da História e Geografia localiza-se no início do setor de Ciências Humanas. Sua composição se estabelece a partir de um grande *hall* central, onde se localizam as rampas de circulação que permitem o acesso às salas de aula e administração, situadas na áreas laterais dos níveis superiores. No térreo, a grande praça de convívio agrega os equipamentos de uso coletivo. O prédio da Faculdade de Arquitetura fecha o setor das Ciências Humanas e se coloca nas vizinhanças da Escola Politécnica, de onde tinha saído como faculdade autônoma em 1948. O grande *hall* interno articula os espaços dos ateliês, salas de aula, biblioteca, atendendo a um programa que reflete uma proposta específica de formação do arquiteto.

Assim, com a construção apenas do primeiro e do último edifício do conjunto, uma das melhores propostas para a ligação das faculdades se perdeu, e junto com ela a idéia de qualificar os espaços destinados aos pedestres, estimulando o deslocamento entre os edifícios. Os demais projetos, não realizados, desenvolviam com precisão variações sobre o tema da rua de convivência, que se colocava como caminho de transição entre o setor tecnológico e o centro cívico, desta forma a intervenção arquitetônica ampliava seu alcance até atingir a questão do ambiente. O projeto da Faculdade de Filosofia e Sociologia (1962), do arquiteto Paulo Mendes Rocha, apresentava solução que elaborava a área térrea em desníveis, sendo que os pátios do museu e biblioteca eram rebaixados em relação aos jardins e funcionavam como complemento das áreas internas, qualificando as diferentes possibilidades de uso do espaço. O edifício de Letras, projeto de Carlos Milan, se resolvia como grande cobertura que abrigava as atividades coletivas do nível térreo e era interceptada por um volume vertical onde se organizavam os demais espaços destinados a atividades didáticas e administrativas. Além de revelarem a constante preocupação com as atividades didáticas que ali se realizariam, os projetos do conjunto buscavam também promover a aproximação entre as várias áreas de conhecimento instaladas no *campus* da USP.

Tanto Carlos Milan como Paulo Mendes da Rocha participavam do grupo de arquitetos que atuavam junto a Vilanova Artigas, que naqueles anos assumia a liderança dos debates e teorizações sobre arquitetura em São Paulo. Esses arquitetos buscavam fundamentar teses-utopias que transcendiam a esfera especificamente arquitetônica, incidindo sobre os aspectos éticos, políticos e sociais de cada projeto. Eram projetos que relacionavam as preocupações do período com a cidade e a cidadania, ou seja, com a atuação de seus habitantes na dimensão pública. A arquitetura realizada em São Paulo, nesse momento, serve-se de elementos próprios da esfera urbana, como a rua e a praça, para propor o desejado diálogo entre público e privado.

Contemporâneo à proposta do conjunto da Filosofia é o novo projeto para a residência de estudantes – formulado pelos arquitetos Kneese de Mello, Sidney de Oliveira e Joel Ramalho –, que assinala o início da preocupação com a pré-fabricação no interior do *campus*. São Paulo, como o maior pólo industrial do país, buscava então uma resposta para a construção de massa, preocupação que vinha mobilizando o debate arquitetônico europeu desde a década de 1920.

Os alojamentos para estudantes, situados na proximidade do setor esportivo, tiveram solução em blocos laminares de sete pavimentos, onde se distribuíam apartamentos destinados a três ocupantes, mas com organização que permitia atividades diversificadas. Espaços de uso comum, como sala de estar e área de serviço, atendiam a cada um dos andares. O conjunto, que compreendia um total de doze blocos, foi pensado na época com o sistema de pré-moldagem para a estrutura de concreto. Contudo, a urgência na execução impossibilitou esta experiência e apenas seis blocos, do total do conjunto, foram construídos com estrutura moldada in loco, em concreto aparente e independente das instalações internas. Praticamente todos os componentes foram executados em paralelo nas fábricas e posteriormente montados na obra.

Dentro desse novo enfoque, destaca-se o projeto do conjunto das Químicas, realizado ainda na década de 1960, a partir de projeto de Alberto Daniel e José Roberto Leme Simões. Partindo de experiências baseadas no *modulor* de Le Corbusier, todos os elementos da obra são padronizados, indicando um caminho para a industrialização da construção. Em 22 blocos o conjunto reunia todas as disciplinas de química das diferentes escolas e institutos. Os blocos de forma retangular foram resolvidos em planta livre, de modo a adequá-los às diferentes funções e também possibilitar modificações frente a novas demandas. A coordenação modular possibilitou que a obra fosse realizada em etapas, permitindo adaptações frente a necessidades surgidas durante o processo de construção.

A década de 1960, que se iniciara com propostas inovadoras, apostando nos espaços de convivência e enfatizando a esfera pública da Cidade Universitária, termina com a cassação e o afastamento de vários professores, entre eles muitos que tinham contribuído com propostas para o *campus*.

Dentro do clima de contestação política do período, a Faculdade de Filosofia da rua Maria Antonia é invadida, acelerando o processo de transferência para a Cidade Universitária. Essa mudança assinala também o início de um processo de improvisação das instalações do *campus*, quando se adotam construções em estrutura metálica, consideradas provisórias, que acabam por se perpetuar na precariedade.

A reforma universitária de 1969 cria a Faculdade de Filosofia, Letras e Ciências Humanas, abandonando a antiga idéia de unir Filosofia e Ciências. Também nesse momento, a Escola de Comunicações Culturais tem a sua denominação alterada para Escola de Comunicações e Artes, voltada para o estudo dos meios de comunicação de massa – cinema, televisão, teatro, jornalismo – secundados pelas artes plásticas, e assim de alguma forma redimindo e atualizando a proposta inicial de dotar o *campus* de uma escola de belas artes. Inicialmente alojada em instalações provisórias, a ECA, assim como a Filosofia, terá sua sede construída na década de 1970 dentro da concepção modular que orientará as novas obras do *campus*.

Na década de 1970, o Fundo de Construção da Cidade Universitária foi reformulado, passando a denominar-se Fundo de Construção da Universidade de São Paulo (Fundusp). Mudando seu modo de atuação, passou a trabalhar por regime de empreitada, contratando por concorrência pública firmas particulares de construção. O Fundusp também vai investir no desenvolvimento de novos métodos de construção voltados para a industrialização desta. Para tanto, baseava-se nos princípios da racionalização, padronização e modulação, tendo como objetivo o barateamento dos custos e a produção em grande escala. Na esfera mais específica, acreditava-se na maleabilidade do processo de pré-fabricação como solução compatível com as constantes mudanças a que estava sujeito o ambiente da Cidade Universitária.

Os anos 1970 conheceram programas de construção escolar bastante sistematizados, com a elaboração de manuais em que os elementos padronizados para os projetos de edifícios e equipamentos escolares vinham organizados e que informavam os procedimentos de projeto. Essas experiências com a pré-fabricação também ganhariam espaço no *campus* da USP. Um exemplo do uso de pré-moldados é o projeto da Faculdade de Economia e Administração (1971), realizado pelos arquitetos Manuel Capillé e Luiz de Camargo. O edifício se desenvolve em duas áreas articuladas pelo corpo central, onde se situam as rampas de acesso ao nível superior. A solução, bastante despojada, sofreu uma série de intervenções posteriores, e mais recentemente recebeu um painel na porta de ingresso. Configurando uma nova fachada, procura modificar o caráter do edifício, dando-lhe ares pretensiosos, que destoam da fatura simples proposta pela pré-fabricação.

O setor de esportes também será objeto de grandes investimentos nesse período. Desde as primeiras propostas para o *campus*, um centro esportivo já era considerado indispensável para a formação física dos jovens estudantes, devendo situar-se próximo ao setor residencial, de modo a atendê-los com facilidade nos períodos dedicados ao lazer. Os primeiros estudos para esse setor foram realizados pelo arquiteto Ícaro de Castro Mello, então professor da FAU-USP e conceituado profissional na solução de equipamentos esportivos. Alguns dos edifícios propostos foram viabilizados nos anos de 1970 com a construção da Raia Olímpica, da pista de atletismo e da Escola de Educação Física, construções de responsabilidade do escritório de Ícaro de Castro Mello.

É também em 1970 que a Cidade Universitária ganha uma prefeitura para administrar as áreas externas do *campus*, índice de que a cidade tinha crescido e ganhava problemas mais complexos de gestão urbana, dotando-se de equipamentos necessários a seu bom funcionamento como bancos, agência de correios, telefones públicos.

No mesmo período, retoma-se a idéia de ocupar a praça central com a Aula Magna, um centro de documentação e informações e a sede do Museu de Arte Contemporânea, que continuava a funcionar em suas antigas instalações no prédio da Fundação Bienal, no Parque Ibirapuera. A proposta era que o MAC centralizasse os laboratórios de museologia de várias unidades e a solução arquitetônica foi feita por uma equipe chefiada pelos arquitetos Jorge Wilheim e Paulo Mendes da Rocha (1975). O projeto recuperava a velha idéia de constituir um centro para a Cidade Universitária, de forma a articular o conjunto das habitações de estudantes, o centro administrativo e o centro de convivência social. A praça onde seria instalado o MAC, um centro de informação e documentação, um auditório e um centro de reuniões, funcionaria como núcleo articulador do conjunto.

O edifício proposto para o MAC retomava, à distância de mais de dez anos, a proposta frustrada do conjunto da Faculdade de Filosofia, Ciências e Letras, com a sua tentativa de ligação entre várias faculdades: liberava o nível térreo, constituindo um caminho onde se sucediam os jardins, a cantina, o anfiteatro, as oficinas, destinando o nível superior aos espaços expositivos.

Ainda na década de 1970 é finalmente construída a torre projetada por Rino Levi, única obra realizada da série de propostas do arquiteto para o *campus*. Hoje solitária, a torre evoca as inúmeras propostas de dotar a Cidade Universitária de um centro cívico, que congregasse e conferisse dimensão pública a seus espaços.

As décadas subseqüentes assistiram ao adensamento dos diferentes setores da Cidade Universitária, com um grande número de novas construções nem sempre balizadas por condições adequadas ao ensino e à pesquisa. Com crescente intensidade, a Cidade Universitária da USP passa a compartilhar dos mesmos problemas de segurança e violência urbana que atingem a cidade de São Paulo. Nesse caso, seu isolamento físico não é garantia de qualidade de vida.

Os meios de comunicação de massa fazem-se hoje cada vez mais presentes entre os habitantes das grandes e pequenas cidades. Também a comunicação via internet representa um meio poderoso de informação e de aprendizado que, de alguma maneira, irá interferir nos métodos pedagógicos e nos espaços destinados ao ensino, além de colocar em dúvida a manutenção de antigas formas de sociabilidade pautadas pela convivência.

Das três primeiras faculdades que constituíam o núcleo inicial da Universidade de São Paulo – Direito, Medicina e a Politécnica – apenas esta última se transferiu para o *campus* do Butantã. As faculdades de Direito e Medicina continuam a ocupar seus antigos edifícios inseridos na trama urbana de São Paulo. Outros edifícios da USP funcionam como pólos irradiadores das atividades desenvolvidas no interior do *campus*, propiciando a difusão do conhecimento e estreitando as relações entre a universidade e a cidade de São Paulo.

O antigo prédio da rua Maria Antonia hoje funciona como centro cultural, realizando ciclos de palestras, exposições e apresentações teatrais, conquistando cada vez mais espaço no campo cultural da cidade. A Vila Penteado, na rua Maranhão, abriga atualmente a pós-graduação da Faculdade de Arquitetura e Urbanismo, mantendo sua vocação de ensino. A Casa da Dona Yayá, recentemente restaurada, começa a promover atividades recreativas, culturais e de formação junto à população do bairro da Bela Vista, onde está situada. Recentemente tem-se cogitado na criação de uma praça dos museus na Cidade Universitária, proposta que congregaria todos os museus da USP, tornando acessíveis à consulta e à visitação o seu rico acervo, referente a diferentes áreas do conhecimento.

Percorrendo os vários projetos que orientaram a construção da Cidade Universitária e também aqueles que não lograram ser construídos, pode-se perguntar em que medida foi atingido o objetivo de constituir uma verdadeira universidade e não apenas um agregado de faculdades isoladas.

Nas primeiras propostas para a Cidade Universitária, as metas eram grandiosas e o clima era de disputa em relação à elaborada sede da Universidade do México e também ao *campus* da então Universidade do Brasil, no Rio de Janeiro, bem mais rica que sua equivalente paulista, pois contava com recursos federais. A Cidade Universitária da USP apresentou vários problemas para ver viabilizado o seu espaço físico, não conseguindo suplantar, na sua concretização, as rivais mais próximas. Contudo, a produção de conhecimento da Universidade de São Paulo obteve reconhecimento nacional, superando obstáculos e apostando num ensino de qualidade.

O historiador Joseph Rykwert, conhecido por seus estudos sobre arquitetura e cidade, assim formula suas considerações sobre a universidade e o seu papel: "A Universidade, a sociedade de estudantes e de estudiosos é um caso muito particular da sociedade em geral. O que a torna especial é a sua inevitável autoconsciência. Ela tem consciência de ser uma sociedade, mas também é construída para refletir sobre a sociedade onde se insere"[17]. Assim, a Universidade de São Paulo continua a refletir sobre outras cidades e o labor de seus habitantes.

Notas

1 Keil Amaral, "Cidades Universitárias, Realizações Contemporâneas", em *Arquitectura* n. 55-56, pp. 6-13. Porto, jan.-fev. 1956.

2 Stefanos Polyzoides & Peter de Bretteville, "Eight California Campuses to 1945. An American Culture of Place-making", em *The New City*, Miami, AAVV, University of Miami, School of Architecture, 1994, pp. 52-87.

3 Os projetos para a cidade universitária do Rio de Janeiro podem ser consultados no livro de Maria Cristina da Silva Leme (coordenadora), *Urbanismo no Brasil 1895-1965*, São Paulo, FUPAM/Estúdio Nobel, 1999.

4 "Cidade Universitária do Rio de Janeiro", em *Habitat* n.15, pp. 2-27. mar.-abr., 1954.

5 As primeiras propostas para a Cidade Universitária da USP se encontram no livro de Ernesto de Souza Campos, *Cidade Universitária da Universidade de São Paulo. Aspectos Gerais do Planejamento e Execução*, [São Paulo], Comissão da Cidade Universitária de São Paulo, 1954.

6 Nesse momento a Comissão da Cidade Universitária era presidida por Ernesto de Souza Campos, tendo como assistente técnico o arquiteto José Maria da Silva Neves. Aparecem também como colaboradores os arquitetos Rino Levi, Roberto Cerqueira Cezar, Ariosto Mila, Ícaro de Castro Mello, Gio Ponti, Plínio Croce, Carlos Millan, Galiano Giampaglia, Jacob Ruchti, Roberto Aflalo, Salvador Candia, entre outros (informação obtida a partir do livro de Ernesto de Souza Campos, *Cidade Universitária da Universidade de São Paulo. Aspectos Gerais do Planejamento e Execução*, São Paulo, 1954.)

7 Rino Levi, "Setor Residencial do Estudante", em *Habitat* n.11, pp. 7-9. jun. 1953.

8 Em 1952 faziam parte da Universidade de São Paulo as seguintes faculdades: Faculdade de Direito, 1827; Escola Politécnica, 1899; Escola Superior de Agricultura Luís de Queiroz, 1901; Faculdade de Medicina, 1913; Faculdade de Farmácia e Odontologia, 1934; Faculdade de Filosofia Ciências e Letras, 1934; Faculdade de Medicina Veterinária, 1934; Faculdade de Higiene e Saúde Pública, 1945; Faculdade de Ciências Econômicas e Administrativas, 1946; Faculdade de Arquitetura e Urbanismo, 1948; Faculdade de Medicina de Ribeirão Preto, 1951; Escola de Engenharia de São Carlos, 1952.

9 *Roteiro do Replanejamento. Cidade Universitária "Armando Salles Oliveira"*. São Paulo, USP, nov. 1956. Reitor: Alípio Correa Netto. Comissão da Cidade Universitária: Francisco Degni (presidente), Paulo Ribeiro de Arruda (secretário), Paulo Sawaia, João Soares Veiga, José Maria da Silva Neves. Chefe do escritório de engenharia e arquitetura: arquiteto Hélio de Queiroz Duarte.

10 Sert visitou o Brasil no início de 1954, como jurado da *II Bienal Internacional de Artes*, que se realizou no âmbito das comemorações do IV Centenário de São Paulo, e nessa ocasião deve ter mantido contato com os arquitetos paulistas. Também S. Giedion, então secretário do CIAM, mantinha contatos com o Brasil e visitara o país em 1951 como jurado da *I Bienal Internacional de Artes*, tendo alguns de seus textos publicados em revistas brasileiras.

11 J. L. Sert "Centri per la vita della comunità", em E. N.Rogers, J. L. Sert & J. Tyrwhitt *Il Cuore della Città: per uma vita più umana delle comunità*, Congressi Internazionali di Architettura Moderna, Milano, Hoepli, 1954.

12 Sobre a atuação de Rino Levi e Oswaldo Bratke no *campus* da USP, ver respectivamente Renato Anelli, Abílio Guerra & Nelson Kon, *Rino Levi*, São Paulo, Romano Guerra, 2001; e Hugo Segawa & Guilherme Mazza Dourado, *Oswaldo Arthur Bratke*, São Paulo, Pro Editores, 1997. Neste último encontra-se parcialmente publicado o parecer de Mário Pedrosa sobre o *core* da Cidade Universitária.

13 Sobre o assunto, ver Mirthes Baffi, Walter Pires & Lúcia Gama, "Convênio Escolar: Modern Architecture at the Service of Public Education", em *Vision and Reality. Social Aspects of Architecture and Urban Planning in the Modern Movement*, Stockholm, Fifth International Docomomo Conference, 1998, pp. 90-92.

14 Um estudo detalhado de todos os edifícios situados no *campus* da USP encontra-se na dissertação de mestrado de João Roberto Leme Simões, *Arquitetura na Cidade Universitária Armando Salles Oliveira. O Espaço Construído*, São Paulo, FAU-USP, 1984.

15 A história da USP e de seus edifícios é narrada com precisão em AAVV, *O Espaço da USP: Presente e Futuro*, São Paulo, Universidade de São Paulo, 1985.

16 Geraldo Ferraz, "A Cidade Universitária de São Paulo", em *Habitat* n. 69, pp. 16-25, set. 1962. Nesse artigo estão publicados os projetos que compunham o conjunto da Filosofia e o da Faculdade de Arquitetura e Urbanismo.

17 Joseph Rykwert, "Le Università come archetipi instituzionali del nostro tempo", em *Zodiac* 18, pp. 253-255, Milão.

CIDADE NA ARTE

*Maria Cecília França Lourenço**

> *[...] a cidade é um estado de espírito, um corpo de costumes e tradições, de sentimentos e atitudes organizadas, inerentes a esses costumes e transmitidos por esta tradição.*
>
> ROBERT E. PARK, *O Fenômeno Urbano.*

A cidade tem representado um viver distinto para o humano, comparativamente a outros modos, tempos e espaços. Se no viver feudal dominaram relações de parentesco e vassalagem, na vida urbana alteraram-se a convivência social e a laborial, resultando em local destacado na arte, que passa a fazer da vida urbana um mote criador. A novidade atrai escritores, músicos, poetas, arquitetos, pintores e escultores, maravilhados ante tal organização humana.

Agora nas cidades acena-se com a existência de núcleos mais abertos do que aqueles anteriores, fundados em hereditariedade, e vislumbra-se a possibilidade de acesso ao poder. Criadores dedicam análises, interpretações, formas e indagações à urbe, conferindo-lhe humanidade e materialidade. Acredita-se que as cidades se afastariam da antiga prática de prever privilégios só para os pares, do tempo sem pulsar e do espaço sem intenção, característicos do território vazio, logo avizinhado do caos?

Graças ao mérito da coordenadora, Ana Lúcia Duarte Lanna, e da equipe CPC, a nova edição da série *Cadernos CPC* versa sobre cidades. No presente estudo pretende-se interpretar uma especial – a Cidade Universitária da USP. Figuras notáveis da história cultural brasileira debruçaram-se sobre a tarefa de concretizá-la e, para exemplificar, bastaria lembrar da presença de Mário de Andrade na primeira Comissão da Cidade Universitária, logo após a criação da própria USP, em 1935, ao lado de criadores e de personagens significativos, entre os quais Luiz Anhaia Mello, Eduardo Kneese de Mello e Elisário Bahiana, na versão de 1944.

A arte pictural tem eleito inúmeros temas julgados relevantes, sendo o olhar, traduzido em formas, uma representação inquiridora sobre o viver e os rumos do humano. Nem sempre o artista escolheu o que apresentar, e certo é que, quando vigorou, o mecenato teve parcela na decisão acerca do conteúdo, determinando cenas religiosas, mitológicas, retratos; aos poucos, aquilo considerado como mero fundo, a cidade ou o campo, vai ganhando o *status* de motivo artístico.

O aparecimento, na pintura, de cidades, vilas, aldeias e povoados irrompe no século XV, fazendo fundo de cenas até adquirir mais autonomia. Ora a paisagem é ressaltada, assumindo a condição de referencial divinal, ora o orgulho citadino aflora. A cidade murada, na arte, inicialmente marca o espaço de festejos e de procissões, e/ou assinala e rememora dada origem, individual ou religiosa, até o momento em que a urbe reina como personagem notável.

Erwin Panofsky identifica o surgimento de um dado assinalável: a contraposição entre a paisagem da cidade e a do campo, por ele tão bem nomeada como “paisagem moralizada”[1], aparece ao final da Idade Média, logo com o pipocar de cidades, e continua durante o período renascentista. Assim, de um lado, o domínio do mal e, de outro, o do bem; numa metade a vida dionisíaca e na outra a pastoril; numa parte o sombrio e na outra o luminoso; a antítese do caminho fácil, o pecado, seria aquele árduo e

1 Professora titular de História da Arte da Faculdade de Arquitetura e Urbanismo da USP. Coordenou a então Comissão de Patrimônio Cultural, entre 1996 e 2002.

tortuoso, contudo avatar da dádiva divinal; ao vício condenável contrapõe-se a virtude almejada.

Fica então a pergunta: salvo exceções, por que a representação da Cidade Universitária praticamente está ausente das formas, sons e palavras dos criadores? Como artistas professores pouco representaram tal cidade, agregadora de diferentes humanos em mesmo espaço, ligados pela cultura e tendo ao centro uma praça, que seria o pulsar da cidadania e o lugar dos museus? Poder-se-ia pensar que a tradição de cantar cidades encontra-se apartada da cultura brasileira, dúvida esta que se tentará dirimir com a análise de momentos pontuais, mas que documentam tal interesse.

O objetivo do ensaio volta-se a enunciar questões acerca do porquê da não presença sistemática de *campus* universitários em geral, entre as representações artísticas, se a Cidade Universitária da Universidade de São Paulo (USP), *campus* Butantã, surge exatamente quando a arte traz a urbe para seus tecidos. Será que só se representam cidades para cantar a glória deste modo de viver, e o tempo ainda não decantou o suficiente para transformá-las em inelutável bem histórico?

Inúmeras hipóteses poderiam ser ampliadas para justificar a não-representação: será que a cidade aparece forte quando a população é oprimida, esmagada e subtraída? Ou, ainda, a urbe só se faz tema quando se evidenciam altissonantes lamentos e indignações, o que não existiria nesta e em outras cidades universitárias pelo mundo? Faltaria a beleza impactante daqueles cantos, se os melhores criadores têm sido agasalhados por esse espaço, seja escultórico, ambiental, pictural ou arquitetônico? E muitas outras perguntas poderiam ser geradas, com a certeza de que formulá-las talvez se transforme em reflexão explicativa.

Em 1961, quando o mestre-artista João Batista Vilanova Artigas (1915-85) projetou com enorme generosidade a casa dos futuros arquitetos, o prédio da Faculdade de Arquitetura e Urbanismo (FAU), criou internamente uma praça monumental, típica da vida urbana. Seria o desejo de uma escola voltada para a urbe, sendo proposta como uma praça sem muros? Seria citação dos espaços cívicos de Brasília, recém-inaugurada (1960)? Por que mais uma praça e interna, se tantas estavam sendo propostas? Vale lembrar que o projeto de Artigas é simultâneo ao da Cidade Universitária, este versando em torno da idéia de Praça Magna, *Core*.

Os documentos sobre a Cidade Universitária, a primeira da USP, justificam a praça no *status* ímpar de responsável por plasmar relações universitárias de alto mérito. Entre as inúmeras concepções sucessivamente propostas, registra-se a permanência da idéia tanto de sucessão de praças quanto de outra notável – a existência de Centro Cívico. Situado no seio das ações, simbolicamente parece indicar a importância da cidadania entre as especialidades esperadas no desempenho e na formação discente, docente e do corpo funcional.

O projeto destacável para a Cidade Universitária da USP, à época do IV Centenário da Cidade de São Paulo (1954), firmava-se também na concepção sobre o ato de estudar, tão sedutor quanto um prado vivo, verde e acolhedor, refletindo idéias importadas dos Estados Unidos. Não se trata de caso isolado, e prevê-se mesmo a colaboração do paisagista Roberto Burle-Marx (1909-1994), que acabara de assinar outro projeto notável, o Parque Ibirapuera, na capital paulista. Mantém-se na USP a praça coração, motor e centralidade humana, quando a Paulicéia almejava ser vagão do país.

Praça como projeto é sonho qualificador de espaço destinado ao público, aliado a outros dois: a condição de um lado, facilitadora da convivência entre diferenças e, de outro, agregadora da comunidade pelo saber. Se as praças já existiam na USP, mais uma vez sobra a indagação: por que então Artigas projeta outra, uterina, protegida e internalizada no centro da FAU, um dos cartões postais mais clicados pelas máquinas, ao contrário das praças do *campus*? Qual o conceito de cidade universitária e de cada uma das partes do todo para o autor do projeto da FAU-USP?

Se no exterior das praças do *campus* Butantã fica a idéia de cidade-jardim, já para formar arquitetos projeta-se um grande vazio, capaz de abrigar no regaço, como Géia, energias pulsantes. A escala da praça da FAU é notável com seus 15m de altura, ladeada pelo saber dos livros, a biblioteca, ocupando quase toda a largura, e coberta por *domus*, evidente citação dos espaços sagrados eclipsados do dia-dia. Não há muros, cercas ou barreiras, o que na atualidade gera dificuldades práticas, impensadas pelo mestre para futuro tão próximo!

A praça da FAU, carinhosamente denominada Salão Caramelo, talvez pela cor e sabor, parece querer assegurar a existência de magias inventivas nesse território. O espaço resultante harmoniza, em tese, a proximidade, a transparência e a luminosidade, daí a praça ser internalizada, componente indispensável ao bem comum, ou, como se consagrou, um patrimônio. A força do projeto fica bem documentada nas inúmeras fotografias realizadas por fotógrafos eminentes, muitos dos quais filhos diletos da casa.

O Salão Caramelo da FAU é um território aberto, prenhe de sonhos e ares vanguardistas – a homenagem mais concreta, em duplo senso, desse mestre, Artigas, a alunos excepcionais. Contudo, por que a Cidade Universitária não ganha o mesmo *status*, encantando olhares e sensibilidades criadoras? Quantos vibraram por ter conquistado o direito de estudar na USP, disparando emoções ao chegar pela primeira vez? Teria faltado nestas o ingrediente fulcral daquela – o profundo amor ao humano?

Território vazio: Uma tradição inquietante

> *Parece-me gente de tal inocência que, se*
> *homem os entendesse e eles a nós,*
> *seriam logo cristãos, porque eles, segundo parecem,*
> *não têm, nem entendem de nenhuma crença [...].*
> Pero Vaz de Caminha, *Carta*, em 1º de maio de 1500.

Ressalte-se como o sentido de "território vazio" encontra-se fortemente associado à realidade entre nós, nem sempre com o esplendor do vazio de Artigas. Quando aportam os colonizadores, há civilizações milenares estabelecidas no território dito América, em sua extensão continental, com costumes, tradições, símbolos, sentimentos e forte organização. A alteridade entre o modo, o tempo e o espaço daqui, comparativamente à terra de origem, resultou em total estranhamento, documentado em cartas, narrativas e descrições fantásticas. Para alguns, chegava-se ao paraíso, e, para outros, a diferença equivaleria quiçá aos confins do inferno, pretexto e justificativa fortes para a ação catequista.

Os relatos contados a outros geram imagens, e surgem os primeiros documentos visuais sobre a vida, o modo, as construções e a natureza, configuradores do território antes tido como vazio. A fidelidade trazida pelas palavras, entretanto, convive com o imaginário; e inúmeras vezes a acepção de um mundo entre paraíso e inferno funda o país. Numa antologia memorável, Darcy Ribeiro elabora verdadeiro inventário sobre a construção do conceito, abordando paraíso e utopias, as anti-utopias, as pestes da civilização, encantamento e espanto.

Se a expressão dos sentimentos, sensações e valores adquire concretude, por outro lado Ribeiro bem adverte a impossibilidade de autonomia do próprio povo para fertilizar-se com as conquistas materiais e espirituais. O vazio assume também o senso de ausência em confronto com forte presença para apenas alguns, portadores de privilégios, afrontadores dos demais. A tensão e o contraste marcam o espaço vivido pelo humano, dominando campos, aldeias, vilas e cidades. Segundo Darcy Ribeiro:

> O Brasil nunca existiu para si próprio, na busca da prosperidade e da felicidade de seu povo. Existiu e existe para servir, servil e explorado, ao mercado mundial, que ajudou a montar com montanhas de açúcar, de ouro, de café, de minério e de soja. Tão-só para viabilizar, dentro deste mercado internacional, sua economia da pobreza[2].

Outro vazio/ausência encontra-se nos relatos e imagens que, ao abordar o nosso específico e original, falam mais do europeu colonizador do que de nós mesmos, como bem assegura o alentado estudo de Ana Maria de Moraes Belluzzo. Coordenando e formando pesquisadores, a tese por ela sustentada foi prodigamente desenvolvida por meio de exposições, aqui e em Portugal, textos interpretativos, seminários, filme e um conjunto colossal de iconografia, forma pioneira e em cuja esteira despontam outros trabalhos.

Ao mesmo tempo, desde sempre assumimos o olhar do outro, jubilando-nos ante as qualidades esboçadas e aceitando passivamente os depreciativos a nós atribuídos, resultando em complexa equação identitária. Nós, brasileiros, afinal o que somos? A complexidade decifrada poderia trazer luzes para se entender o pequeno lugar por nós dedicado à memória, como bem festejam os políticos de má estirpe.

Paulicéia e o transeunte

Arranha-céus
Fordes
Viadutos
Um cheiro de café
No silêncio emoldurado
Oswald de Andrade, *Pau-Brasil.*

Entre nós, inúmeras vezes o artista volta-se para a cidade, por vezes numa postura discursiva, seja nas telas e fotografias, seja em textos, e isto não é folha virada da história recente brasileira. Artistas têm-se nutrido via formas e fome da cidade, estimulados até por interesse de mercado. Como impedir que populares anônimos não façam sucesso na terra de Tio Sam, que gosta de se penitenciar, adquirindo a miséria via filantropia, dentro da boa tradição judaico-cristã, o que explica o sucesso de mercado dos ditos "primitivos" de fim-de-semana?

Caberia lembrar, entre os memoráveis no glorioso modernismo brasileiro, *Paulicéia Desvairada* (1922), de Mário de Andrade (1893-1945), ou o Movimento Pau-Brasil, nos anos 1920, quando Tarsila do Amaral (1890-1973) representa ícones do chamado progresso. Estudantes felizmente podem ter acesso a tais obras, pelo labor diuturno dos que trabalham em museus como os da USP, sejam elas abrigadas na coleção Mário de Andrade do Instituto de Estudos Brasileiros (IEB-USP), sejam no Museu de Arte Contemporânea (MAC-USP).

Mário, na *Lira Paulistana*, alude ao desejo de, ao morrer, querer ficar sepultado na Paulicéia e pede, lembrando que a cidade emergiu do sonho de ensino: "No Pátio do Colégio afundem meu coração paulistano"[3]. Paralelamente, nas telas de Tarsila surgem estrada de ferro, pontes e postos de gasolina, ao lado da tradição das igrejinhas interioranas. Assim a artista parece procurar abreviar o futuro e erigir sonhos, atitude também replicada nas poesias de Oswald de Andrade (1890-1954) reunidas em *Poesia Pau-Brasil*, editada em Paris em 1925.

Os pintores proletários, atuantes entre nós a partir dos anos de 1930, retratarão inúmeras vezes cidades. Entre elas vale citar a praiana Itanhaém, interioranas como Mogi das Cruzes, imortalizada por Alfredo Volpi (1896-1988), ou mesmo a capital paulistana. Esta surge através da fixação de vilas operárias, como se observa na tela *Casario* (1939) de Franco Cenni (1909-73), pertencente à coleção Mário de Andrade do IEB-USP, ou de paisagens nostálgicas, especialmente de Rebolo, como se pudesse deter-se o tempo e fechar a porta para a irrupção de uma sonhada metrópole.

Significativamente, no pós-guerra, o Museu de Arte Moderna nova-iorquino adquirirá tal vertente, junto com a de "primitivos", uma vez mais incorporando as contradições relativamente ao viver norte-americano. Entre nós a aceitação deste segmento, advindo dos estamentos laboriais, configurou dignidade ao trabalho artístico e conferiu legibilidade para o transeunte, ante as aproximações com temas urbanos do cotidiano.

Paralelamente a toda uma tematização acerca da cidade, o moderno brasileiro vinha há muito percebendo o potencial da multidão enquanto conteúdo para obras, enfrentando e afrontando assim os valores estabelecidos. Bastaria citar a própria Semana de 22 (1922) e as edições no órgão tradicional da imprensa de Francisco de Assis Chateaubriand (1891-1968), *Diário de S. Paulo*, do suplemento de Antropofagia, acendendo reações conservadoras e ameaça de boicote por parte de assinantes revoltados.

Acrescentem-se as inúmeras experiências de Flávio de Carvalho (1899-1973), que já em 1930 visita a então bem comportada Belo Horizonte e apresenta no IV Congresso de Arquitetos a tese identificada à Antropofagia – *A Cidade do Homem Nu*. O homem nu seria aquele despido de preconceitos morais e religiosos, e a erótica seria a zona nervosa e espacial almejada. Assim ele escancara a revolta contra a moral e os ditos bons costumes, tratados como verdade postular. Carvalho vê como o contrário, a conservação e a tradição.

São Paulo também será motivo de escárnio pelo seu caráter conservador, como bem estudou Luiz Carlos Daher (1944-1984). Assim, na Procissão de *Corpus Christi* (1931), Flávio provoca a multidão andando em direção oposta e com chapéu; em 1933 a polícia fecha seu Teatro de Experiência em nome da moral e dos bons costumes. Repetirá o passeio *happening* em 1956, na Era Bienal, caminhando com traje feminino, incluindo no *new look* meias de pescador, saia acima dos joelhos e de preguinhas. Não sendo festejado na Bienal de São Paulo, projeta-se de outra forma.

A vida urbana e as novas formas de viver e pensar fundamentam indiretamente inúmeras obras da etapa concretista da cultura modernista, embora apareçam planos, cromatismos, formas advindas da matemática e da virtualidade, acirradas na dita *op art*. Passado o período geométrico, difundido pelas primeiras Bienais, e em face da história recente, durante os anos de chumbo da ditadura militar, reapareceram, nas telas, o anonimato, o isolamento, a violência, os movimentos de rua e os tipos populares. Elas assemelham-se, no tratamento, aos cartazes urbanos, com uso de alto contraste, cores chapadas e retículas, sendo bastante identificadas às chamadas manifestações da *pop* arte.

Como bem desenvolve Simon Marchan, a partir dos anos 1960 os "códigos visuais dos diferentes *mass-media*" dialogam com planos e cores chapadas[4]. A arte *pop* vai para a rua das grandes metrópoles e dela capta valores, inquietações, colagens, técnicas de impressão, a citar a serigrafia, fotos em alto contraste, tintas industriais e economia de recursos visuais, sem abandonar o comentário irônico.

A qualificação de personagens urbanos

A conquista da rua e o interesse em falar para a grande platéia urbana ganha inúmeras cidades brasileiras e desvela diferenças e novos personagens, entre os quais o novo, o suburbano e o marginal. Iniciativas estudantis fornecem inequívocos sinais do interesse pelo transeunte anônimo. Afinal, desde a década de 1950, a arte moderna tornara-se uma cultura urbana em São Paulo, sendo os festejos do IV Centenário de fundação da capital um marco nessa viragem, como defendi na tese *Operários da Modernidade*.

O novo ganha contornos de um segmento alargado e torna-se denominador comum para a música da Jovem Guarda, para o Cinema Novo, para a Bossa Nova e para Juscelino Jubitschek, presidente na gestão de 1956-1961. Estabelece, entre as novas metas para o país, o "50 anos em 5", assim imortalizado como Presidente Bossa Nova. Artistas como Rubens Gerchman (1942) irão aos subúrbios criticar o consumo hedonista de quinquilharias, presentes em *Caixa & Cultura*, conforme depoimento à autora em 7 de dezembro de 1974. Museus buscarão também o novo e o jovem, como se verá no MAC-USP.

As cidades transfiguram-se em mote de criações nos anos 1960, quando é implementado o projeto da Cidade Universitária no *campus* Butantã, porém mestres e alunos ignoram esta última. Cidade e povo ganham telas *pop*, e focar o povo comparece em múltiplas iniciativas, talvez na tentativa de derrogar antigos privilégios. No campo em que o acesso é por mérito, talvez se explique a ausência da representação de cidades universitárias na arte brasileira. Diálogo com o povo também arrasta estudantes na Era das Passeatas, que partem dos *campi* para confrontos diretos.

Se durante a Segunda Guerra Mundial o povo organiza-se em sindicatos, greves e reivindicações, já nos anos 1960 ampliam-se as frentes com fortes manifestações estudantis, antes mesmo do golpe militar (1964). Dessas, entre muitas, mencionem-se duas emblemáticas: a União Nacional dos Estudantes (UNE) cria em 1961 o Centro Popular de Cultura (CPC), inicialmente voltado ao teatro, logo a seguir fechado com o Golpe de 1964. Data do mesmo ano a implantação pelos alunos da chamada Tribuna Livre, exatamente na parte externa da Faculdade de Direito-USP, dirigida ao cidadão.

Entre nós, nos anos 1960, além da grave crise política e da explosão urbana, despontam mitos, advindos da TV em seu segundo decênio, os das manchetes criminais, outros internacionais, os heróis em quadrinhos, os craques esportivos e personagens fardados, o mito da ordem e dos bons costumes. Tais mitos muitas vezes são conservadores, lá e cá, ou, como diria Herbert Marcuse, tão lido à época: "Não mais imagens de um outro estilo de vida, mas aberrações ou tipos de mesma vida, servindo mais como afirmação do que como negação da ordem estabelecida"[5].

A primeira etapa do golpe militar, entre 1964-1968, coincide, no plano internacional, com toda uma vaga da *pop art*, em que o cotidiano da burguesia urbana, seduzida pelo consumo e pelo estrelato da cultura de massa, torna-se conteúdo parodiado. Bandeiras, rótulos, retículas, ambientes, sons e odores são apropriados, como Marcel Duchamp (1887-1968) já apregoara nos *ready made*, abalando o estatuto consagrado e deflorando limites entre pintura e foto, objeto e escultura, ou criação original *versus* composição.

A ascensão das camadas populares, por outro lado, deixa perplexo os antigos detentores dos privilégios financeiros, estando na raiz dos pretextos para ridicularizar o acesso voraz da grande platéia de classe média urbana ao consumo, antes de poucos. Despontam também inúmeros trabalhos teóricos sobre o *kitsch*. Hoje, passados anos, parece que, para um segmento então privilegiado do dito Primeiro Mundo, chamar de *kitsch* o consumidor emergente atendia ao medo de divisão dos antigos privilégios sonhados, sob a alegação de conservadorismo e falta de *pedigree*.

A realidade brasileira debatia-se com outras lutas, distantes daquela cultura tão enraizada na Europa e Estados Unidos, como diria em 1965, o professor de gerações Sérgio Ferro (1938). Cabe lembrar que este fora professor do Curso para Formação de Professores de Desenho (CFPD), criado por outro artista, Flávio Motta (1916), advindo do Museu de Arte de São Paulo (Masp) e abrigado na Fundação Armando Álvares Penteado, também na Faculdade de Arquitetura e Urbanismo (FAU-USP), em Santos, em Brasília e, desde 1972, na Universidade de Grenoble, na França: "Nosso inimigo é conhecido – são as forças e as ideologias freadoras do processo de libertação"[6].

O momento internacional europeu e norte-americano, com distintas realidades políticas, também apontava para a multidão, violência, consumo e alienação, plasmados na volta à figuração, em especial da arte *pop*. A disseminação, durante os anos 1950, da televisão transforma a realidade, o tempo e a maneira de ver e pensar o cotidiano. Junto ao movimento *pop*, na cena internacional despontam *happenings* e *performances*, instalando de forma inequívoca o fim da arte moderna.

As palavras de ordem da arte moderna, em grande parte construtoras do mito moderno, são colocadas em suspeição, entre elas unicidade, genialidade, criatividade, dissolução da arte na vida e originalidade. A cultura no pós-guerra passa a desconfiar dos grandes relatos escatológicos e redentores antes vigentes. Criadores direcionam-se mais para a busca do antigo papel, como porta-vozes dos emudecidos, e menos para o vigor demiúrgico, em que a cultura imaginava-se ponta de lança na construção de formas incomuns. A manifestação artística volta-se para a sociabilidade, erigida em tom irônico.

O artista, a partir da *pop*, utiliza-se de imagens da cultura de massa como se fossem *ready made*, promovendo novos fazeres pela apropriação de cenas de jornal e da rua em confronto. Gera-se distanciamento entre virtuosidade do autor e consecução da obra, pela utilização de procedimentos ao alcance de todos, a citar fotografia, serigrafia e projeção de diapositivos retirados de jornais ou nas explosões das multidões. O viso agora é discutir o consumo artístico, o sistema das artes e o mercado de talentos. O gênio não advém mais do dom divinal, vigente desde a cultura ocidental renascentista e tão bem desfrutado pela Igreja Católica. Há o enlace indissolúvel entre conteúdo e forma.

O ano 1964 tem como marco cultural, logo após o golpe de 31 de março, o espetáculo *Opinião*, produzido pelo Teatro de Arena-SP com Nara Leão, cujo ápice foi a apresentação de *Carcará*, música de João do Valle, com contornos políticos evidentes. O estribilho não deixa dúvidas : "Carcará, mais vontade do que homem. Carcará, pega, mata e come". Antes mesmo do endurecimento do regime com desaparecimentos e mortes, a criação e o cidadão, em particular operários e estudantes, expressam repúdio na forma de passeatas, textos, eventos e formas artísticas, não fugindo dos desafios políticos impostos por uma parcela de militares.

Entre nós, a multidão confere espetáculos cívicos inéditos, sendo fulcrais dois deles: a famosa passeata dos 100 mil no Rio de Janeiro, ocorrida em junho de 1968 e, em 2 de outubro, em São Paulo, o ataque violento do chamado Comando de Caça aos Comunistas (CCC) à sede da Faculdade de Filosofia Letras e Ciências Humanas-USP, na rua Maria Antonia, destruindo-a e, lamentavelmente, deixando um estudante morto. Os esforços para conscientizar o público do subterrâneo soturno do golpe militar chegavam ao ápice, com pleno êxito.

Arte nos museus e a resistência

> *A vida do indivíduo aparece dominada por forças puramente abstratas, desde seu trabalho na fábrica ou na oficina, até a esfera do tempo livre; a vida não consegue ultrapassar nunca a privacidade.*
>
> George Lukács.

Professores universitários tematizarão a cidade enquanto confronto político, desigualdade social, alvo do mercado, movimentos reivindicatórios, greve e repressão. A intimidação das cassações políticas, desaparecimento de presos, mortes ditas suicídios e suspeição não calaram o experimentalismo artístico, em grande parte voltado para a crítica ao viver urbano da América Latina, afundada em ditaduras.

Entre nós, as universidades, especialmente as públicas, sofreram com cassação política de seus mestres, e em seu seio matura forte movimento estudantil. Estudantes participam ativamente da contestação ao regime militar, sendo todos capturados no célebre Congresso da UNE em Ibiúna/SP, deflagrando-se o fechamento virulento do golpe militar.

A arte também tem uma resposta específica e institucional, em particular a construída no Museu de Arte Moderna (MAM) do Rio de Janeiro e no MAC-USP, aliados a outros. O MAC dará respostas imediatas, com Walter Zanini criando, já em 1963, a I Exposição do Jovem Desenho Nacional, que premiou Roberto Magalhães (1940), ocorrendo a II Exposição dois anos depois (1965), entremeadas pela I Exposição da Jovem Gravura Nacional (1964), todas itinerantes. Ao lado do estalar de sons roqueiros e sintonia ao internacional, o MAC na prática expunha outra exuberante juventude, comprometida em mudar rumos. Em 1967, Zanini implementa um formato muito significativo – *Jovem Arte Contemporânea*, com versões anuais, até 1974, coincidindo exatamente com o momento em que o regime militar endurecia o confronto com a diferença.

Em agosto e setembro de 1965, o MAM-RJ cria a mostra *Opinião*, repetida no ano seguinte (1966), mostra que se desdobra, em São Paulo, com *Propostas 65*, *Propostas 66*[7]; e, de volta ao Rio, com *Nova Objetividade Brasileira*, MAM-RJ, em 1967. Inúmeros artistas compõem *Opinião 65*, entre os quais se encontram trabalhos icônicos, a citar o de Antônio Dias (1944), *Programação para um Assassinato*; de Hélio Oiticica (1937-1980), *Parangolé*; e *Casal Fartura*, de Rubens Gerchman, ao lado de obras de Flávio Império (1935-1985), Tomoshige Kusuno (1935), Carlos Vergara (1941), entre outros[8]. Em que pese a força das obras, convém lembrar que a seleção se deve à *marchand*, Ceres Franco, que afirma: "a jovem pintura pretende ser independente, polêmica, inventiva, denunciadora, crítica, social, moral. Ela se inspira tanto na natureza urbana imediata como na própria vida com seu culto diário de mitos"[9].

A Fundação Armando Álvares Penteado-SP sedia, em 1965, o evento *Propostas 65*, pensado por Waldemar Cordeiro (1925-1973) para debater a questão do realismo, emergente em muitas obras renovadoras, após anos de abstração. Em papel jornal, editam textos significativos, entre os quais os do físico da USP e crítico Mário Schenberg (1912 ou 14-1990), juntamente com outros professores, Sérgio Ferro e Ubirajara Ribeiro (1930-2002), e artistas também ligados ao ensino, como Maurício Nogueira Lima (1930-1999).

Schenberg, no texto *Um Novo Realismo*, alerta sua evidente intenção como "instrumento de conscientização nacional"[10]. O regime militar reagiu ao evento *Propostas 65*, segundo se consagrou, por pedido do diretor da própria Fundação Armando Álvares Penteado, Roberto Pinto de Souza[11]. Lamentavelmente uma instituição, nascida do desejo de educar pela arte, gera uma das primeiras censuras a obras; artistas reagem retirando-as: Wesley Duke Lee (1931), Nelson Leirner (1932), Geraldo de Barros (1923-1998) e Mário Gruber (1927).

Do museu para outros palcos

> *Queria fazer uma multidão formidável que saltasse do muro e envolvesse o espectador. Quando retirei a obra colocando-a em outro contexto – a sala do museu, por exemplo – ela se reduziu às verdadeiras dimensões. Decepcionei-me. Era pouco ainda, mas eu já havia me situado no mundo.*
>
> Rubens Gerchman[12].

As instituições e espaços culturais receberão ácidas manifestações, formando a resistência visceral ao regime militar. A concentração de renda facilitada pelo regime gera o consumo, outro dos focos criticados no período. Fala-se de revolucionários latino-americanos, da "Aliança para o Progresso", da influência do capital estrangeiro, discursos feitos de matéria, experimentações e modificações de parâmetros artísticos. O discurso da arte deseja atingir a escala monumental da cidade, mudar a sociedade e, assim, todas as narrativas ganham foro de discurso.

Se na atualidade "arte pública" é simplesmente realizada ao ar livre, ou reduzida àquela oposta aos museus, como se esses não fossem também públicos em sua grande maioria, nos anos militaristas o entendimento era menos redutor e simplista. Afinal a arte nunca é só conteúdo ou forma, mas, lembrando Konrad Fiedler, será sempre arte quando abordar na sua especificidade o que as demais modalidades não possam dar conta. Assim, a arte dissemina-se em distintos espaços culturais, dispostos a acolher a transgressão.

Lee, Leirner e Barros reúnem-se no mesmo ano de 1965, marcado pelos eventos *Opinião* e *Propostas*, fundando o grupo Rex, contando também com os então jovens José Rezende (1942), Frederico Nasser (1944), Luís Paulo Baravelli (1942) e Carlos Fajardo (1941). Realizam inúmeros projetos, trazendo Flávio de Carvalho novamente à cena e editando, em cinco números, o *Rex Time*. Talvez seu papel mais significativo para a época tenha sido o de aglutinar jovens atentos. O *Rex* transforma-se em posto avançado para manifestações de impacto, provocação e convocação do público.

Entre as inúmeras "situações" criadas, que não são *happenings* e *performances*, vale citar aquela engendrada por Leirner, enviando para o Salão de Arte Contemporânea de Brasília de 1967, logo junto ao poder, a obra *Matéria e Forma*, em verdade um porco empalhado, tendo um presunto amarrado, o que na linguagem da época podia ser facilmente relacionado aquele aos torturadores e este aos mortos. O júri aceitou e o artista desafiou-o publicamente a explicar o porquê, retirando-a. Curiosamente, hoje pertence à Pinacoteca do Estado de São Paulo, juntamente com outra da série *Homenagem a Fontana*. Nesta, feita de zíper, o público participa, logo rompendo-se o êxtase contemplativo, até então fortemente associado à arte, montando-se distintas hipóteses, entre abrir, fechar, antever e criar. Aqui o conceito é a fruição ativa e não mais a passiva recepção deslumbrada perante o gênio, antes buscada.

Manifestações em teatro também serão decisivas para tentar separar a distância entre estética e vida, com destaque para outro professor-criador, Flávio Império, docente de composição e de plástica do CFPD-FAAP, da FAU-USP e também da Escola de Arte Dramática-USP. Iniciou-se no curso de Artesanato do Museu de Arte Moderna-SP e coordenou o curso de Cenografia da Escola de Arte Dramática-USP. Entre as assinaturas antológicas estão *Arena conta Zumbi* de Gianfrancesco Guarnieri e Augusto Boal (1965), *Morte e Vida Severina* de João Cabral de Mello Neto (1966) e *Roda Viva* de Chico Buarque de Holanda (1968), outra peça vitimada pelo militarismo vigente.

Acrescente-se outro dos artistas significativos, que também se iniciou no curso de Artesanato do Museu de Arte Moderna-SP e trabalhará com a ironia à situação política, Antônio Henrique Amaral (1935), autor da célebre série *Brasiliana*, também presente na Coleção MAC-USP, com bananas em verde-amarelo. Nas distintas versões, a temática traz a típica fruta brasileira pendurada, apodrecendo, entrecortada e esfacelada, não deixando dúvida sobre a capacidade, do riso, de cutucar e alertar contra a alienação política. Certo é que, após o Ato Institucional n. 5, firmado em 13 de dezembro de 1968, já não se podia dissimular o fim dos Anos Dourados e a entrada dos Anos de Chumbo do golpe militar.

A cidade enquanto representação de falência, alienação e conflito ganha com a exibição em grande escala da arte *pop* em São Paulo na IX Bienal de 1967, quando poucos artistas podiam transitar livremente entre Nova York e Rio de Janeiro. Antes mesmo da abertura, a polícia federal reage e retira obras julgadas ofensivas às autoridades, antes da chegada do então presidente da República Arthur da Costa e Silva, como os demais convidado para abrir o evento. Grave incidente marca a apresentação, pois, dias depois de aberta a exposição, os jornais noticiavam a existência de obras quebradas e violadas por furos e rabiscos, sintoma de distúrbios mais profundos no tecido social.

Os Estados Unidos apresentaram em grande área, 900 m^2, verdadeiros ícones da arte *pop*. Nesse ano morrera Edward Hopper (1882-1967), mestre de um dado realismo, e resolveu-se trazer 39 pinturas deste artista, com seus comentários visuais melancólicos acerca do ambiente e da vida nos Estados Unidos. A grande série mostra bares, barbearia, quartos em grandes cidades como Nova York e Brooklyn.

Os Estados Unidos exibiram também, na Sala Geral, a temática *Ambiente U.S.A. 1957/67*, com obras *pop* antológicas. Entre muitas, comparecem *Três bandeiras* (1958), de Jasper Johns (1930), em que o comentário político tornava-se evidente. De Andy Warhol (1930) vieram três obras, entre as quais *Desastre de Sábado* e *Jackie*, ambas de 1964; de Claes Oldenburg (1929), *Quarto* (1963), em técnica mista e espacial; de George Segall (1924), o ambiente *Posto de Gasolina* (1963), com as figuras fantasmagóricas em gesso branco; de Tom Wesselmann (1931), os ambientes *Grande Nu Americano* (1954) e *Interior n. 4*, uma montagem de cozinha, com luzes fosforescentes, além da série de história em quadrinhos de Roy Lichtenstein (1923).

O conjunto brasileiro, na Sala Geral, apresenta grande vigor e sintonia às inquietações do momento. Selecionam-se aqui, em face da crítica ao momento político, que fica desnudado: *O Fantasma*, de Wesley Duke Lee; de Mário Ishikawa, *Pai Nosso* e *E Fazei Nascer para Elas a Perpétua Luz*; Donato Ferrari (1933) exporá cinco obras da série *Situação Imprevista*, com sutileza no conteúdo subjacente; de Leirner, três obras, entre as quais duas da série *Homenagem a Fontana*, com zíperes; de Maurício, quatro com linguagem de histórias em quadrinhos; de Marcelo Nitsche (1942), também voltada aos quadrinhos, *Buum* (1966) e *Bum-bum*(1967), além de obras espaciais, como *Pátria Amada 3* e *Toc-Toc-Toc-Toc*, ambas de 1967.

Lygia Clark (1920-88) desborda definitivamente a fronteira entre vida e arte, sonhado pelos dadaístas nos primórdios do século XX. Receberá isenção de júri e exporá cinco obras-objetos, trazendo pesquisas sensoriais com o corpo, dentro da vertente renovadora da moral e crítica ante a situação feminina, pelas diferenciações entre sexos. Exibe grande conjunto, segundo o catálogo geral, composto por *Roupa-Corpo-Roupa*, *Cesariana*, *O Livro dos Sentidos*, *Pingue-Pongue*, e as experiências com saco plástico e pedrinhas denominadas *Nostalgia do Corpo*, aqui com a obra *Respire Comigo*, todas de 1967.

Violência na cidade

> *Na verdade, o crime é a busca desesperada da felicidade autêntica, em contraposição aos valores sociais falsos estabelecidos, estagnados, que pregam o "bem estar" e a vida em família, mas que só funcionam para uma minoria.*
>
> Hélio Oiticica[13].

A violência urbana torna-se conteúdo e forma, presente em objetos, pinturas, *happenings* e *performances*, espelhando a realidade brasileira. Dialoga com as frustrações ratificadas a cada momento, o lazer inexistente, a massificação pelo futebol, a rotina opressiva, a emoção irradiada pelas ondas do rádio e, a partir de 1951, a realidade cotidiana transmitida pela TV, ao contrário das cidades dos saberes. As obras de arte, quase numa metalinguagem, trazem planos recortados, o áspero, o rude, o banal, o prosaico, o difuso e o amontoado, apartando-se do bem acabado e do estético e buscando as contradições sociais que se tentava esconder.

As cidades, em especial as grandes, emergem da diversidade narrativa obtida pelo ato de auscultar (e não parodiar) os grandes segmentos vitimados, chegando ao lastro comum, emulado de uma única espécie – a humanidade. Acrescente-se, ao lado narrativo, o caráter icônico, porquanto não há diferença entre significado e significante, sendo a imagem apresentada da cidade o próprio significado buscado.

Especialmente São Paulo e Rio de Janeiro atraem uma série de artistas, e a violência aparecerá em reminiscências de tempos outros ou observada das janelas. Entre os primeiros, ressalte-se a série do artista paraibano Antônio Dias, cujas obras testemunham reiteradamente a violência, sintomaticamente, já que estamos em 1966, quando por Ato Institucional o regime estabelece eleições indiretas para governadores nos estados brasileiros. Valorizando a memória, indispensável naquele momento, Dias atribui a escolha, em inúmeros depoimentos, às rememorações da infância e sonhos. Fundos brancos são maculados com costelas cruzadas, imagens fálicas, máscaras antigases e muito sangue respingado, em seqüências antológicas, felizmente presentes em grandes acervos brasileiros, a citar a Pinacoteca do Estado de São Paulo, o MAC-USP, o MAM-BA, o MAM-SP e o MAM-RJ.

A violência diretamente denunciada ganha nas obras de Gerchman ares de crônica. Em depoimento à autora (14.10.1974), ele lembrou que, entre 1959-1960, dirigiu a revista *Sétimo Céu*, impressionando-se muito ante as cartas enviadas para a seção *Correio Sentimental*, reveladoras de profundo isolamento humano. Morava então em Copacabana, na Rua Barata Ribeiro, e observava com o mesmo sentimento as pessoas empilhadas em quarto-sala ou nos ônibus, o que gerará uma série das mais significativas por ele produzidas.

Surgem na obra de Gerchman críticas com cunho urbano-social, entre as quais o MAC-USP possui *Os Habitantes* (1964) e a diretamente política *É Proibido Dobrar à Esquerda* (1965). Na IX Bienal de São Paulo (1967), realiza uma obra ressaltável, dentro da questão urbana aqui focada: *Novas Caixas de Morar*, feita em vime, plástico PVC, madeira, tecido e neon, medindo 180 x 90 x 90cm. Observe-se que, na Cidade Universitária, ao contrário, projetavam-se espaços com dignidade e vontade de arte. Gerchman expunha também um convite irônico: "Esta cidade é sua. Está sendo feita para você, na sua medida. Use-a com liberdade". O regime militar sente-se acuado com tantos flancos abertos e endurece, por mais de dez anos.

A violência tem outro aspecto, a do marginal, circulador dos labirintos e das franjas urbanas. Além do sempre lembrado Hélio Oiticica, com o *Parangolé Social* (1966) ou *Homenagem a Cara de Cavalo*, exposta em 1968, pode-se acrescentar a de outros, diretamente vinculados em algum momento à USP, como Ferro, Império, Nogueira Lima, Donato Ferrari, ao lado de alunos, com destaque para Mário Ishikawa (1942), Marcelo Nitsche, Cláudio Tozzi (1944) e Carmela Gross (1946), entre outros.

Maurício Nogueira Lima, outro desses professores militantes no CFPD-FAAP e FAU-USP, apresenta forte debate sobre a vida urbana. Desvenda em alto contraste os novos mitos, criados no futebol, na música e nos quadrinhos. Vale-se da gráfica urbana, com letras e cromatismos característicos, que revelam o caminho advindo dos grupos concretistas. Se antes o refinamento ante o ofício revelava sonhos da arte no cotidiano, agora a poética escancara, com o mesmo requinte, a saga urbana da multidão nos grandes centros urbanos, destituída de direitos básicos e manipulada, política e ideologicamente.

Ubirajara Ribeiro, mais um dos professores-artistas saudosos, abordará entre 1964-1968 a metáfora da rosa transmutada em personagem. Em depoimento à autora, em 12 de junho de 1968, afirmou: "A rosa no asfalto busca lutas anônimas e torna-se ícone contra o dito progresso urbano". Assim ressemantiza o confronto cidade *versus* campo e confere à flor o estatuto de herói, como nas histórias em quadrinhos, entremeada de textos e colagens. Sensível, o artista tece histórias e tramas, debatendo o viver de consumo buscado com sofreguidão pelas vítimas da cultura de massas.

Outros mitos são trazidos, e Cláudio Tozzi, em depoimento à autora na época, lembrava que na série *Bandido da Luz Vermelha* buscava "demitificar a imagem criada pelas *mass media* em volta de tal personagem" (6.11.1974). Em pleno endurecimento da ditadura, deixa claro que, enquanto o país afundava em prisões, há a transfiguração do bandido em herói pela imprensa, jogando-se luzes para outro canto e animando corações acorrentados; na IX Bienal exporá *Até que Enfim*, dentro do caráter irônico da época, abordando sonhos vendidos pela mídia naquele momento.

Há obras de Mário Ishikawa, de Nitsche e de Carmela Gross voltadas às questões do isolamento, do *mass media*, da história em quadrinhos, do cartaz de rua e da perplexidade ante as passeatas, mortes e repressões. São os três artistas formados no CFPD-FAAP e depois vinculados ao ensino universitário. O convívio ímpar com mestres-artistas, entre os quais Mota, Império e Ferro, será decisivo para toda uma geração militar por mudanças e aderir à arte de combate, via expressão visual.

Estudávamos todos no Curso para Formação de Professores de Desenho, e muitas vezes aulas de História da Arte, Psicologia e Sociologia somavam-se às decisivas situações e experiências diversificadas, do desenho à serigrafia. Tal formação foi referencial para a vida, com aulas analisando a falência das grandes narrativas, o espetáculo e o elogio do escracho, via Chacrinha e Jovem Guarda. A obra de alguns constituiu-se em infiltrar-se nos tecidos educacionais, na rede pública e na praça, criticando o mercado, enquanto tantos outros optaram pela militância na prática artística, tornando-se artistas referenciais, como os citados.

A arte sofre forte revés em inúmeras frentes, não sendo possível manter-se orgulhosa da abstração geométrica, informal e construtiva, tida como progresso e oposta a outra, figurativa, considerada até então na condição de atraso e passadismo. Inúmeros artistas reverão a postura, desde os históricos como Waldemar Cordeiro até os abstratos nipo-brasileiros. Tomoshigue Kusuno, outro dos mestres de várias gerações de artistas, em depoimento à autora, em 30 de setembro de 1983, testemunha tal virada, quando abandona a abstração: "a pesquisa formal, técnica e matéria precisava ser colocada a serviço das lutas do momento".

Claro está que a grande cena do país e a violência das ações reduzirão definitivamente a possibilidade de focar cidades, ilhas do saber, seio da diferença e pluralidade de ideologias, como a Cidade Universitária, esta e as demais que pipocam pelo país. Grandes eventos de confronto percorrerão as cidades, dividindo a cena centre operários e estudantes em passeatas, estes saídos dos grandes e pequenos núcleos, sem estetização ou *glamour*.

Uma vez mais, a arte torna-se – parodiando Giulio Carlo Argan na obra em que analisa *Walter Gropius e a Bauhaus* – uma forma de entendimento e percepção, bastante lúcida, apontando para a necessidade de se interferir nos espaços no mundo. Entre nós, nos anos de 1960 e 1970, diferentes estamentos sociais unidos pela indignação política expressaram sonhos em aprimorar o cotidiano e a arte. Assim reiteram a importância da expressão crítica para superar individualismos e cumprir a sociabilidade coletiva desejada, uma lição válida ao momento humano de hoje.

Notas

1 Panofsky, 1986, p. 130.
2 Ribeiro & Araújo, 1992, p. 16.
3 Andrade, 1982, 287 e 307.
4 Marchan, 1972, p. 21.
5 Marcuse, 1967, p. 71.
6 Ferro, 1965, p. 40.
7 Amaral, 1984, p. 333.
8 *Idem*, pp. 330-331.
9 Franco, 1965.
10 Schanberg, 1965.
11 Costa, 2003, p. 136.
12 Rubens Gerchman, *Gam*, 7, 1967, p. 10.
13 Hélio Oiticica, *Gam*, 6, 1967.

Referências Bibliográficas

Amaral, Aracy Abreu. 1984. *Arte para Quê? A Preocupação Social na Arte Brasileira 1930-1970*. São Paulo, Nobel.

Andrade, Mário de. 1982. *De Paulicéia Desvairada a Café (Poesias Completas)*. São Paulo, Círculo do Livro.

Belluzzo, Ana Maria de Moraes. 1994. *O Brasil dos Viajantes*. São Paulo, Metal Livros.

Costa, Cacilda Teixeira da. 1963. *Aproximações do Espírito Pop-1968*. São Paulo, MAM, 2003.

Daher, Luiz Carlos. 1984. *Flávio de Carvalho e a Volúpia da Forma*. São Paulo, K/MWM.

Ferro, Sérgio. 1965. "Pintura Nova". *Acrópole*, 319, p. 40.

Franco, Ceres. 1965. *Opinião-65*. Rio de Janeiro, MAM. *Apud* Leite, José Roberto Teixeira. 1988. *Dicionário Crítico da Pintura no Brasil*. Rio de Janeiro, Artlivre, p. 367.

Gerchman, Rubens. 1967. "Depoimento". *In: Gam*, 7.

Lourenço, Maria Cecília França. 1995. *Operários da Modernidade*. São Paulo, Hucitec/Edusp.

Lukács, George. 1963. *Estética*. vol. iv. Barcelona, Grijalbo, p. 523.

Marchan, Simon. 1972. *Del Arte Objectual al Arte de Concepto*. Madri, A. Corazón.

Marcuse, H. 1967. *Ideologia da Sociedade Industrial*. São Paulo, Zahar.

Panofsky, Erwin. 1986. *Estudos de Iconologia: Temas Humanísticos na Arte do Renascimento*. Lisboa, Estampa.

Park, Robert E. 1967. *O Fenômeno Urbano*. Rio de Janeiro, Zahar.

Ribeiro, Darcy & Araújo, Carlos (org.) 1992. *A Fundação do Brasil: Testemunhos, 1500-1700*. Petrópolis, Vozes.

Schenberg, Mário. "Um novo realismo". *Propostas 65*. São Paulo, FAAP, 1965.

Quando finalizei a formação universitária, no Curso para Formação para Professores de Desenho (1969), iniciei estudos solitários sobre a questão – arte/cidade, que tenho retomado tantas vezes, mas, naquele momento, direcionava-se a tentar entender os anos 1960. Inexistindo estudos no âmbito de pós-graduação em história da arte, imaginava-me apta para dar conta de estudos sobre um tema não suficientemente decantado. Os cursos só se iniciaram na USP em 1972, na Escola de Comunicações e Artes, e agradeço à Professora, crítica e historiadora, Aracy Abreu Amaral por haver acolhido uma estudante pelo projeto, já que não me conhecia e, mais, por ter me ensinado a importância da profundidade para enfrentar este e outros temas, na vida e na arte.

Cidade universitária: Patrimônio e identidade

*José Guilherme Cantor Magnani**

A pesquisa de campo é tradição na antropologia. Desde que comecei a dar aulas no então Departamento de Ciências Sociais da FFLCH-USP, em 1983, sempre incentivei os alunos, mesmo nas disciplinas mais teóricas, a valorizar essa etapa do processo de investigação, principalmente na análise da diversidade cultural da cidade. Nas disciplinas "A Dimensão Cultural das Práticas Urbanas" (Programa de Pós-Graduação em Antropologia Social, em 1987) e, em 1989, "A Pesquisa Antropológica no Contexto Urbano", para alunos de graduação, o exercício do método etnográfico era parte integrante das atividades programadas. De lá para cá tem sido uma constante, nas disciplinas de Antropologia Urbana, a exigência de elaboração de projeto de pesquisa, de idas sistemáticas a campo e da apresentação de relatório com os resultados do trabalho.

Analisando em conjunto, ao longo desses anos, os temas e objetos de pesquisa escolhidos pelos alunos, tem-se uma boa mostra de suas relações com a cidade, suas inquietações teóricas a respeito e até das propostas de intervenção frente a carências e demandas socioculturais urbanas. Pois bem, durante todo esse tempo, temas ligados à USP – a vida acadêmica, a própria Cidade Universitária e suas instituições ou as formas de sociabilidade no *campus* e os vínculos com a cidade – apareceram muito pouco, em contraste com outros temas: apenas nove de um total de mais de quinhentos trabalhos, distribuídos entre religiosidade, lazer, o mundo do trabalho, habitação, gênero, juventude, corpo e sexualidade, cultura popular, entre outros temas.

Mais reveladores ainda são os recortes, quando o objeto de estudo era, de alguma forma, ligado à Universidade: três projetos de pesquisa sobre o conjunto residencial universitário (Crusp), dois sobre a vizinha favela São Remo, um sobre a presença de meninos dessa favela no *campus*, um sobre o Museu de Arte Contemporânea (MAC), um sobre o bar Rei das Batidas, um sobre o uso da maconha...[1] Sem desmerecer essas escolhas – ao contrário, tomando-as como indicadores para introduzir uma questão mais ampla –, tem-se a impressão de que a vivência no *campus* durante os anos de formação dos estudantes, com toda a gama de atividades que ela implica, não estabelece neles uma identificação positiva mais forte: o Crusp é visto antes como um estigma do que como espaço de convivência de que se tem boas lembranças, e a favela uma sombra e testemunha acusatória dos privilégios de uns frente à carência de outros, justo ali ao lado. Bem, sempre se leva a lembrança de alguns momentos de lazer e descontração...

No caso mais específico do Crusp, chama a atenção o contraste com outros estudos sobre moradia estudantil, como o analisado no trabalho "Uma Embaixada Estudantil em Ouro Preto", das alunas Nathália Guimarães von Kruger e Paula Moura Lacerda de Souza (2003). Nesse estudo, as autoras mostram a profunda e duradoura identificação dos moradores com as famosas repúblicas estudantis ligadas à Universidade Federal de Ouro Preto. Algo idêntico ocorre em Piracicaba/SP, onde os novos alunos da Escola Superior de Agricultura "Luiz de Queiroz" (Esalq) procuram as mesmas repúblicas em que moraram seus pais, tios

* Professor doutor do Departamento de Antropologia da Faculdade de Filosofia, Letras e Ciências Humanas da USP, coordenador do Núcleo de Antropologia Urbana da USP e editor da *Revista de Antropologia*.

etc. quando fizeram a faculdade e continuam participando, mesmo depois de formados, com toda a família, das festas que comemoram datas significativas na história dessas repúblicas; os famosos apelidos que recebem em seu batismo de entrada também são passados "de pai para filho".

Tal fenômeno não se verifica em relação ao *campus* da USP no bairro do Butantã, em São Paulo. Além do mais, não obstante a ampla rede de equipamentos e instituições de que é dotado – hospital, museus, mídia (editora, rádio e TV, jornais, cinema), livrarias, bancos, restaurantes, lanchonetes, espaços de lazer e esportes – parece não suscitar maiores indagações, ao menos por parte de estudantes, em suas análises sobre sociabilidade, cultura urbana e dinâmica social.

O campus *na* cidade e *como* uma cidade

A primeira e mais óbvia aproximação para tentar entender a especificidade da dinâmica da Cidade Universitária seria uma análise comparativa com outros *campi* ou unidades de ensino superior situados em áreas centrais da cidade ou sem entorno demarcado, como acontece com a PUC, Mackenzie, Direito da USP, UNIFESP, entre outros. A dinâmica de um *campus* isolado – ainda que circundado pela cidade – evidentemente difere daquela de estabelecimentos que estão mais diretamente ligados ao tecido urbano. A primeira diferença é que, exatamente por sua distância ou dificuldade de acesso, um *campus* mais isolado precisa estar munido de equipamentos que forneçam a infra-estrutura capaz de sustentar o cotidiano da vida acadêmica. Neste caso, ele passa a funcionar como uma cidade e depende de instituições e rotinas de gerência, controle, manutenção etc.

Justamente para dar conta da dinâmica e do uso da cidade, venho desenvolvendo uma série de categorias – pedaço, trajeto, mancha, circuito – elaboradas em contextos especiais de pesquisa (Magnani, 1998 [1984]; 2000; 2002), e cujo propósito é contrapor-se a um determinado tipo de discurso, comum na mídia (e também em muitas análises e diagnósticos técnicos) sobre o decantado caos das grandes cidades contemporâneas.

Com a aplicação dessas categorias, foi possível observar ordenamentos e regularidades na cidade, identificando e descrevendo, por exemplo, lugares de encontro, pontos de referência, espaços de lazer e vivência coletivos, vínculos de sociabilidade, sistemas de troca e reciprocidade, em contraste com o quadro de isolamento, desordem e fragmentação dentro do qual a cidade é muitas vezes descrita.

Assim, a noção de "pedaço", originalmente elaborada a partir de pesquisas sobre lazer em bairros de periferia, aponta para a existência de um espaço social que se situa entre a esfera da *casa* e a da *rua*. Com base em vínculos de vizinhança, coleguismo, procedência e trabalho, o *pedaço* estabelece uma forma de sociabilidade mais aberta que a fundada em laços de família, porém menos formal e mais próxima do cotidiano que a ditada pelas normas abstratas e impessoais da sociedade mais ampla. É nesse espaço que se vive e compartilha toda sorte de vicissitudes, que constituem o dia-a-dia por ocasião dos momentos de lazer, devoção, participação em atividades comunitárias e associativas, troca de favores e pequenos serviços; como também dos inevitáveis conflitos e disputas[2].

A vida na cidade, no entanto, não se restringe às experiências do cotidiano que transcorrem no âmbito do bairro. A circulação em direção a, e através de, territórios mais amplos dá-se por meio dos *trajetos* – percursos determinados por regras de compatibilidades – que abrem o particularismo do *pedaço* a novas experiências, situadas fora das fronteiras daquele espaço conhecido, onde se está protegido por regras claras e inequívocas de pertencimento.

A cidade, ademais, não se oferece para uso e desfrute como uma totalidade indiferenciada, ou então repartida em unidades discretas: naqueles territórios mais impessoais das regiões do centro, situados fora do círculo de vizinhança, é possível distinguir a existência de áreas claramente demarcadas pela oferta de determinados bens ou serviços: são as *manchas*, áreas contíguas do espaço urbano dotadas de equipamentos que marcam seus limites e viabilizam, competindo ou complementando-se, uma atividade ou prática predominante[3].

O *circuito*, por seu lado, cumpre as mesmas funções da *mancha;* a diferença está na forma de inserção, uma vez que não apresenta o caráter de contigüidade espacial.

Assim, por exemplo, é possível distinguir os *circuitos* dos cines de arte, das livrarias, dos brechós, de espaços neo-esotéricos, da cultura *black*, do agito *gay*, do movimento *rapper* e de muitos outros, constituídos por pontos espalhados pela cidade, mas que mantêm algum tipo de relação entre si, sendo conhecidos em sua totalidade apenas pelos usuários mais habituais.

Considerando-se o *campus* do Butantã em função de sua localização e dos vínculos que mantêm com a cidade, a categoria que mais se lhe aproxima é a de *mancha*. Nesse sentido, apresenta algumas particularidades: trata-se de uma mancha bem delimitada, cercada e até fechada. Se algumas linhas regulares de ônibus, por exemplo, constituem rotas de passagem e estabelecem aberturas com o tecido urbano mais abrangente, predominam as linhas especiais; há, ainda, controle nas entradas do *campus*, principalmente em determinados horários e dias, existe um sistema de segurança interna etc.

É também possível, e talvez até com mais rendimento, olhar essa mancha em busca de regularidades internas, procurando observar em seu interior a ocorrência das demais categorias (pedaço, trajeto, circuitos). Para tanto, é preciso ajustar o foco e assim obter um olhar mais "de perto e de dentro"[4].

Lendo a Cidade Universitária nesta chave, vê-se que os usuários típicos – professores, funcionários e alunos – têm seus próprios "pedaços", percorrem trajetos específicos, freqüentam circuitos de suas preferências; mas também cruzam territórios e espaços uns dos outros. É justamente quando esses planos se cruzam que se abrem novas e inesperadas possibilidades de trocas, de encontros (e também de conflitos) entre os atores, pois as diferenças se expõem e colocam, a qualquer momento, a inevitabilidade da presença do outro com a conseqüente necessidade de negociação.

Além do mais, como acontece em qualquer cidade, principalmente naquelas construídas com base em planejamento prévio, é possível identificar um outro domínio de uso e apropriação, também criado pelos atores e regido por normas que se sobrepõem, anulam ou reescrevem as originalmente previstas na prancheta. Abre-se aqui um inesperado e rico campo de análise: tome-se, a título de ilustração, uma pequena mostra do particular universo de um dos componentes da população do *campus*, os funcionários, com, por exemplo, as fotos de familiares nos locais de trabalho; os dizeres, avisos e cartazes nas suas cantinas e pontos de encontro; os circuitos de compra e venda de produtos caseiros (cosméticos, roupas, alimentação), as festas de aniversário, as confraternizações de fim de ano, os chás de cozinha, as listas de ajuda para casos de doença, funeral, roubo, enchentes...

Essas e outras formas de comportamento e apropriação do espaço revelam toda uma cultura, têm como base um conjunto de padrões de sociabilidade que vêm de fora, que vêm da cidade circundante, dos bairros de origem desse segmento de usuários da Cidade Universitária. É significativo que, entre outros resultados, um dos trabalhos dos alunos tenha mostrado a grande porcentagem de funcionários da USP que vivem na vizinha favela São Remo. A aplicação deste enfoque aos outros segmentos, professores e alunos, com certeza permitiria também obter um esboço do *ethos* que os identifica e particulariza.

Identidade e patrimônio

Seja como uma cidade em ponto menor, seja como uma mancha especial na metrópole circundante, a Cidade Universitária, em suas atividades específicas de ensino, pesquisa e extensão, apresenta um nível de atividades intenso, complexo, com base e apoio num corpo de agentes diversificado e altamente especializado. Entretanto, apesar de todo seu intrincado e interdependente sistema de trocas, a vida no *campus* e a referência a uma "comunidade universitária" não parecem fundar uma identidade forte, um sentimento de pertencimento mais geral.

As vivências que se têm dão-se com base em práticas e experiências ligadas mais a especialidades, a domínios separados e a dicotomias do que a totalidades: têm-se as ciências exatas *versus* as humanas, o Clube dos Professores e o bandejão, os concursados e os celetistas, a pós e a graduação, as ricas instalações da Faculdade de Economia e Administração *versus* as mais precárias do prédio da Sociais, a Politécnica e a Educação, os espaços deteriorados ao lado de outros mais bem cuidados, e assim por diante. Há quem diga que a Cidade Universitária foi planejada justamente para produzir essa fragmentação e desta forma impedir um maior contato – considerado perigoso, na época – entre as diversas unidades, às quais se tem acesso com mais facilidade por carro do que por outro meio transporte ou locomoção: o *campus* está na escala do automóvel, não do pedestre.

Num plano mais teórico, cabe observar que esta forma relacional de produção de identidades é conhecida na literatura antropológica e a referência mais clássica é o estudo de Evans-Pritchard (1978 [1940]) sobre os Nuer. O sistema político desse povo nilótico baseia-se num processo de articulação em que os segmentos que se opõem num plano mais próximo da unidade doméstica e da aldeia juntam-se para formar novos segmentos, fundando alianças cada vez mais amplas, até o ponto limite em que todos se identificam como o povo Nuer contra os vizinhos Dinka.

As relações entre identidade e um de seus correlatos, o conceito de comunidade, continuam uma questão discutida e controversa na área das ciências sociais. George Marcus (1991), no texto *Identidades Passadas, Presentes e Emergentes: Requisitos para Etnografias sobre a Modernidade no Final do Século XX ao Nível Mundial*, em que discute uma proposta que chama de etnografia "modernista", para diferenciá-la do que denomina de etnografia "realista" (entre as quais situa o estudo sobre os Nuer, por exemplo), problematiza o conceito de comunidade, tradicionalmente referida a uma localidade específica e a uma identidade determinada: é preciso, segundo ele, dissolver as conotações de solidez e homogeneidade implicadas nessa relação, já que a formação de identidades depende de atividades desenvolvidas em muitos locais e planos de referência.

Numa outra linha de argumentação, pode-se também pensar a formação de identidades a partir do campo do patrimônio cultural. Tendo-se em vista a orientação desta coletânea, talvez essa seja a perspectiva mais apropriada para pensar o problema aqui delineado. Como é sabido, o tema do patrimônio apresenta uma série de desdobramentos, desde os já tradicionais "patrimônio arquitetônico" e "histórico", passando pelo "cultural" e, recentemente, pelo conceito de "patrimônio imaterial". Este último surge no discurso mais atual dos órgãos de preservação a partir da compreensão de que há uma realidade ainda não suficientemente contemplada na conceituação corrente e nos instrumentos e medidas oficiais de proteção: trata-se de um conjunto de bens culturais ainda não claramente delimitados, mas reconhecidos como merecedores de integrar o patrimônio cultural brasileiro, e não exatamente pelas mesmas razões e critérios que nortearam a formação e proteção do importante acervo centrado na arquitetura luso-brasileira do século XVIII.

Não são edificações, sítios naturais ou arqueológicos ou mesmo bens móveis: trata-se de "saberes", "modos de fazer", "festas e folguedos" e outras manifestações culturais destituídas de um suporte durável, mas certamente constitutivas do modo de vida de atores sociais cujas diferenças – e correspondentes formas e meios de manifestação – cada vez mais são expressas em termos de direitos de cidadania.

Atitudes como esta, de abertura para com mudanças no plano mais geral da sociedade, de sintonia com tendências e movimentos políticos, culturais e ideológicos mais amplos, não constituem novidade na prática e na reflexão de técnicos, conselheiros e demais envolvidos com as questões do patrimônio. Assim, nas décadas de 1970 e principalmente de 1980, houve uma importante inflexão nos critérios habituais, que se manifestou na preocupação com o legado de imigrantes mais recentes, minorias e grupos étnicos[5].

Contribuições desses segmentos foram incorporadas ao patrimônio nacional na qualidade de testemunhos, ainda via tombamento, mas – é digno de nota – já não em nome do então chamado "interesse etnográfico" (melhor seria dizer "etnocêntrico"), critério ainda marcado por conotações elitistas, segundo membros e militantes de determinados movimentos sociais. Constituem mostras dessa nova orientação o tombamento, entre outros, de exemplares da arquitetura de imigrantes, de testemunhos da presença judia, de sítios ligados à resistência quilombola e de espaços dedicados a cultos afro-brasileiros[6].

Apesar de constituir um alargamento do alcance do

conceito de patrimônio cultural, essa inclusão das marcas de outros atores ainda foi feita com base no valor documental de alguns de seus bens culturais inscritos e sujeitos às medidas habituais de descrição, levantamento e proteção. No final da década de 1990, entretanto, além da visão tradicionalmente voltada para a delimitação do núcleo de referência da nacionalidade, uma nova perspectiva começou a incorporar outros vetores, e começa-se a falar, no cenário do patrimônio, em desenvolvimento, diversidade cultural, qualidade de vida, cidadania. Assim, nessa linha, o patrimônio já não se circunscreve à lista dos bens materiais, mas leva em conta a inter-relação desses e de outras categorias de bens culturais – justamente aqueles denominados de "bens culturais imateriais" – com os contextos em que são produzidos e circulam.

Toda essa digressão é para experimentar uma abordagem nova, no campo da reflexão sobre o patrimônio, que abra outras perspectivas para pensar a questão de onde ancorar a formação de identidades, de emblemas e de imagens capazes de construir e sustentar um possível *ethos* uspiano, para além, evidentemente, da já difundida *griffe* de excelência associada à formação acadêmica proporcionada pela Universidade de São Paulo e sua produção científica.

Seu *campus* sem dúvida abriga uma série importante de "bens culturais", desde edificações de interesse pelas características arquitetônicas, passando pelo desenho e disposição dos espaços, por sua área verde, seus equipamentos mais diretamente ligados à arte e à cultura etc., e que já são reconhecidos como o patrimônio cultural da USP.

Todavia, há um outro domínio que escapa a esse inventário e que talvez a noção de patrimônio imaterial ajude a resgatar. Ainda ambíguo em sua conceituação, tem-se uma primeira idéia do que seja esse patrimônio através dos itens que habitualmente compõem suas listagens: costuma-se falar de festas, folguedos, lugares de reunião, modos de fazer, narrativas orais, ritos, artes populares. Sua intenção é a de resgatar toda uma série de expressões culturais que não apresentam um suporte material claramente definido e por isso não são contempladas pelos habituais instrumentos e normas de preservação, e principalmente mostram um maior grau de fragilidade diante da força de agentes tais como o mercado, os meios de comunicação etc.

Tomando-se apenas aqueles itens acima mencionados, que costumeiramente entram na lista para exemplificar o que seja o patrimônio imaterial, há quatro conjuntos de questões a se considerar: primeiro, a opção pela contemporaneidade; depois, trata-se de bens que não deixam (ou não deixaram) testemunhos monumentais e/ou duradouros; sua ocorrência verifica-se predominantemente em contextos iletrados, e, por último, coloca-se a questão da imaterialidade do suporte.

O primeiro feixe de questões diz respeito não apenas ao patrimônio imaterial mas a todo e qualquer bem cultural, quando marcado antes por sua contemporaneidade do que por seu valor "histórico": esses bens estão ainda imersos no fluxo da dinâmica cultural, sujeitos a contínuas mudanças e influências, sem que tenha transcorrido o tempo suficiente para sua sedimentação numa forma especifica e reconhecida. Esta situação coloca uma questão conceitual prévia e de fundo a respeito das próprias definições de cultura e patrimônio, cuja discussão, porém, não cabe nos limites deste texto.

A segunda ordem de dificuldades advém da circunstância de que, por seu próprio modo de vida, muitos dos grupos ou comunidades cuja produção cultural se pretende registrar e proteger não deixam (ou não deixaram) testemunhos monumentais e/ou duradouros, seja na forma de edificações (os bens de "pedra e cal", no jargão já consagrado) ou mesmo de bens móveis, de suporte mais durável; a alternativa que resta é tomar como referência testemunhos da vida cotidiana, do mundo do trabalho, da devoção e sociabilidade moldadas com base em materiais extremamente frágeis e perecíveis – a palha, o tecido, o barro, a madeira, o couro – e às vezes em meros vestígios, o que torna as medidas de registro e proteção uma verdadeira operação de salvamento.

Outra ordem de problemas surge quando essas manifestações ocorrem ou ocorreram em contextos iletrados. Neste caso, até podem ter como suporte um elemento material, mas evanescente (o som, o gesto), configurando o conjunto das chamadas tradições orais (contos, mitos, poesia, ritos, cantos), mas não dispõem do recurso da transcrição que, no caso de contextos letrados, permite transpor um saber ou encadeamento cognitivo específico para o plano abstrato das relações, dando-lhes perenidade. Quando, excepcionalmente, a comunidade conta com esse recurso da transcrição – seja por que meio for, como no caso da organização espacial da aldeia entre alguns povos indígenas, cuja forma constitui um verdadeiro diagrama de suas regras de casamento – então o problema se coloca em outros termos[7].

Finalmente, vem a própria questão da imaterialidade do suporte. Uma festa popular religiosa (seja da vertente católica, seja dos cultos afro-brasileiros ou de outras tradições), por exemplo, é composta simultaneamente por vários códigos e por vários suportes: o *som* da cantoria, a *sucessão* ordenada dos passos de dança, o *material* dos instrumentos musicais e adereços etc. Há problemas, evidentemente, na decisão de qual desses aspectos deve ser privilegiado como critério para classificar essa festa no campo da cultura imaterial; por outro lado, sabe-se que mesmo os bens claramente definidos pela materialidade e permanência de seus suportes, como as edificações, são depositários de múltiplos significados que só podem ser recuperados a partir das relações estabelecidas entre seus elementos constitutivos.

As questões acima se aplicam principalmente a bens culturais de origem popular; por conseguinte, nem todas podem ser transpostas ao caso da USP e seu patrimônio. Contudo, alguns desses critérios podem ser úteis. Quando se considera, por exemplo, as rotinas de trabalho, as especialidades, os saberes específicos, a padronização dos documentos e de seu fluxo, as hierarquias, os ritos acadêmicos, as formas de sociabilidade e os estilos de vida, é possível identificar imediatamente ao menos duas entre as questões apontadas: a contemporaneidade e a imaterialidade do suporte. Com efeito, todos os itens da listagem acima estão imersos no fluxo da vida cotidiana do *campus* e não estão fixados "em pedra e cal"; intangíveis e ainda em processo, nem por isso são menos efetivos como modeladores de comportamentos ou menos reais como formadores de *ethos*.

Em busca de marcas de identidade

Cada um dos termos empregados para qualificar o patrimônio – arquitetônico, histórico, cultural, imaterial – empresta-lhe uma conotação diferente; no entanto, há um elemento comum que perpassa todos: o reconhecimento de que, em algum grau, constroem um sentido de pertencimento. Um "bem cultural" só faz parte, legitimamente, de determinado acervo (estando sujeito, portanto, a medidas oficiais de proteção) porque antes foi transformado pelos próprios atores em um ponto de referência, carregado de carga simbólica para eles.

Tome-se como exemplo – para ficar no âmbito da USP – o significado associado ao prédio que abrigou a antiga Faculdade de Filosofia, Ciências e Letras na rua Maria Antonia, hoje transformado em espaço cultural. Não é propriamente a edificação que importa, não é o conjunto de sua história ou a relevância de sua produção acadêmica que são levados em conta: a percepção e posterior reconhecimento como patrimônio cultural deve-se ao poder simbólico de um fato episódico, altamente dramático, sintético e facilmente lembrado que, associado a um processo mais geral (a resistência à ditadura) terminou condensando toda a trajetória da FFCL no prédio da rua Maria Antonia. Evidentemente a função, papel e contribuição intelectual representados por essa faculdade ao longo de sua história não se reduzem à sua participação política, nem muito menos àquela modalidade específica que alguns de seus membros protagonizaram nos idos de 1968; mas foi este aspecto o que vingou para erigi-la como emblema; e "pegou".

E o *campus* do Butantã? Estaria fadado a permanecer fragmentado na diversidade e dispersão de seus espaços e unidades? A diluir-se na heterogeneidade dos modos de ser e de operar de cada segmento de seus atores constitutivos? Dois exemplos podem abrir algumas pistas interessantes para melhor situar essas perguntas, e o primeiro é fornecido pela própria Faculdade de Filosofia. Algo dos episódios da Maria Antonia permaneceu quando de sua mudança para a atual Cidade Universitária: o funcionamento em instalações precárias constituiu uma fase de transição antes de sua transferência definitiva para os novos e mais modernos prédios; contudo, a lembrança dos "barracões" mantém-se até hoje e sem dúvida constitui uma marca identitária sem qualquer suporte físico remanescente.

O outro exemplo vem de uma expressão corrente entre os estudantes, em determinados contextos: "p.u." (pronuncia-se *pê-u*), que significa literalmente "padrão universitário", mas é aplicada apenas às universidades públicas, especialmente USP/Unicamp/Unesp[8]. Este termo é usado para designar a mudança de comportamento dos novos alunos, após a maratona do vestibular, principalmente quando retornam às suas cidades de origem, no interior. Esses alunos passam a exibir um certo ar intelectual, assumem outros gostos, exibem preferências por determinados tipos de filme, de leitura. A expressão não é empregada no caso das particulares porque ter "p.u." implica também preocupação com questões como a gratuidade do ensino público, a qualidade dos cursos, o financiamento da pesquisa etc. – perenes temas de discussão do movimento estudantil e que pouco ambiente encontram nas universidades e faculdades privadas.

Diferentemente do exemplo anterior, em que o pertencimento está ligado a uma determinada unidade, neste caso trata-se de uma esfera mais ampla, cujo referente são as universidades estaduais paulistas. Ambos, porém, têm em comum o fato de não apresentarem como base de sustentação um suporte tangível, localizado: são comportamentos, estilos e relações que estão a evocar marcas identitárias.

Eis um filão que precisa ser mais pesquisado para enquadrar melhor e separar as questões, seja da suposta inexistência de marcas identitárias, seja da presença dessas marcas apenas no plano de segmentos específicos ou, finalmente, da consistência de algum símbolo mais abrangente. Para tanto, seria preciso ler em conjunto as diferentes "classes" de patrimônio – o arquitetônico, o urbanístico, o histórico, o imaterial. No caso específico deste último, sem dúvida se faz necessária uma metodologia específica, pois, como foi reiterado, ele está inscrito nos comportamentos, nos padrões e rotinas de trabalho, nas relações entre os atores, nos estilos de investigação desenvolvidos nos laboratórios, na retórica das salas de aula, nada muito retumbante, nem quantificável ou de fácil registro.

Uma estratégia seria começar distinguindo dois planos: em primeiro lugar, aquele em que se forma o jogo das identidades internas, *à la* Nuer, agrupando os atores considerados *de dentro*, procurando distinguir, porém, os espaços, fronteiras e elementos constitutivos de seus *ethos*. Trata-se, como já foi sugerido mais acima, de começar pesquisando os três segmentos clássicos, que apresentam um sem-número de divisões e subdivisões, como os professores (doutores, titulares, das exatas, das humanas, em RDIDP, RTC e assim por diante) os alunos (de graduação, de pós-graduação, bolsistas, moradores, africanos, latinos etc.) e os funcionários (técnicos, administrativos, em cargos de confiança, terceirizados, celetistas...). Neste caso, os domínios a considerar são a vida cotidiana, o calendário, os ritos, as especialidades, os "saberes", as rotinas específicas de trabalho.

O segundo plano seria o de identidades construídas *para fora*, mais especificamente o que a USP projeta para além de seus muros, para a cidade. Neste caso, já não se trata mais da rotina, e sim do excepcional, do único, do específico, na forma de eventos e rituais coletivos. Rituais que costurem os fragmentos e a especialização da vida acadêmica e ofereçam uma visão de totalidade. E eventos que guardem proporção com a escala da *mancha* representada pelo *campus*, como é o caso do Parque do Ibirapuera, que abriga várias atividades mas projeta uma imagem associada a grandes e significativos eventos culturais, como a Bienal, por exemplo. Que eventos coletivos existem na USP? Há quem se lembre do festival "Bem Brasil", no anfiteatro romano; de todo modo, eles têm de estar relacionados com a vida acadêmica, e não apenas resumir-se à cessão do espaço para maratonas, eventos privados, episódicos.

Trata-se, em suma, de verificar o que dá "liga" ao patrimônio da USP, o que realmente fica, por exemplo, para os alunos, como referência de todo o seu tempo de formação. Será que apenas as alegres e etílicas confraternizações no Rei das Batidas?

Talvez a particularidade do *campus* do Butantã ainda não tenha tido tempo de decantar, ou seus integrantes não tenham tido a oportunidade de protagonizar algum evento capaz de sintetizar e simbolizar o papel, lugar e especial contribuição de sua instituição na cidade da qual faz parte. O certo é que, sem talvez deixar marcas externas, imediatas e facilmente visíveis, as sucessivas gerações de alunos, professores e funcionários que aqui completaram sua formação, construíram suas carreiras e contribuíram para a consolidação de saberes específicos em suas diferentes áreas de atuação, edificaram o verdadeiro patrimônio, aquele que define a duradoura feição da USP. É preciso, contudo, desvelar e tornar público esse patrimônio.

Notas

* Agradeço a Luiz Henrique Xavier Magnani pela leitura e primeira revisão do texto.

1 "Meninos da FFLCH/USP: Lazer como Meio de Vida e Meio de Vida como Lazer" (Carolina Moreira Marques, 1994); "Migrantes Rurais e a Experiência Urbana na Favela S. Remo" (Ana Lúcia Marques Camargo Ferraz, Ângela Aparecida Rangel, Leandro Lopes Pereira de Melo, Marta Valéria Capacla, 1994); "O Fim de Semana na Ilha: como os Cruspianos Utilizam o Tempo Livre (André Augusto Bezerra, Celso Luiz de Camargo, Paulo André Kulsar, 1996); Lazer na Cidade de São Paulo: A Mancha da Avenida Waldemar Ferreira – Rei das Batidas" (Ludmila Costhek Abílio, Mariana Baptista Giroto, Ricardo Francisco Rios, 2000); "Lazer e Sociabilidade no Crusp" (Marina Stefani de Almeida, 2002); "Companheiros Sociais: Etnografia e a Mancha Cruspiana" (Carlos Diego de Souza Rodriques, 2003); "O Lazer no MAC sob a Ótica de Seus Freqüentadores" (Cristiano Miglioranza Mercado, 2001); "Um Estudo sobre o Uso da Maconha" (Fábio Lyra, Juliana de Miranda Coelho, 2003); "Tem Soldado no Pedaço – Jardim S. Remo" (João Branco, Lara Mesquita, Melina Rangel, Olivia Gonçalves Janequine, Otávio Albuquerque, 2003).

2 A noção de "pedaço", aplicada em outro contexto – não mais na periferia, mas em regiões centrais da cidade – mostrou que as regras de sociabilidade que instaura também são encontradas em espaços desvinculados da moradia e vizinhança: "A diferença com a idéia do pedaço tradicional é que aqui os freqüentadores não necessariamente se conhecem – ao menos não por intermédio de vínculos construídos no dia-a-dia do bairro – mas sim se reconhecem enquanto portadores dos mesmos símbolos que remetem a gostos, orientações, valores, hábitos de consumo, modos de vida semelhantes" (Magnani, 2000: 39).

3 Numa mancha de lazer, por exemplo, os equipamentos podem ser bares, restaurantes, cinemas, teatros – os quais, seja por competição ou complementação, concorrem para o mesmo efeito. Uma mancha caracterizada por atividades ligadas à saúde, por exemplo, geralmente se constitui em torno de uma instituição tipo âncora – um hospital – agrupando os mais variados serviços (farmácias, clínicas particulares, serviços radiológicos etc.). E assim por diante.

4 Ver Magnani, 2002.

5 Fonseca, 1996.

6 Magnani & Morgado, 1996.

7 Este é um caso que, idealmente, ilustra uma das complexas relações entre cultura e patrimônio, no âmbito da política preservacionista: uma possível iniciativa de proteção evidentemente não se aplicaria àquelas regras de casamento e parentesco, decisão que só pertence ao grupo em questão, mas poderia contemplar seu suporte (seja na forma de registro ou mesmo de tombamento) incorporando-o assim ao patrimônio, enquanto contribuição dessa população, e também possibilitando a outros setores da sociedade entrar em contato com esse aspecto do modo de vida daquele grupo indígena. Trata-se da conhecida regra de que medidas de proteção aplicam-se aos suportes e não à cultura enquanto sistema de regras. Este caso entra aqui apenas para estabelecer um contraponto, sem a pretensão de introduzir a intrincada questão do modo de vida e da cultura das nações indígenas no quadro das políticas públicas de defesa do patrimônio. Ver Curt Nimuendaju, 1997.

8 Agradeço a Daniela do Amaral Alfonsi por esta informação.

Referências Bibliográficas

Evans-Pritchard, E. E. 1978. *Os Nuer*. São Paulo, Perspectiva.

Fonseca, Maria Cecília Londres. 1996. "Da Modernização à Participação: a Política Federal de Preservação nos Anos 70 e 80". *Revista do Patrimônio Histórico e Artístico Nacional*, n. 26, Brasília.

Magnani, J. Guilherme. 1998. *Festa no Pedaço: Cultura Popular e Lazer na Cidade*. São Paulo, Hucitec [1ª ed., Brasiliense, 1984].

Magnani, J. Guilherme Cantor. 2002. "De Perto e Dentro: Notas para uma Etnografia Urbana". *Revista Brasileira de Ciências Sociais*, vol. 17 n. 49, São Paulo.

Magnani, J. Guilherme Cantor & Torres, Lilian. 2000. *Na Metrópole: Textos de Antropologia Urbana*. São Paulo, Edusp/Fapesp.

Magnani, J. Guilherme Cantor & Morgado, Naira. 1996. "Futebol de Várzea também é Patrimônio". *Revista do Patrimônio Histórico e Artístico Nacional*, n. 24, Brasília.

Marcus, George. 1991. "Identidades Passadas, Presentes e Emergentes: Requisitos para Etnografias sobre a Modernidade no Final do Século XX ao Nível Mundial". *Revista de Antropologia*, n. 34, São Paulo.

Nimuendaju, Curt. 1997. "Habitação dos Timbiras" / "Comentário de Viveiros de Castro". *Revista do Patrimônio Histórico e Artístico Nacional*, n. 26, Brasília.

UNIVERSIDADE, CIDADE, CIDADANIA

*Franklin Leopoldo e Silva**

Seria interessante seguir o processo de separação entre a universidade e a cidade, que deu origem ao que conhecemos hoje como Cidade Universitária. Encontraríamos aí, provavelmente, um percurso pontuado de equívocos conceituais e de dificuldades históricas, correspondentes aos diversos aspectos que podem ser destacados nesse processo. A universidade nasceu à sombra da Igreja, mas em pouco tempo transformou-se numa instituição da qual a Igreja buscava o apoio para a sua edificação doutrinária e para a ampliação de sua influência cultural e política. Se nos arriscamos ao excesso dizendo que a Igreja precisou da universidade tanto quanto esta necessitou da Igreja, certamente não se pode negar que a universidade configurou-se como um poderoso instrumento de que se serviu a Igreja para a consolidação de um perfil cultural da civilização na maior parte do ocidente e durante muitos séculos. Mas a história nos mostra que essa relação não foi sempre inteiramente marcada pela docilidade do "instrumento", o que se observa desde o começo e não apenas durante as crises de transformação no limiar da modernidade. O recrutamento clerical e a dependência institucional nunca lograram anular inteiramente uma tensão latente ou manifesta, que percebemos até nos momentos de maior harmonia aparente, como nos casos da convivência entre a Igreja e o aristotelismo, no período de formação da Escolástica e da censura aos escritos de São Tomás de Aquino.

A mesma tensão pode ser observada entre a universidade e o poder civil, quando este, percebendo a importância da nova corporação, procurou de várias maneiras tomá-la sob sua proteção e colocá-la a seu serviço. Disso, como se sabe, aproveitaram-se os universitários nas ocasiões em que precisaram contrapor-se ao poder da Igreja. Estes primeiros ensaios de incorporação da universidade pelo Estado, tendo-se mostrado desde o início como um jogo entre dois poderes, talvez tenham contribuído para moldar o perfil da universidade, na sua estrutura e organização, segundo padrões diversos da hierarquia eclesiástica e civil. Em momentos como esse, a tensão revela a *finalidade* e o *caráter específico* da instituição, que se expressarão posteriormente nas reivindicações de autonomia como condição essencial de sua própria existência. Diga-se desde logo que a autonomia, mesmo sendo *real* (em muitos casos ela é apenas formal), não elimina a tensão entre a universidade e o seu contexto (religioso, estatal, social), porque o caráter *politicamente peculiar* do exercício da *liberdade acadêmica* leva inevitavelmente a conflitos, desde que a situação não seja camuflada por estratégias de subserviência ou por controles indiretos da atividade universitária.

A história da universidade nos indica assim essas figuras institucionais, pelas quais a vemos à sombra da Igreja e à sombra do Estado e, na escala da longa duração, a tensão e mesmo a contradição suscitada por isso, ainda que abafada por longos períodos de inserção pacífica e completa. Essas mesmas relações nos ajudam a compreender os vínculos entre a universidade e a cidade como corpo político historicamente organizado. Também nesse caso a ambigüidade entre autonomia e dependência eventualmente eclode em conflitos. Pádua, por ex., o grande centro aristotélico da Idade Média, poderia ser qualificada como uma cidade universitária, no sentido em

* Professor titular do Departamento de Filosofia da Faculdade de Filosofia, Letras e Ciências Humanas da USP.

que a universidade era o que possuía de mais importante e o que lhe dava prestígio. Ao mesmo tempo, era a atividade econômica de Pádua que tornava possível o suporte econômico da universidade, tanto em termos dos alunos que tinham condições financeiras de mantê-la quanto em termos da comunidade e do governo da cidade, que também participavam dessa manutenção na medida em que ela correspondia aos seus interesses. Se ampliarmos o horizonte histórico, poderemos nos referir a Iena, Tübingen e Louvain em sentido análogo, abstraindo, naturalmente, grandes diferenças: são cidades universitárias porque se constituem – política, histórica, social e culturalmente – em torno da universidade, e passam a se distinguir por isso. De alguma maneira encontram uma forma de vida e de organização coletiva em que logram combinar exigências nem sempre convergentes, se supomos as diferenças existentes entre a organização política da cidade e a da universidade.

Pudemos falar até aqui de universidade à sombra da Igreja e à sombra do Estado, bem como das tensões e contradições aí envolvidas, porque falávamos do passado. Para nos referirmos à universidade atual, temos que falar de mercado, e não de universidade à sombra do mercado, mas de universidade inserida no mercado. O contexto social que hoje define a figura histórico-política da universidade é o mercado, de resto onipresente em todos os aspectos das relações humanas. A explicitação dessa inserção varia conforme a tradição da universidade em cada país, e assim também o ritmo em que o mercado incorpora a instituição universitária, que está ainda em função do ritmo em que absorve todas as outras instituições, devorando o espaço público[1]. É evidente que nos países europeus, de longa tradição universitária, há uma combinação de inércia e resistência, que retarda o processo (mas não o detém), até porque a impregnação da universidade na sociedade, nesses países, significa muito mais a consolidação histórica de uma instituição longeva do que propriamente a valorização da universidade por parte da sociedade – ao menos dos segmentos que lhe determinam os rumos. Nos países periféricos, como a universidade nunca ganhou foro social autêntico, como as mudanças são decididas a partir de interesses muito mais imediatos e como há uma submissão praticamente inquestionada a critérios extrínsecos (países centrais e organismos internacionais), a velocidade de absorção da universidade pelo mercado acompanha o ritmo acelerado de dissolução do espaço público, que tem como conseqüência a transformação da educação universitária em bem de consumo, dando seguimento ao que já havia ocorrido com a educação fundamental e média.

Se fosse o caso de acompanhar o processo pelo qual se passou de uma universidade institucional para uma universidade organizacional ou de mercado, uma das etapas a destacar nesse percurso seria o exame da estratégia política de estímulo à rejeição social da universidade pública, que em nosso país coincide, de forma orquestrada ou não, com a mercantilização do ensino superior, a qual atingiu patamares fantásticos nos governos FHC, com a extraordinária proliferação de empresas de ensino que já se organizam para disputar o mercado da pós-graduação, uma vez que o de graduação se encontra relativamente saturado. A rejeição a que nos referimos possui várias facetas interligadas que atuam como causas: a despreocupação dos governos com o aumento das vagas nas universidades públicas, criando assim a justificativa para a proliferação das empresas privadas; a sonegação sistemática de recursos para a educação superior, comprometendo dessa forma a atividade universitária nas instituições públicas, e ensejando assim, em muitos casos, a diminuição de nível e de prestígio; a remuneração insuficiente dos servidores docentes e administrativos; a reforma da previdência, anunciada com alarde de modo a provocar a aposentadoria de muitos professores, sem a adequada reposição; a campanha intensa contra os servidores públicos, entre os quais professores e funcionários das universidades federais e estaduais, transferindo-lhes a culpa que cabe aos gestores de recursos públicos. Com essa estratégia, que é composta de muitos outros elementos além dos mencionados, o governo FHC tentou, de forma totalmente explícita, completar o trabalho – já realizado pelos seus antecessores, no que se refere aos níveis de educação anteriores à universidade – de desqualificação social do professor, transformado em funcionário improdutivo, parasita da sociedade, no qual qualquer investimento é injustificado. Essa cortina de fumaça, que se mostrou eficiente junto à opinião pública, tem o objetivo mais amplo de atender às exigências de corte drástico nas políticas sociais. O governo do PT segue com fidelidade essa orientação, como mostra o recente documento do Ministério da Fazenda, em que são amplamente proclamados a ineficácia e o desperdício *inerentes* aos gastos sociais.

Compreende-se assim o empenho dos governos em levar a sociedade a rejeitar a universidade pública como ineficiente e supérflua, e a aceitar como algo absolutamente normal que a educação seja tratada como um produto entre outros, com possibilidade de opções entre as várias ofertas do mercado. Pois bem, a cidade universitária é algo que está perfeitamente de acordo com essa reação negativa que o poder estatal pretende estimular na sociedade. Para compreendê-lo, basta atentar para o contexto político que apressou a separação entre a universidade e a cidade. O exemplo da Universidade de São Paulo é bem eloqüente. Como se sabe, o diferencial no projeto dos fundadores da USP estava na Faculdade de Filosofia, Ciências e Letras, núcleo formador e integrador, constitutivo de um espírito de universidade que, pelo menos em princípio, pretendia superar a figura da universidade como conglomerado de escolas superiores[2]. Talvez seja sintomático que essa Faculdade não tenha tido, desde o seu nascimento e durante o período mais significativo de sua existência, o seu "lugar", em pelo menos dois sentidos. Primeiramente, as grandes escolas profissionais "conglomeradas", às quais interessava um simulacro de universidade para que pudessem manter poder e privilégios, jamais permitiram que a FFCL ocupasse, nas instâncias de poder, o lugar que deveria corresponder à escola-núcleo da Universidade. Com isso, o próprio núcleo gerador de pensamento crítico foi impedido de atuar na condução dos destinos da Universidade. Em outras palavras, tentava-se fazer do lugar central um lugar abstrato, para que desse centro não irradiassem transformações que pudessem influir na estrutura de poder. Por outro lado, a FFCL não teve um lugar para instalar-se, tendo de peregrinar por prédios emprestados até fixar-se no edifício de número 294 da rua Maria Antonia, tornando seu um lugar que não o era originalmente. À Faculdade de Filosofia só foi dado um "lugar" depois de duas ocorrências *terminais:* o desmembramento da Faculdade de Filosofia, Ciências e Letras, com a saída dos cursos de ciências que deram origem aos atuais institutos, e sua transformação em Faculdade de Filosofia, Letras e Ciências Humanas, por efeito da reforma universitária; e o incêndio do prédio da rua Maria Antonia pelos grupos paramilitares sediados na Universidade Mackenzie, com a conivência das autoridades de segurança pública e pelo menos a omissão das autoridades universitárias.

Que os responsáveis pela segurança da cidade e pela integridade da Universidade não tenham feito nada para preservar o prédio da Faculdade de Filosofia é fato significativamente revelador. Viram no episódio ocasião para separar e segregar a única escola que, no contexto da USP, possuía perfil autenticamente universitário, o que era expresso tanto no seu ideário de formação quanto na sua conduta crítica. Nesse sentido, tentavam destruir um outro "lugar", que não era nem o prédio nem o assento do Conselho Universitário: procuravam destruir o perfil de liberdade acadêmica e política que a Faculdade tentava construir e irradiar para o restante da Universidade, e também – aí está o mais grave – para a cidade. Com efeito, em 1968, a Faculdade de Filosofia e a rua Maria Antonia transformaram-se no pólo de resistência ao regime militar. Assim se explica o acordo tácito entre a autoridade civil, a autoridade militar, o esquema paramilitar mackenzista e *a própria USP*: mesmo sem poder e sem recursos, a Faculdade de Filosofia se havia tornado a espinha dorsal da Universidade enquanto crítica e resistência, e essa espinha precisava ser quebrada.

Era preciso não deixar à Faculdade outra alternativa que não fosse a retirada: nesse sentido é muito apropriado referir a desocupação da Maria Antonia a figuras de retirantes e exilados, bem como à intenção, talvez involuntariamente simbólica, por parte dos agressores, de que a consumação pelo fogo levasse ao esquecimento, como se fazia outrora com as casas dos condenados à morte, para que deles não restasse coisa alguma, nenhuma referência ou lembrança. Era preciso matar a memória[3]. Daí a significação do recomeço: nova configuração institucional, novo nome, outro *lugar*. Um lugar sem memória, neutro, longe, separado, segregado, mas ainda não um lugar propriamente seu: algo provisório, longamente, se possível indefinidamente provisório, para dificultar qualquer tentativa de recomposição coletiva, política e acadêmica. A precariedade proposital e a própria forma dos "barracões" que abrigaram cursos da FFLCH a partir de 1969 não têm nada a ver com o acaso. Depois de destruir o *lugar*, e assim enfraquecer o símbolo do pólo de agregação contestadora, era preciso também prevenir a continuidade da irradiação crítica e contestatária que emanava desse pólo. Tentou-se fazê-lo por via de uma ruptura nas condições em que antes ocorria a continuidade da vivência entre a universidade e a cidade, entre a vida universitária e a vida cidadã, nos seus diversos aspectos. Na rua Maria Antonia, essa continuidade não existia apenas devido à localização urbana: esta era apenas a causa ocasional de uma sociabilidade peculiar, construída na incorporação criativa que constantemente se dava na relação de reciprocidade entre a universidade e o contexto social. Daí a variedade quase caótica das modulações políticas e culturais ali cotidianamente gestadas.

É muito claro, portanto, que a idéia de cidade universitária comporta o significado de *gueto*, e isso, como se sabe, não apenas entre nós. Que o projeto de cidade universitária seja anterior às agitações políticas da Maria Antonia em nada desmente essa afirmação. Pois não se trata apenas de uma segregação motivada por distúrbios concretos (passeatas e manifestações), embora isso possa ter precipitado os acontecimentos. Trata-se de uma segregação da idéia crítica de universidade através da anulação das condições de sua expressão pública. Foi a impossibilidade de controlar essa expressão que gerou a idéia de seu confinamento. Nesse sentido, a separação corresponde ao propósito de tolher o caráter público da expressão contestadora, transformando atores e expectadores num círculo endógeno destinado a auto-exaurir-se. Se tal propósito por si mesmo não explica totalmente o fenômeno de despolitização da USP, pelo menos deve ser visto como uma de suas causas mais operantes. O propósito do gueto é confinar toda e qualquer expressão de diferença à homogeneidade, a ponto de tornar a manifestação inexpressiva, o que equivale a reduzi-la ao silêncio. Essa forma de domesticar a contestação, enquadrando-a em dispositivos que controlem e disciplinem, é característica das democracias formais, em que há empenho na minimalização dos conflitos e na marginalização de seus significados.

A conseqüência desse processo é a anulação da relação de cidadania entre a universidade e a cidade, o que faz parte da estratégia de provocar a rejeição social da instituição pública. A universidade é vista como excrescência, não como parte da cidade. Assim se impõe uma determinada representação da exclusão recíproca entre instituição pública e espaço público, como se a universidade pública não devesse ocupar o espaço da cidade. O *campus* afastado torna-se, então, a representação arquitetônica do isolamento e da fragmentação, que tendem a ser vistos como *naturais e necessários*. Ao mesmo tempo o imaginário popular é encorajado a ver nesse distanciamento e nessa separação uma forma de elitização da universidade e de discriminação da maioria da população, e disso se aproveitam os arautos da privatização para contestarem o sentido da universidade pública. De fato, o isolamento da universidade pública a impede de manter uma relação ativa de cidadania com a população. Mas isso acontece porque não interessa às verdadeiras elites que uma tal relação se concretize: em geral, quando se fala da relação entre universidade e sociedade, o que os governantes e a cúpula universitária têm em mente é a relação com as empresas e a universidade a serviço do capital, ou o público a serviço do privado, como prova eloqüentemente o fenômeno da proliferação das fundações e a impossibilidade de sequer disciplinar (quanto mais reverter) o processo. Percebe-se então que as cidades universitárias inscrevem-se num universo processual mais amplo, cujo parâmetro principal é a dissolução do espaço público e a desinstitucionalização da universidade.

A estratégia de rejeição utilizada dentro de uma planificação mais ampla de desmoralização das instituições públicas e o desmantelamento progressivo através de ações e omissões impede que se possa pensar numa "universidade para a cidadania", isto é, a instituição "como peça importante no jogo sócio-político de construção da cidadania, refletindo sobre as possibilidades de um saber e de uma prática universitários, voltados a conduzir para o centro da vida pública brasileira a figura do cidadão ativo (...)"[4]. Para que a universidade pudesse desempenhar esse papel, haveria que se promover uma ampla discussão político-institucional da inserção sócio-histórica da instituição e de sua função crítica na formação da consciência cidadã. Para isso seria preciso superar tanto a visão de cidadania como categoria jurídica quanto, de forma mais ampla, a visão exclusivamente normativa da sociedade. Temos de convir que já nos é impossível pretender sequer algo próximo a esse *desideratum*, porque a condição primeira, hoje recusada com veemência em nome da eficácia organizacional, seria que a própria universidade se dispusesse a discutir as relações complexas entre o processo de conhecimento e o poder político, considerando a questão acima das injunções conjunturais e partidárias e principalmente no plano ético[5].

Nesse sentido não deve surpreender que a relação entre universidade e sociedade, que deveria ter no vínculo entre a universidade e a cidade uma de suas expressões concretas, seja hoje tão somente objeto de considerações formais e preceitualistas, isso para não mencionar a extraordinária dose de hipocrisia presente nos discursos oficiais sobre o assunto. Quando se fala dos exemplos de relação entre universidade e sociedade nos países desenvolvidos, omite-se, em geral, que essa relação, nos Estados Unidos por exemplo, ocorre entre as grandes universidades e o complexo industrial-militar, razão pela qual o desenvolvimento da pesquisa é inseparável da alienação da autonomia aos interesses que comandam o financiamento dos grandes projetos[6]. Quando se chega a esse ponto, a impossibilidade da discussão ética torna-se elemento constitutivo da vida universitária. Como o mercado, em seus vários níveis, é impulsionado de diferentes maneiras, de forma que é preciso tanto despertar e exacerbar o desejo do pequeno consumidor quanto provocar guerras dispendiosas, a universidade de mercado participa desse processo, seja oferecendo-se como objeto de consumo, seja oferecendo aos manipuladores políticos do mercado subsídios, em termos de produtos e idéias, para a manutenção e expansão do sistema. Vivemos uma realidade tecnocientífica em que o progresso e o aprimoramento dos *meios*, isto é, a operacionalidade técnica, contrasta com a mais completa indiferença quanto à *finalidade*. Daí a dissolução de qualquer norma e de qualquer valor, fenômeno exaltado pelos entusiastas da chamada "pós-modernidade", que parecem não ver que essa diluição acontece como contrapartida de um incrível fortalecimento do caráter sistêmico da realidade social, cujo controle ultrapassa os mais radicais prognósticos de um Orwell ou de um Huxley[7].

O que prejudica uma autêntica relação de cidadania entre a universidade e a cidade é o desaparecimento da identidade coletiva do indivíduo cidadão. Numa relação orgânica entre o individual e o coletivo, é a comunidade que fornece o lastro para que alguém possa vir a constituir *comunitariamente* a sua individualidade. Os laços comunitários configuram a cidadania concreta, porque cidadão é aquele que está vinculado à cidade numa relação política, isto é, intrínseca. Quando o cidadão é apenas o *habitante* da cidade, como ocorre na época moderna, essa relação extrínseca não configura qualquer pertinência: a cidadania torna-se abstrata. Mais ainda, deparamo-nos com uma *privatização do conceito de cidadania*, conseqüência do individualismo exacerbado que caracteriza o nosso tempo[8]. Trata-se de um fenômeno social mais amplo, que no entanto se reproduz nitidamente na universidade. A competição, muitas vezes feroz, seja no âmbito da ascensão na carreira, seja pela obtenção de cargos ou pela produtividade, faz com que o indivíduo considere a universidade como um meio de competir e vencer pessoalmente, ficando o empenho institucional relegado a plano secundário, quando não desaparece. A avaliação estimula o processo: as instâncias de avaliação atuam como o *grande olho* que a todos controla por meio de regras gerais e impessoais, o que reduz o indivíduo a um elemento da cadeia de produtividade.

A prevalência do individualismo se dá em detrimento da comunidade. Não se pode dizer que a organização física das universidades em cidades universitárias tenha feito surgir comunidades de professores, funcionários e alunos. Pelos motivos mencionados acima, a comunidade aparece no máximo, e assim mesmo apenas em algumas ocasiões, como instrumento para que o indivíduo se afirme como tal, ou como uma instância à qual ele eventualmente recorre quando se sente prejudicado nos seus interesses particulares. Dessa forma cria-se o mito da responsabilidade individual relacionada à produtividade e ao mérito: é dever de cada um destacar-se individualmente, o que é interpretado como a responsabilidade que o vincula à instituição. Na verdade, a responsabilidade institucional, a excelência da universidade do ponto de vista do mérito coletivo e outras qualificações institucionais constituem apenas pano de fundo para a valorização do êxito particular, já que o destaque individual numa grande instituição é visto como mais significativo do que numa outra de menor porte. Daí a valorização da instituição no seu perfil *oficial* (principalmente no plano dos resultados quantitativos) e a desvalorização da *comunidade* que *faz* a instituição, mas que *ainda* não possui feição suficientemente homogênea para se identificar completamente com o perfil institucional *oficial*. Claro está que a desvalorização da instância do *político* como vínculo comunitário, mesmo enfraquecido, está muito presente nessa discriminação. O grande esforço que se desenvolve atualmente vai no sentido de abolir o caráter político (ou o que resta dele) da instituição universitária; o objetivo visado é claro: a abolição do caráter político é, ao mesmo tempo, a dissolução do perfil institucional e público. Resta então a opção organizacional ou o loteamento privado do espaço público.

O que há nisso de surpreendente, se também a cidade (o país) segue esse caminho, saudado duplamente pela maioria, por ser ao mesmo tempo o melhor e o único possível? Não se associa atualmente a responsabilidade governamental à manutenção e à ampliação do perímetro excludente da cidadania? Não é o fosso que separa incluídos e excluídos a própria marca registrada da eficiência tecnocrática no gerenciamento da economia e da moralidade que deve vigorar na manutenção dos "contratos"? Na linha da modernização conservadora que ultimamente deu novo fôlego ao neoliberalismo no país, a universidade certamente será, mais uma vez, reformada. O contexto político já nos pode antecipar algo dessas modificações, pois, ao que tudo indica, a universidade apenas terá que completar seu processo de adaptação, que até aqui tem sido um pouco retardado pelos estertores de um espírito crítico agonizante. A imposição do pensamento único não deve deixar muito espaço para a explicitação política de conflitos. A conciliação se dará pelas formas falsas da democracia e ninguém há de reclamar de uma eficácia que provenha da acomodação "sistêmica" dos interesses. Uma hábil campanha publicitária e uma boa exibição midiática poderão mostrar que o caminho para que a universidade pública saia do seu isolamento "elitista" já está aí, há muito tempo, à vista de todos: o mercado dos bens educacionais, tão estimulado pelos governos. Há que se vencer a renitência em relação à evolução e ao progresso e correr atrás do ensino superior privado, para descontar o atraso na adoção do novo paradigma e superar a ameaça de obsolescência. Os gestores da USP já estão nesse caminho há algum tempo, sendo que os procedimentos e os resultados aparentemente têm sido bem aceitos, pois não há qualquer iniciativa de discussão de critérios ou de outro tópico que envolva as significativas mudanças no perfil institucional que vão ocorrendo como se fossem simples ajustes administrativos. Se essa é a situação da maior universidade do país, não seria fundada qualquer expectativa de que as coisas pudessem seguir rumo diverso no sistema universitário brasileiro como um todo.

Da Igreja ao Estado, do Estado ao Mercado: a universidade parece ter completado o ciclo da sua existência – e o bom-senso indica que não há mais utopias a projetar no futuro, nem mesmo esperanças de transformação que possam ser "responsavelmente" alimentadas. No passado, muitos princípios governaram, de fato e de direito, as relações entre universidade e história, universidade e política, universidade e sociedade, universidade e liberdade, universidade e cidadania etc.: todos ruíram e trata-se de abandonar rapidamente os destroços, esquecer que um dia lá se abrigaram sonhos e projetos. O presente e o futuro pertencem aos que aderiram ao princípio de realidade.

Notas

1 Para o caso europeu, e especialmente francês, cf. Michel Freitag, *Le Naufrage de l'Université*, Paris/Québec, La Découverte/Nuit Blanche, 1995, sobretudo a excelente análise das relações entre a gestão tecnocrática do social e o advento da universidade organizacional, ou a falência da universidade institucional, pp. 9-72.

2 Cf. a respeito Florestan Fernandes. *Universidade Brasileira: Reforma ou Revolução?*, São Paulo, Alga-Omega, 1975, especialmente a análise da "escola superior-problema", a partir da p. 51.

3 Cf. a respeito Irene Cardoso, "Maria Antonia: A Interrogação sobre um Lugar a partir da Dor", em *Para uma Crítica do Presente*, São Paulo, Editora 34, 2001. Veja-se ainda, na mesma coletânea, "Maria Antonia: O Edifício de Número 294". Cf. também Azis Simão, "Na Faculdade", em M. L. Santos, *Maria Antonia: Uma Rua na Contramão*, São Paulo, Nobel, 1988.

4 Marília Muricy, "Universidade para Cidadania", em L. H. Pinheiro (org.), *Crises e Dilemas da Universidade Pública no Brasil*, Salvador, Editora da Universidade Federal da Bahia, 1995, p. 58.

5 *Idem*, p. 60.

6 Ao comentar casos da espécie, Robert Paul Wolff cita duas instituições importantes: "Tenho em mente a decisão de um Reitor, ou de um conselho de mantenedores que emprestam os recursos de uma universidade para atos criminosos de agressão externa, como na Universidade Estadual de Michigan, ou que permitem o isolamento de prédios e corredores para a pesquisa secreta, como no Massachussets Institute of Technology (MIT)" (R. P. Wolff, *O Ideal da Universidade*, São Paulo, Editora UNESP, 1993, p. 177).

7 Cf. Gilberto Dupas, *Tensões Contemporâneas entre o Público e o Privado*, São Paulo, Paz e Terra, 2003, especialmente a partir da p. 11.

8 Cf. *Idem*, p. 30. Talvez se possa associar a esse fenômeno de privatização da cidadania a tendência a identificar a defesa da cidadania com a proteção dos interesses privados, ao modo das associações que se propõem a defender direitos do indivíduo enquanto usuário ou consumidor.

A cidade e a cidade universitária: Autonomia, localismo e universalismo

Nina Beatriz Stocco Ranieri[*]

A cidade e a Cidade Universitária são áreas superpostas, uma dentro da outra e as duas com autonomia para decidir sobre o que lhes é próprio. Tornam-se correlatos, neste sentido, os conceitos de município e de universidade.

Há outras relações entre o município e a universidade que podem ser estabelecidas na perspectiva da autonomia. Levadas a extremos, a autonomia municipal e a autonomia universitária, cotejadas à contraposição local/universal que as diferencia e à divisão marcada pelos limites físicos das respectivas áreas, poderiam ensejar uma visão excludente e dicotômica entre ambas, na base da independência mútua ou do "dentro/fora". Isso não se verifica no campo do direito e nem se confirma no plano dos fatos.

No plano político, situações assemelhadas, como a compatibilização das competências municipais e estaduais, foram promovidas pelos sistemas federativos. Em horizonte mais amplo, a conciliação de competências dos Estados dentro de organismos supraestatais, no caso da União Européia por exemplo, foi estabelecida pela via da aplicação do princípio da subsidiariedade. Nas duas hipóteses, o substrato da compatibilização reside na idéia de que as decisões que afetam interesses locais devem ser tomadas o mais próximo possível dos cidadãos, intervindo o ente maior somente nas situações em que sua ação é mais eficaz que a local. Em ambos os casos, a convivência política não despreza a autonomia dos entes envolvidos.

Nas relações entre a cidade e a Cidade Universitária, a autonomia é justamente o elo que promove a integração.

Para o direito, o significado mais amplo de autonomia indica a possibilidade de autodeterminação e, por conseguinte, poder, capacidade jurídica e direitos subjetivos. A acepção mais estrita, recolhida do conceito político formulado na Idade Média, que justificou e legitimou os poderes locais, designa o autogoverno, a determinação das próprias regras de organização e conduta e, também, o caráter específico e peculiar dos ordenamentos jurídicos que indivíduos ou entidades constituem para si próprios, em oposição aos que lhes são impostos[1].

Foi o poder de *autonormação* que permitiu, nas origens e no curso de suas respectivas evoluções históricas, a afirmação da soberania popular, o atendimento do peculiar interesse do município e a estruturação da universidade como instituição social voltada ao saber.

"... é na comuna que reside a força dos povos livres", diz Alexis de Tocqueville, em *A Democracia na América*[2].

"Sem instituições comunais", prossegue, "pode uma nação dar-se um governo livre, mas não tem o espírito da liberdade", porque são as instituições comunais que colocam a liberdade ao alcance do povo, habituando-o a servir-se dela pela prática política. Em outras palavras, propiciam e favorecem a cultura da democracia.

As idéias de autogoverno e de participação dos negócios públicos presentes nessas observações remetem ao conceito de "coisa pública". A *res publica*, de acordo com a célebre definição ciceroniana, é "a coisa do povo", considerando-se povo, neste caso, não uma agregação qualquer de homens, mas uma sociedade mantida junta mais pela *utilitas comunione* do que por um vínculo jurídico.

Utilitas comunione e *res publica*, exercício da liberdade e autonomia, são alguns dos muitos elos que, a meu

[*] Professora doutora da Faculdade de Direito da USP e Secretária-Geral da USP.

ver, unem a cidade e a Cidade Universitária, o município, a universidade e o cidadão.

O Município e a universidade

Em Roma, a partir do séc. III a.C., foram denominados *municipia* os territórios pertencentes a comunidades originariamente independentes que, incorporados ao território estatal romano, perdiam a natureza de *civitas*.

Aos *municipia* eram impostos certos serviços e prestações (*munera capere*[3]) e exigida a submissão às leis romanas, garantida certa autonomia, que se expressava pela preservação de normas e costumes locais preexistentes, especialmente no campo das relações privadas e na organização administrativa exercida pela magistratura e corporações locais. Esta circunstância não depende da forma de incorporação dos habitantes à cidadania romana, que, de modo geral, não incluía direitos políticos, especialmente o direito de voto, até prova de inconteste fidelidade e progressiva latinização.

A variedade organizacional dos *municipia* só foi unificada em 45 a.C. pela *lex Julia municipalis;* até então tais órgãos administrativos eram confirmados *ex novo* pela lei romana e coexistiam com a administração do *praefecti iure dicundo*, simples representante do pretor[4].

A concepção da autonomia como privilégio ressurge na Europa Ocidental nos séculos XI e XII, quando a Igreja e o agonizante Sacro Império Romano-Germânico reconhecem poderes de autonormação a núcleos isolados de poder.

Mas se em Roma as cidades perdiam sua condição de soberania em troca da honra de pertencer à romanidade, pela aquisição da cidadania (com ou sem voto) e da igualdade de direitos civis, preservada a autonomia administrativa, aqui o reconhecimento da autonomia se faz justamente para preservar a autoridade do Imperador e do Papa. Tal reconhecimento atende a necessidades políticas e econômicas dos senhores feudais e da incipiente burguesia, e garante a autonomia judicial e administrativa das aglomerações urbanas.

No plano jurídico, para compatibilizar o exercício do poder de autonormação nas várias esferas de poder, desenvolve-se a noção de *iurisdictio*, que corresponde ao complexo de poderes e funções necessárias e suficientes à existência dos ordenamentos particulares e, por conseqüência, à coexistência das mesmas. Nos vários graus de *iurisdictio*, da máxima (o imperador no mundo) à mínima (o proprietário em seu feudo), a esfera do poder é plena e encontra em si mesmo o seu fundamento. Consoante o sistema político medieval, a fórmula era restrita a um espaço físico limitado, correspondente a uma circunscrição jurisdicional na qual o direito aplicável, embora autodeterminado, não podia extrapolar o direito comum vigente e nem o poder que consentia em sua existência[5].

É nesse contexto que o conceito de autonomia passa a referir-se à autolegislação, nem ilimitada nem soberana, manifestada nos *statutum*, nos *jussa* públicos e privados e por meio de contratos. É nesse ambiente que as comunas têm sua ascensão marcada pelo renascimento comercial e pela conquista de poderes de autonormação, e que as universidades surgem como corporações de ofício que exigem autonomia na condução de suas atividades frente aos poderes constituídos.

As corporações universitárias tinham por finalidade a preservação e o desenvolvimento do saber, a ajuda mútua de seus membros e a organização da profissão. Ocupavam áreas e bairros determinados nas cidades e regulamentavam-se mediante estatutos próprios reconhecidos e legitimados pelas autoridades locais e religiosas. Não foram, contudo, corporações iguais às demais. A natureza das atividades que desenvolviam, aliada à clientela que atraiam, provocaram a internacionalização da comunidade universitária e do saber. Favorecidas pela utilização do latim como língua universal de cultura, as universidades sobrepuseram-se ao ambiente urbano em que nasceram e romperam o localismo próprio das corporações de ofício. No decorrer do tempo, paradoxalmente, isolaram-se na procura incondicional da verdade.

Firmada a especialidade de seu ofício e o reconhecimento da sua identidade social como instituições produtoras de conhecimento, as universidades conquistaram autonomia, mediante a legitimação de seus estatutos pelo Papado (a Universidade de Paris, em 1231, e a de Bolonha, em 1219, apenas para citar duas), competiram com o

Estado e a Igreja e construíram, ao longo de sua história, certa independência em relação a esses poderes. E da mesma forma as comunas, especialmente as inglesas, cuja autonomia, florescente, daria causa ao que, séculos mais tarde, denominar-se-ia *self government*, o regime administrativo descentralizado inglês.

Ainda que na comparação município/universidade se contraponham o localismo e o universalismo, representando características próprias e definidoras de suas essências enquanto instituições sociais, são esses mesmos elementos que reforçam a autonomia de ambos em face da especificidade das respectivas missões.

A cidade de São Paulo e a Universidade de São Paulo

A autonomia também está presente nas origens dos municípios no Brasil, em razão da forma de povoação do território.

O município brasileiro surgiu espontaneamente da vida social, pelo fenômeno da vizinhança e da associação em torno da capela, sem qualquer interferência do Estado. Daí sua autonomia.

Refere Ataliba Nogueira[6] que o município de São Paulo, dezenas de anos após a sua fundação, não possuía qualquer exemplar das Ordenações do Reino. O costume e as leis editadas na Câmara Municipal conviveram por largo período fora de qualquer controle da Coroa portuguesa. É o que comprovam trechos das atas da Câmara da Cidade de São Paulo, nos quais o cumprimento do que "mandava sua majestade em suas reais leis" era, via de regra, superado pela constatação de que "procederam como era uso e costume".

Efetivamente, conclui o autor, "mesmo quando conhecidas as Ordenações do Reino, não tendo como destinatários os habitantes do Brasil, não poderiam reger-lhes as relações sociais, máxime no que respeita ao direito público. O legislador não conhecia o meio ambiente para poder reger-lhes as relações sociais"[7].

A autonomia política, judiciária e administrativa dos primeiros municípios brasileiros, observada até o final do século XVII, quando as fontes do direito local começam a ser restringidas por diplomas régios específicos para o Brasil, resulta, portanto, do livre desenvolvimento da sociedade e não do reconhecimento ou concessão de poderes de autonormação pelo Estado. É também a causa do vasto âmbito de suas competências em comparação com os seus congêneres portugueses, os "concelhos", que no século XVI tiveram sua autonomia restringida pelos legistas da Coroa.

"A liberdade comunal é coisa rara e frágil", observa Tocqueville, "[...] enquanto não se tenha introduzido nos costumes, é fácil destruí-la e ela pode introduzir-se nos costumes somente depois de ter, por muito tempo, subsistido nas leis"[8].

A centralização administrativa iniciada no Brasil com o sistema de Vice-Reinados, em detrimento da autonomia dos municípios e das províncias, reforça-se com a vinda de D. João VI. Durante o Primeiro Reinado, em 1834, concede-se certa autonomia administrativa e competência legislativa às províncias, mas não aos municípios. A proclamação da República e a adoção do sistema federativo americano às avessas, por via do fortalecimento do centro em detrimento da periferia, deixou os municípios fora do pacto.

No desenvolvimento do direito público brasileiro, somente a partir da Constituição Federal de 1988 é que o município passou a integrar a federação, com autonomia política, administrativa e financeira. Contudo, apesar de suas origens e da proteção constitucional do peculiar interesse municipal por via da competência legislativa exclusiva[9], não se pode afirmar que a idéia da autonomia como autogoverno (exercido pelos habitantes) tenha permanecido nos seus costumes, salvo em pequenas localidades.

O cidadão distanciou-se da coisa pública. Interfere muito pouco nos negócios públicos e não mais exerce a liberdade por meio das instituições comunais. Ademais, o crescimento populacional e a sua concentração nas áreas urbanas põem em xeque o próprio sentido do peculiar interesse que, em cidades como São Paulo, passa de local a metropolitano.

A universidade brasileira, por sua vez, não surge em ambiente de autonomia nem é uma criação espontânea de profissionais que se dedicam ao saber. Pelo contrário, sua criação, artificial como instituição social, resultou da necessidade diplomática de se conferir um título universitário de doutor *honoris causa* ao rei Alberto da Bélgica, em visita ao Brasil em 1920. Os estudiosos da matéria são unânimes em relação a ser este o motivo "real" da criação da Universidade do Rio de Janeiro, pela união das Escolas Politécnica e de Medicina, acrescidas de uma Faculdade de Direito, à qual foi conferida autonomia didática e administrativa, logo suprimida, em 1925, pela reforma Rocha Vaz.

O controle estatal sobre as universidades brasileiras é acentuado pela reforma Francisco Campos em 1930 (que uniformiza a sua organização por meio do Estatuto das Universidades Brasileiras, dentre outras medidas) e, posteriormente, em 1934, pelo Regulamento das Universidades Estaduais Equiparadas[10].

Nesse contexto é criada a Universidade de São Paulo, em 1934, sob regime menos rígido que o determinado pelo Estatuto das Universidades Brasileiras, garantida a autonomia didática, científica e administrativa, por meio do Decreto 6283, de 25 de janeiro. Considerava-se, ainda, a possibilidade de completa autonomia econômica e financeira, uma vez constituído um patrimônio com cuja renda se mantivesse (cf. art. 24). A aprovação de seus estatutos em setembro do mesmo ano, entretanto, suprimiu parte dessa autonomia, especialmente no que dizia respeito à auto-regulamentação e à escolha de dirigentes.

Simultaneamente à constitucionalização da autonomia municipal dá-se a da universidade, face à previsão expressa do art. 207 da Constituição de 1988. Assim, da perspectiva do direito constitucional brasileiro, as respectivas dimensões de autonomia garantem a ambos a prerrogativa de se dar normas, de decidir sobre o que lhes é próprio, em diferentes áreas e níveis, estabelecendo entre ambos uma relação de igualdade, de inexistência de hierarquia. No caso do município, a autonomia, decorrente do pacto federativo, é política e administrativa e volta-se inteiramente ao interesse local; no caso da universidade, todos sabem, a autonomia é exercida nas vertentes didático-científica, administrativa e de gestão financeira e patrimonial, para melhor atendimento das atividades-fins, o ensino, a pesquisa e a extensão[11].

Em ambos não se trata de ser independente ou soberano, mas de ser autônomo dentro dos limites fixados pela Constituição, tendo em vista o interesse público, o bem comum, fins do Estado que a universidade deve necessariamente perseguir. A identidade de finalidades, em última análise, é mais um dos vínculos que unem a cidade e a Cidade Universitária. Também neste sentido os conceitos de município e universidade são correlatos.

Localismo e universalismo

A dicotomia localismo/universalismo não significa oposição entre a cidade e a Cidade Universitária. Basicamente há três argumentos nesta direção, excluído o da globalização, que apresenta novas demandas de autonomia local.

Em primeiro lugar, a cidade de São Paulo é cosmopolita, tendo-se desenvolvido sob fluxos migratórios nacionais e estrangeiros. Ou seja, a cultura urbana não é rigorosamente local.

Em segundo lugar, porque, tecnicamente, a definição do "local" se faz hoje em relação à compatibilização de competência entre as demais esferas políticas, a regional, relativa ao Estado, e a nacional, relativa à União, de acordo com a organização federativa adotada no país. No plano dos fatos, o seu peculiar interesse expandiu-se na medida de suas dimensões de megalópole. Neste caso, a noção de contradição social e política é substituída, literalmente, pela de contigüidade.

Não se pode, portanto, dizer que o ambiente urbano seja fechado nem que os problemas relativos à qualidade de vida e segurança na cidade, por exemplo, não afetem uma comunidade maior.

Em terceiro lugar, ser "local" não significa estar excluído do mundo. Mesmo que se considerasse a possibilidade de o município ser perfeitamente auto-suficiente, ele estaria inserido numa comunidade maior, alcançando as esferas nacional e internacional e abrangendo toda a humanidade.

Francisco de Vitória já tinha esta visão humanista sobre a expansão da *orbis* para a *comunitas orbis* no séc. XVI, contemporaneamente à afirmação das comunas medievais e aos grandes descobrimentos, propondo sua construção pela configuração da ordem mundial como sociedade natural de Estados na qual povos e Estados seriam detentores de direitos naturais[12]. Ao final do séc. XX, a era da informação propõe uma nova forma de organização social. Conectam-se, por meio desta, o local, o regional, o nacional e o global, não idealmente, em face do direito natural, mas efetivamente, devido às redes possibilitadas por tecnologias da informação que operam à velocidade da luz.

O município de São Paulo, por exemplo, uma das treze megacidades identificadas pela ONU com mais de 10 milhões de habitantes em 1992, tem nos "nós" da rede da economia global que nela se concentram a causa objetiva de sua aglomeração populacional, conforme observa Manuel Castells. Dentre eles, as funções superiores de direção, produtivas e administrativas, o controle da mídia, a política do poder, a capacidade de criar e difundir imagens etc[13].

Ora, a estrutura social baseada em redes constitui um sistema aberto e dinâmico, suscetível de inovações sem ameaças ao seu equilíbrio. Isso possibilita a suplantação do espaço, e mesmo do tempo. Escolas e universidades, paradoxalmente, diz Castells[14], são as instituições menos afetadas pela tecnologia da informação e a organização em redes, apesar da relevância destas no desenvolvimento e na transmissão do conhecimento. "É que a qualidade da educação ainda está, e estará, por um longo tempo, associada à intensidade da interação pessoal."[14]

Além disso, não pode a universidade moderna se excluir da dimensão local, sob pena de perda da sua referência e a da sociedade na qual se insere. É inegável a sua responsabilidade social, o que a distingue fundamentalmente de suas tradicionais ancestrais.

O movimento estudantil dos anos de 1960 foi talvez o porta-voz mais radical da reivindicação da quebra do isolamento universitário em favor da intervenção social; contudo, é da concepção da multidiversidade, elaborada por Clark Kerr[15] e aplicada à universidade, que resulta a teorização do utilitarismo de suas atividades-fins, disponibilizando-as para o desempenho de serviços públicos e a satisfação de necessidades sociais. Trata-se, enfim, de uma "instituição no centro dos acontecimentos"[16].

Prova disso é a presença da USP em Rondônia, onde realiza um projeto de pesquisas médicas e biológicas, voltadas para moléstias parasitárias ou infecciosas e assistência à população local. No círculo mais restrito da comunidade imediatamente envolvente, a instituição se expande agora para a Zona Leste do município de São Paulo, comprometendo-se, além da formação de quadros, com o enfrentamento de problemas sociais ali existentes.

A explosão de suas funções, rompendo a dualidade original ensino/pesquisa para incluir a extensão universitária, reflete essa situação e é correlata ao aumento populacional, à crescente complexidade da vida contemporânea e à associação inevitável entre educação e trabalho, que potencializam a demanda pelo ensino em todos os níveis.

No mundo contemporâneo, o local e o universal não se opõem em termos conceituais ou político-ideológicos. Hoje, opor o local ao universal é quase uma aberração lógica, dada a interdependência e a indissociabilidade dessas categorias, especialmente no campo da ciência e da cultura.

É o que se comprova no plano dos fatos.

A universidade e a comunidade

Em 25 de janeiro de 1934 foi criada a Universidade de São Paulo e, em 22 de setembro de 1944, dez anos depois, declarou-se de utilidade pública a desapropriação de uma área de terreno e respectivas benfeitorias, nesta Capital, Distrito de paz do Butantã, 14ª Zona Distrital, destinada à construção da Cidade Universitária[17]. Hoje, a área total da Cidade Universitária perfaz 4 320 899,45 m², dos quais 671 950,05 m² são utilizados por instituições diversas como o Instituto de Pesquisas Energéticas e Nucleares (IPEN), o 16º Batalhão de Polícia Militar e o 93º Distrito Policial, o Paço das Artes, e o restante pelos diversos institutos, escolas, faculdades, museus e Hospital Universitário.

A par das atividades tradicionais de ensino e pesquisa, a área da Cidade Universitária vem sendo intensamente utilizada para a prática de esportes individuais. Centenas de pessoas ali praticam, no início da manhã e da noite, a caminhada e a corrida, entre outras atividades físicas. Aos sábados, a cena esportiva se intensifica.

O fenômeno de massa é recente, embora alguns grupos utilizem a Cidade Universitária para treinos de corrida há mais de dez anos, sem considerar a prática do remo, que é ainda mais antiga. A utilização desse espaço para fins esportivos não é um tema pacífico nas relações entre a cidade e a Cidade Universitária. A busca da qualidade de vida pela população, acirrada pela falta de parques e de opções de lazer, ensejou, mais de uma vez, ações judiciais pleiteando a abertura indiscriminada da área para o público. Nenhuma delas foi julgada procedente.

Cabe, porém, deixar claro que a Cidade Universitária é uma área pública, mantida com recursos públicos provenientes do orçamento da USP, destinada a uma finalidade específica e com o seu uso limitado por lei. Os interesses privados, expressos pela liberdade de ir e vir, e mesmo pelo direito ao lazer, são restringidos pelos interesses da coletividade.

O uso limitado e regulamentado é uma das formas de conciliar o público e o privado, numa relação complementar que se solidifica na medida em que o interesse individual corresponde ao coletivo. Esta relação cria os meios necessários para a própria manutenção e conservação da área e para a preservação do espaço do ensino e da pesquisa. Em outras palavras, pode estimular a retomada do elo com a cidade a partir da Cidade Universitária.

Outra forma de promover a conciliação público/privado, em prol do interesse coletivo, dá-se por meio da difusão cultural, sendo múltiplas e constantes as oportunidades que a Cidade Universitária oferece aos paulistanos em seus acervos de arte e vários outros de natureza científica ou documental.

O do Museu de Arte Contemporânea (MAC) é um deles, no qual coexistem grandes instalações, vídeos, esculturas e telas de artistas plásticos renomados. Seu acervo, no gênero, é o maior na América Latina, com aproximadamente 6 mil obras, ocasionalmente expostas fora do *campus*. Milhares de crianças e jovens da comunidade, em visitas monitoradas e pré-agendadas pelos colégios do município, percorrem freqüentemente as suas instalações.

As bibliotecas da Universidade reúnem um patrimônio de quase 4 milhões de volumes e estão sempre abertas à comunidade externa. Mais de cem eventos de natureza científica e cultural são realizados no *campus* da capital, a cada semana.

O Instituto de Estudos Brasileiros (IEB), fundado pelo historiador Sérgio Buarque de Holanda quando professor da USP, é outro espaço da Cidade Universitária já incorporado à vida cultural de São Paulo. Em quase quarenta anos de atividade, o IEB contabiliza em seus acervos cerca de 100 mil volumes, 250 mil documentos e duas mil obras de arte. Além das bibliotecas que pertenceram a Mário de Andrade e a outros grandes nomes da literatura nacional, ali se abrigam, disponíveis para consulta, raros originais de escritores como Guimarães Rosa e Graciliano Ramos, entre outros.

O Instituto de Estudos Avançados, outro elo marcante entre o *campus* da Capital e a cidade pensante, oferece um referencial superior de excelência, fórum permanente de debates das grandes questões da ciência e da cultura. Ao longo de mais de quinze anos, ali se realizaram cerca de 1500 memoráveis seminários voltados para a discussão de temas nacionais e mundiais.

No campo da música, a Orquestra Sinfônica da Universidade de São Paulo (Osusp) realiza temporadas no anfiteatro da Cidade Universitária, abertas à comunidade. Apresenta-se também fora do campus, marcando sua integração com a cidade. Da mesma forma, a Orquestra de Câmara e o Coralusp.

Chama atenção, para o propósito deste artigo, a composição do Coral. Dele participam não apenas alunos da USP, como é o caso da Orquestra de Câmara, mas também, e majoritariamente, jovens da comunidade, que recebem aulas de canto e outras importantes noções musicais até se incorporarem aos grupos estáveis mantidos pelo Coral.

Há ainda os cursos gratuitos de extensão, oferecidos em várias unidades acadêmicas, estreitando os vínculos da USP com os diversos segmentos da população. Esses cursos, chamados de "difusão", "atualização", "aperfeiçoamento" ou "especialização", dependendo de suas características acadêmicas, cobrem uma vasta gama de temas, da "Gestão e Tecnologias de Qualidade" à "Astronomia: uma Visão Geral", de "Educar na Sociedade da Informação" à "Introdução à Modelagem Molecular", por exemplo. No total, são centenas de horas-aula e centenas de alunos que não integram o corpo discente da Universidade, dada a natureza dos cursos, mas que também atuam em favor da "via de mão dupla" entre a cidade e a Cidade Universitária.

Os projetos "A Universidade Aberta à Terceira Idade" e "A Universidade e as Profissões" são outros nós dessa rede de interação. No primeiro, homens e mulheres de mais idade freqüentam regularmente as aulas de graduação, independente de vestibular e sem obtenção de diploma; no segundo, alunos do ensino médio visitam faculdades, institutos, escolas e laboratórios, recebendo informações que podem ajudar na opção de carreira e nos seus projetos de vida.

Todas essas referências foram alinhadas com o propósito de realçar, e reafirmar, a vocação pública da Universidade de São Paulo em suas relações com os "vizinhos".

A expressão "vizinhos" é também significativa por outras razões, nomeadamente as enfatizadas em discurso atribuído a Péricles, no qual faz elogio do mérito e da democracia, feito no ano 431 a.C, em Atenas:

> Vivemos sob uma forma de governo que não se baseia nas instituições de nossos vizinhos; ao contrário, servimos de modelo a alguns ao invés de imitar outros. Seu nome, como tudo depende não de poucos mas da maioria, é democracia. Nela, enquanto no tocante às leis todos são iguais para a solução de suas divergências privadas, quando se trata de escolher (se é preciso distinguir em qualquer setor), não é o fato de pertencer a uma classe, mas o mérito, que dá acesso aos postos mais honrosos; inversamente, a pobreza não é razão para que alguém, sendo capaz de prestar serviços à cidade, seja impedido de fazê-lo pela obscuridade de sua condição[18].

A relação entre democracia e mérito, forjada pelos antigos gregos para expressão da vontade dos cidadãos, sugere mais um vínculo entre o município e a Universidade. A seleção pelo mérito, expressa no acesso ao ensino superior, no ingresso e na evolução na carreira docente, que é característica própria da Universidade, interfere diretamente na gestão democrática do ensino, na qualidade e intensidade do fluxo de idéias e contribuições acadêmicas e científicas que partem do *campus* para a cidade. Essse, em verdade, é o fundamento da dimensão simbólica da Cidade Universitária.

Materializa-se assim o princípio inscrito ao pé da torre da praça central da Cidade Universitária: No universo da cultura o centro está em toda parte. Eis um conceito que propõe, antes de tudo, a integração.

Não são "localismos" que devem reger o diálogo entre a Universidade e a Cidade, mas o que há de comum em ambas, especialmente no plano da história e da cultura. A partir das respectivas autonomias, esta relação já se manifesta no exercício mútuo e cotidiano do pluralismo, do convívio na diversidade, na sinergia e na cooperação.

Notas

1 Cf. Santi Romano, *Fragmentos de um Diccionario Jurídico*, Buenos Aires, Eds. Jurídicas Europa-América, 1964, pp. 37-38.
2 *A Democracia na América*, Belo Horizonte, Itatiaia, 1987, p. 54.
3 Sendo "capere" pegar, capturar e "munus" serviço, encargo.
4 Cf. Vincenzo Arangio-Ruiz, *Storia Dell Diritto Romano*, Napoli, Casa Editrice Dor. Eugenio Jovene, 1979, p.115; J. Arias Ramos & A. A. Arias Bonet, *Compendio de Derecho Publico Romano e Historia de las Fuentes*, Valladolid, s/ed., 1983, p. 66; Wolfgang Kunkel, *Historia Del Derecho Romano*, Barcelona, Ariel, 1972, p.45.
5 A respeito, já me manifestei anteriormente, cf. *Autonomia Universitária*, São Paulo, Edusp, 1994, pp. 18-9.
6 Cf. Ataliba Nogueira, "Teoria do Município", em *Revista de Direito Público* n. 6, pp. 7-21, São Paulo, Ed. Revista dos Tribunais.
7 *Idem*, p. 10.
8 *Idem*, p. 53.
9 Art. 30, I, da Constituição Federal.
10 Cf. *Autonomia Universitária*, pp. 73-74.
11 Cf. Constituição Federal, arts. 18 e 30, relativamente à autonomia municipal e art. 207, relativamente à autonomia universitária.
12 Cf. Luigi Ferrajoli, *A Soberania no Mundo Moderno*, São Paulo, Martins Fontes, 2002, pp. 6-7.
13 Manuel Castells, *A Sociedade em Rede*, 6. ed., São Paulo, Paz e Terra, 2002, vol. I, pp. 492-493.
14 *Idem*, pp. 486-487.
15 Clark Kerr, *The Uses of University*, Cambridge, Massachussets, Harvard University Press, 1982, p. 42.
16 *Idem, ibidem*.
17 Cf., respectivamente, os decretos n. 6283, de 25.1.34 e o n. 14190, de 22.9.44.
18 Tucídides, *História da Guerra do Peloponeso*, trad. Mário da Gama Cury, Brasília, Editora da Universidade de Brasília, 1982, l. II, 37, p.98.

Cidade universitária e cidades do conhecimento

Gilson Schwartz[*]

O *campus* da USP visto não como um espaço físico e sim como uma rede digital de projetos cooperativos nas áreas de ensino, pesquisa e extensão: essa é uma das metáforas da Cidade do Conhecimento, uma versão aberta da USP na Internet. O portal já acumula significativo acervo *on-line* de material multimídia para o ensino médio e fundamental e um número crescente de projetos cooperativos nas mais diversas áreas do conhecimento.

A rigor, há muitas "usps" digitais e ainda está por se fazer o mapa das informações estratégicas sobre essas várias camadas e redes que atravessam e são atravessadas pela USP. A Cidade do Conhecimento considera esse mapa um objeto de pesquisa, funcionando como um laboratório de experimentação e desenvolvendo um observatório que tem como horizonte mais amplo o surgimento da economia da informação e da sociedade do conhecimento. Promove a criação, a incubação e o desenvolvimento de projetos por meio de redes digitais colaborativas.

Nesse texto sugiro, com base nos resultados e metodologias adotadas pela Cidade do Conhecimento, algumas diretrizes e agendas que podem servir como ponto de partida para reflexões mais amplas sobre o significado da educação a distância e, nesse contexto, da informática pública e comunitária como território por excelência da inclusão digital mediada pela universidade pública no Brasil.

Cidade do conhecimento: Projeto do IEA

Criada como laboratório no âmbito do projeto "*Knowware*: O Espaço-Tempo da Sociedade da Informação", aprovado em concurso realizado pelo Grupo de Estudos sobre Tecnologias de Informação e Comunicação do Instituto de Estudos Avançados (IEA) em 1999, a Cidade do Conhecimento iniciou o processo de incubação de redes de aprendizado permanente e de produção colaborativa de conhecimento em 2001, abrindo nova frente de conexão com o Ensino Médio e Fundamental por meio do programa "Educar na Sociedade da Informação".

O primeiro projeto de pesquisa foi a prototipagem, simulação e avaliação do programa "e-voluntários" da área de assuntos comunitários da IBM do Brasil. Também em 2001, a Cidade do Conhecimento atendeu a uma demanda do Ministério da Ciência e Tecnologia e organizou uma conferência ibero-americana sobre a sociedade da informação. Em 2002 aumentou o número e a densidade das redes associadas à Cidade do Conhecimento, passando a incluir entes públicos, privados, terceiro setor e academia no Brasil e no exterior.

Esse processo amadureceu ao ponto de a Cidade estruturar-se, ao longo de 2003, para atuar como uma rede de projetos em escala nacional e internacional, projeto que foi batizado como "SPiN" e culminou na parceria com o programa Gesac e outros agentes do governo federal para a instalação de "cidades do conhecimento" ou aplicação de suas metodologias em vários pontos estratégicos do território nacional, mediante convênio com o Instituto Nacional de Tecnologia da Informação (ITI) da Casa Civil da Presidência da República.

É uma evolução rápida e de alto impacto, tanto em-

[*] Diretor da Cidade do Conhecimento (Instituto de Estudos Avançados da USP) e professor do programa de pós-graduação do Departamento de Cinema, Rádio e Televisão da Escola de Comunicações e Artes da USP.

pírica (por exemplo o número crescente de pessoas diretamente beneficiadas) quanto midiática e intangível, pela identificação de melhores práticas, crítica ativa a políticas públicas e estratégias privadas, enriquecimento da agenda sobre o tema economia da informação e sociedade do conhecimento no Brasil e em centros de referência no exterior, tais como o MIT, a Universidade de Ottawa, a Universidade de Kyoto ou o Infonomics Institute em Maastricht.

A incubação de redes de projetos, em parceria com outras universidades no Brasil e no exterior, mimetiza processos inovadores de articulação entre educação, processo produtivo e formulações estratégicas sobre os impactos de longo prazo das tecnologias de informação e comunicação na economia e na sociedade.

Esse padrão de desenvolvimento é, repita-se, apenas mais um exemplo de uma tendência mais ampla, no Brasil e no mundo, de transformação da universidade não apenas pelos impactos técnicos e mercadológicos da Internet e da educação a distância, que já é um componente decisivo, mas sobretudo pelas possibilidades de efetiva democratização dos modelos de gestão do conhecimento em todas as organizações do país.

Cidades digitais no Brasil: O papel das universidades

As universidades públicas podem tornar-se nos próximos anos agentes mediadores de projetos de transformação cultural, social e econômica, por meio de tecnologias de informação e comunicação.

O primeiro ensaio de "exportação" da agenda da Cidade do Conhecimento para outra cidade é a incubação da Rede Pipa Sabe (www.cidade.usp.br/pipa) no Rio Grande do Norte, em parceria com a Universidade Federal do Rio Grande do Norte. A iniciativa coloca em primeiro plano a missão de jogar uma "rede" sobre Pipa e região (município de Tibau do Sul, incluindo o quilombo de Sibaúma e praia de Pipa), sensibilizando talentos, revelando-os e incubando projetos, empreendimentos, produtos e serviços capazes de liderar uma revolução cognitiva na cadeia de produção do turismo local, com os seguintes objetivos:

- Promover, através da produção de educação, cultura, ciência e tecnologia, conhecimento e sabedorias populares uma *reengenharia das cadeias produtivas* em favor da geração de oportunidades de emprego, renda e investimentos na localidade de Pipa e região, enriquecendo o calendário turístico local de forma sustentável, com ênfase no uso das novas mídias digitais (indústria do audiovisual, educação a distância, comércio eletrônico, comunidades virtuais de prática e microfinanças).
- Criar as *bases para uma rede autônoma de aprendizado permanente*, quadripartite (público, privado, terceiro setor e academia) na região, apoiando projetos estratégicos de empreendedores locais comprometidos com um projeto mais amplo de concertação social (criação de selo e certificação).
- Conectar essas bases a uma *rede de produção de metodologias, indicadores, métricas e casos práticos*, moderada pela Cidade do Conhecimento do Instituto de Estudos Avançados da Universidade de São Paulo, com participantes no país e no exterior (SPiN), apoiada pela Secretaria Especial do Conselho de Desenvolvimento Econômico e Social da Presidência da República, pelo Ministério das Relações Exteriores, pela Casa Civil da Presidência da República e pelo programa Gesac (www.gesac.gov.br), entre outras organizações.
- Incluir na Rede Pipa Sabe outros setores produtivos locais não diretamente ligados à produção de cultura, conhecimento e entretenimento, sobretudo a agricultura familiar e outras fontes de emprego e renda para camadas de baixa renda.

Esse processo mais amplo de transformação pode ser visualizado como o surgimento de uma "cidade escola", pois o *investimento público e privado em redes de saber e aprendizagem, universais e permanentes* é a base da integração social e econômica dos indivíduos e do desenvolvimento sustentável, local e globalmente. Ao mesmo tempo, a própria USP encontra nesse espaço de ensino, pesquisa e extensão novas oportunidades de desenvolvimento (o lançamento da Rede Pipa Sabe contou com a participação e parceria da Escola do Futuro e da Cecae).

Um dos aspectos estratégicos mais relevantes da dinâmica de incubação de redes que ganha proeminência a partir do projeto em Pipa é o da utilização de moedas sociais, complementares ou culturais. O tema foi objeto de debate durante o evento "Saber Global: Centro e Periferia na Sociedade do Conhecimento", do Conselho de Desenvolvimento Econômico e Social da Presidência da República, cuja organização contou com o apoio e participação da Cidade do Conhecimento[1].

Nesse seminário internacional foi apresentada a proposta de Pietro Folena e Umberto Sulpasso de *design* e gestão de moedas e créditos sociais, aplicando conceitos de financiamento keynesiano à indústria da cultura, vista como alavanca estratégica de todas as possibilidades de desenvolvimento humano futuro.

A criação de novas moedas pode ser entendida como uma inovação no campo das políticas de renda (tais como renda mínima e outros procedimentos de focalização de políticas sociais). No caso da Rede Pipa Sabe, a nova moeda tem poder liberatório apenas nas oficinas da própria rede. Ou seja, tem poder de compra de conhecimento, educação e cultura. A mesma metodologia passa a ser aplicada em outros pólos da rede nacional de telecentros, começando pelo projeto de concertação cearense no maciço de Baturité, a partir de janeiro de 2004.

O *efeito multiplicador* da nova moeda é dado pelas relações entre o seu lastro em reservas denominadas em reais (total em dinheiro, permutas e recursos humanos mobilizados), o total de moeda cultural emitida (*vouchers* distribuídos), a demanda (dispêndios realizados) e o movimento adicional em reais gerado entre empreendedores locais. Abrem-se também possibilidades de pesquisa e desenvolvimento em certificação digital, finanças de proximidade, moedas digitais e comércio eletrônico. A emissão de dinheiro eletrônico dá novo sentido à mediação digital na organização de projetos cooperativos e na incubação de empreendimentos.

Combinam-se desse modo:

- alta dose de capital social, medido pela circulação de moedas complementares e pela qualidade da produção de conteúdo digital;
- injeção significativa de capital técnico com a instalação de telecentros;
- alta dose de capital intelectual, integrando saberes e técnicas locais com redes de produção de conhecimento avançadas de universidades públicas e
- construção de novos canais de distribuição, com ênfase na produção audiovisual, para comércio eletrônico e distribuição via TV digital, telefonia celular e nichos exportadores.

Cidades de conhecimento: Fronteiras do desenvolvimento humano

Os horizontes do desenvolvimento humano estão atualmente condicionados pela capacidade das comunidades de produzir, trocar e gerenciar conhecimentos por meio de novas tecnologias de informação e comunicação. A utilização das novas mídias digitais para a colaboração na produção de conhecimento é um objetivo estratégico, que vai além da inclusão digital no sentido habitual.

Se de fato as organizações aprendem, como afirma a literatura contemporânea sobre gestão do conhecimento e cultura organizacional, então o desenvolvimento de redes entre as organizações pode equivaler, sobretudo por meio do adensamento de processos de educação a distância, à criação de um "colaboratório" de dimensões nacionais e mesmo internacionais, espaço de aprendizagem permanente, mas também de renegociação permanente, de possibilidades de produção de bens, serviços e valores.

Políticas de renda e de demanda sustentáveis, e que estejam associadas a projetos sociais, econômicos e culturais focados na difusão transversal de cadeias produtivas de conhecimento, são uma condição necessária para o desenvolvimento equilibrado da sociedade da informação.

A referência geopolítica é também crucial, pois se trata também de redefinição das fronteiras e participações relativas das diferentes línguas no acervo digital global. É aliás crucial notar que o horizonte mais amplo de desenvolvimento das redes interativas tem como marco tecnológico a emergência do sistema de televisão digital interativa, o amadurecimento de novos padrões de uso na telefonia e o desenvolvimento da indústria nacional de *software* e *hardware*, fronteiras de desenvolvimento em que a cultura de uso, as linguagens, os modelos de negócio e os padrões de financiamento ainda estão por desenhar e implementar.

Para que essas novas políticas públicas possam viabilizar-se é preciso construir não apenas a infra-estrutura física, logística e tecnológica (processo que já tem avançado) mas também induzir a criação de indicadores e métricas, conteúdos e interfaces, produtos e serviços que adensem e enriqueçam elos estratégicos, estruturantes da vida social.

O ponto programático central da Cidade do Conhecimento do IEA-USP é a defesa de estratégias de desenvolvimento de redes digitais interativas públicas, cuja dinâmica resulte da incubação de projetos sociais, culturais e econômicos que respondam a demandas originadas prioritariamente em áreas de alta exclusão social e cultural.

A incubação de redes e o apoio a projetos alavancados por redes digitais interativas definem uma frente de investimentos estratégicos cuja finalidade é desenhar novas cadeias de produção de conhecimento, desafio já identificado no Brasil e no exterior como uma importante forma de promoção do desenvolvimento econômico e social.

A Cidade do Conhecimento, como outros projetos alinhados tematicamente e convergentes no campo da reengenharia digital da Cidade Universitária (Escola do Futuro, LARC, LSI, CDCC, Nomads, CCE, entre os principais), funciona como um laboratório de pesquisa-ação: ao mesmo tempo serve à pesquisa e à produção de indicadores sobre o desenvolvimento dessa sociedade da informação e economia do conhecimento (por meio de um Observatório de Redes Digitais e Midiáticas, ORDeM) e como espaço efetivo de experimentação social na busca de modelos inovadores e inclusivos de ampliação das capacidades produtivas, colaborativas e gerenciais alavancadas por redes digitais interativas (por meio de um Co-laboratório de Mídias Digitais, CoLab).

Os eixos temáticos dos projetos incubados incluem sociedade (telecentros, infocentros, EICs), educação (escolas, museus, parques), economia (emprego e empreendedorismo), biopolítica (direitos humanos, saúde pública e ambiental) e linguagem e geopolítica cultural (certificação e alianças estratégicas, nacionais e internacionais).

O que se evidencia em processos de transformação socioprodutiva alavancados por tecnologias de informação e comunicação é a emergência de uma nova "potência cognitiva" em rede, que ainda é preciso medir e avaliar. A construção da rede é, ao mesmo tempo, o meio para que se captem informações sobre o processo de mobilização das comunidades interessadas em participar da construção de redes transdisciplinares, suas competências na articulação de sistemas inteligentes e colaborativos.

NOTA

1 http://217.59.60.118/knowglobal/saberglobal/index.htm.

Ariadne e o labirinto: A universidade e os desafios da cidade

*Margarida de Souza Neves**

É conhecido o relato mitológico que associa Ariadne ao Labirinto. A filha de Minos e Pasifae, Ariadne, ao ver Teseu chegar à ilha de Creta com a missão de eliminar seu meio irmão monstruoso, o Minotauro, apaixona-se pelo jovem herói e entrega-lhe algo bem simples e frágil – um novelo de linha – mas que, tanto quanto a poderosa espada que o jovem trazia, revela-se fundamental para que Teseu entre e, sobretudo, para que possa sair da aventura em que se engajara, com o objetivo de libertar os atenienses do pesado tributo imposto por Minos para vingar a morte de seu filho Androgeu, que supunha a entrega anual de sete virgens e sete efebos atenienses à fúria do Minotauro.

Minos havia encerrado o monstro de corpo humano e cabeça de touro em um palácio gigantesco, na verdade um emaranhado de salas, recintos escusos e corredores infindáveis projetado por Dédalo, o engenhoso arquiteto, que era o único a conhecer o segredo da intrincada lógica daquela construção capaz de aprisionar para sempre os que ousassem ultrapassar seus muros.

Teseu entrou na morada do monstro, enfrentou o Minotauro e matou-o com a espada lendária que seu pai, Egeu, ocultara juntamente com um par de sandálias sob uma pedra em Trezena. Mas só pôde sair do Labirinto graças ao frágil fio de Ariadne, que havia desenrolado a cada passo para saber por onde deveria buscar o caminho de volta.

A imagem mítica dos que se aventuraram pelos tortuosos caminhos do Labirinto de Creta antes da saga vitoriosa de Teseu passou a ocupar boa parte de meu tempo de reflexão desde que recebi o convite para escrever sobre a USP na perspectiva dos que a conhecem minimamente sem, no entanto, pertencer ou haver pertencido a seus quadros, e interessam-se por refletir sobre as relações entre a Universidade e a cidade.

Sem a argúcia de Dédalo, conhecedor de todos os mistérios do palácio, e sem as sandálias ou a espada de Teseu, capazes de conferir agilidade e força, onde buscar o fio de Ariadne capaz de revelar o sentido que permita fazer a reflexão circular entre a cidade e a Universidade, pelos muitos caminhos do Labirinto que fui convidada a percorrer sem mapa?

Com as velas das minhas frágeis embarcações infladas pelo vento do desafio, o que apresento aqui é apenas um itinerário possível entre muitos outros já percorridos ou ainda por percorrer por navegadores mais hábeis.

Esse caminho supõe, em primeiro lugar, a convicção de que o Labirinto da Universidade é parte integrante da cidade e como tal deve ser decifrado. Supõe ainda – na ausência de Ariadne – o recurso a um outro fio condutor, aquele da memória pessoal, sempre organicamente entretecido com o da memória coletiva e necessariamente referido à história, já que Clio – a musa da história – é filha da titânide Mnemosyne, que representa a memória no discurso mitológico; ou, se preferirmos um argumento mais condizente com a razão moderna, a mesma relação de distinção e proximidade possa ser encontrada na voz de um historiador contemporâneo quando este assinala que é na "memória, onde cresce a história, que por sua vez a alimenta"[1], sublinhando assim a relação dialética entre ambas. Supõe, por fim e em terceiro lugar, a certeza

* Professora Associada do Departamento de História da Pontifícia Universidade Católica/RJ e pesquisadora do CNPq.

de que entrar e sair com vida do Labirinto é apenas uma parte do caminho de volta, que implica na travessia de mares tormentosos e na necessidade de não esquecer – como o fez Teseu com a promessa de içar as velas brancas se retornasse vitorioso à Atenas – algo que pode ser vital.

Este é o tríplice movimento que o texto que aqui se inicia pretende desenvolver, ainda que, para que possa ter sentido, dependa da cumplicidade do leitor.

A CIDADE E O LABIRINTO

A cartografia física e simbólica da USP sugere, efetivamente, um labirinto. E talvez não seja absurda a hipótese de que os muitos e hábeis Dédalos que foram responsáveis, ao longo do tempo, por sua construção na paisagem da cidade e no panorama das ciências do país jamais a tenham conhecido integralmente.

De fato, no plano físico, como percorrer cada recanto da Cidade Universitária Armando de Salles Oliveira e das quatro unidades de ensino situadas fora do *campus* universitário também na cidade de São Paulo, além de seus cinco outros *campi* em Bauru, Piracicaba, Pirassununga, Ribeirão Preto e São Carlos? Quem terá percorrido todas as suas bibliotecas, laboratórios, salas de aula e setores de serviço? Como conhecer cada uma das salas de seus trinta museus e galerias que compreendem desde o edifício-monumento projetado por Tommaso Gaudenzio Bezzi em 1884 e que abriga, às margens do Ipiranga, o Museu Paulista, que faz da USP a guardiã da memória da Independência do Brasil, até o recente Museu do Brinquedo, que guarda um acervo modesto ainda que expressivo, passando pelo algo assustador Museu Ceroplástico Augusto Esteves, onde estão expostas, com fins didáticos, reproduções de patologias dermatológicas; pelos acervos riquíssimos dos Museus de Arte Contemporânea, do Museu de Arqueologia e Etnologia e do Museu de Zoologia; pelo Museu de Instrumentos de Cálculo Numérico; pelo Museu Republicano em Itu e até por um Museu do Crime?

Da mesma forma, no plano simbólico, quem saberá decifrar a complexa heráldica que se inicia com o brasão de armas da USP, passa pelos símbolos de cada instituto e unidade para chegar às inscrições e pichações de seus muros? Quantos entre seus milhares de alunos saberão relacionar o sino de bronze da reitoria à Universidade de Coimbra; os doze painéis da Torre do Relógio ao crítico italiano Benedetto Croce; as pinturas decorativas da Vila Penteado à ideologia do progresso tão característica da época de sua construção, e as instalações da rua Maria Antonia à luta pela democracia nos anos duros da ditadura? Como interpretar o complexo jogo de poderes e saberes que tece o cotidiano de suas atividades?

Talvez a escala e a complexidade da USP sejam as responsáveis por algumas imprecisões significativas em um de seus mapas simbólicos mais interessantes, consubstanciado no portal da Universidade na rede mundial de computadores. Com efeito, ao citar seus impressionantes números globais, o *site* da USP informa a seus visitantes virtuais dados do *Anuário Estatístico da USP* de 1999 – números, portanto, rigorosamente, do século passado – para dizer que "nas unidades de ensino e de pesquisa foram oferecidos em conjunto cerca de 617 cursos, sendo 130 de graduação, freqüentados por cerca de 40 000 estudantes"[2] e, ao enumerar as unidades de ensino em que se desenvolvem suas atividades, nomeie os seis *campi* para acrescentar em seguida que "Há também algumas bases científicas e museus em outras cidades, como Anhembi, Anhumas, Araraquara, Cananéia, Itatinga, Itirapina, Pirajú, Salesópolis, São Sebastião, Ubatuba e Valinhos, e ainda em Marabá, estado do Pará"[3].

Duas coisas parecem certas. A primeira delas é que os limites precisos, topografia e população do Labirinto uspiano não estão claramente definidos para seus visitantes e para a grande maioria dos que pertencem a seus quadros. A segunda é que o melhor caminho para adentrar esse Labirinto não é o pórtico da glória das primeiras palavras de seu portal virtual, que reza ser a USP "a maior instituição de ensino superior e de pesquisa do País. É a terceira da América Latina e está classificada entre as primeiras cem organizações similares dentre as cerca de seis mil existentes no mundo"[4], ou mesmo aquele da enumeração de seus muitos e inquestionáveis méritos acadêmicos.

Também parece aconselhável abandonar as duas atitudes mais freqüentes entre aquelas assumidas pelos que, sem serem ou terem sido uspianos, cruzam seus portões, a do encantamento basbaque e a do ressentimento, por serem ambas prejudiciais à visão. Os que assumem a primeira perspectiva tendem a confundir a USP real com uma miragem do que imaginam ser uma espécie de parúsia acadêmico-científica, e as miragens não costumam ser boas conselheiras para os caminhantes. Já os que refugiam suas frustrações pessoais ou profissionais na segunda postura quase sempre empregam em denegrir a instituição e seus pesquisadores uma energia que, muito provavelmente, renderia melhores frutos se aplicada à interlocução entre pares.

Nem a "oitava maravilha do mundo" nem farsa científica, o Labirinto da USP é o que é: uma universidade de pesquisa, que enfrenta os mesmos desafios e as mesmas mazelas de suas congêneres, e que, como as demais, é formada por professores-pesquisadores, alguns mais outros menos conscientes de suas responsabilidades e função social; por funcionários, alguns mais outros menos necessários e comprometidos com os objetivos da Universidade; e por muitos alunos, alguns menos outros mais dedicados e preparados.

Os cientistas sociais costumam sugerir que, no que tange à sociedade e seus avatares, a escala cria o fenômeno. Essa é provavelmente a razão que faz da USP uma referência obrigatória para os que pensam a universidade no Brasil, e é bom esclarecer que a escala aqui referida não é apenas a numérica. Se cada universidade de pesquisa é diferente da outra, e essa diferença constitui seu patrimônio e sua identidade, todas as universidades de pesquisa enfrentam – hoje talvez mais que em outros tempos – dificuldades e desafios comuns. E se cada uma delas é, a seu modo, um labirinto a ser percorrido, é possível levantar a hipótese de que, por sua escala, a USP possa representar o papel de síntese expressiva do que são as universidades de pesquisa no Brasil. Porque a grande variedade do *campo de experiência* das universidades de pesquisa brasileiras existe, de algum modo, no Labirinto uspiano e o *horizonte de expectativa* da USP condensa e revela as esperanças de boa parte das universidades do Brasil.

Campo de experiência e *horizonte de expectativa* são conceitos cunhados pelo historiador alemão Reinhart Koselleck para aproximar-se teoricamente da especificidade da dimensão histórica do viver humano. Para esse autor, "experiência e expectativa são duas categorias que, ao entrecruzar passado e futuro, estão perfeitamente aptas para a tematização do tempo histórico"[5].

A *experiência*, por um lado, remete

> ao passado atual, no qual os acontecimentos foram integrados e podem ser rememorados. Na experiência se encontram a elaboração racional e os comportamentos inconscientes que não estão ou não estão mais obrigatoriamente presentes em nosso saber. Mais ainda: cada experiência particular, transmitida por gerações ou instituições, contém e guarda sempre uma experiência que lhes é estranha[6].

Por outro lado, a *expectativa*

> também ela ligada ao indivíduo e à interindividualidade, realiza-se igualmente no presente e se constitui num futuro atualizado. Tende na direção do que ainda não é, do que não pertence ao campo da experiência. A esperança e o medo; o desejo e a vontade; a preocupação, mas também a análise racional; a contemplação receptiva ou a curiosidade – tudo isso faz parte de sua composição e constitui a expectativa[7].

Tendo como referência essa explicitação conceitual, *campo de experiência* e *horizonte de expectativa* são categorias que, para além de permitirem, na perspectiva de Koselleck, operar com o tempo histórico sem reduzi-lo à sua dimensão exclusivamente cronológica, podem ser especialmente instigantes para pensar o lugar da USP na cidade, e, por extensão, o lugar da universidade da qual a USP é epítome na cidade e em uma de suas criações mais significativas – a política –, já que é no campo de tensão constituído pelos pólos da experiência e da expectativa que se abrem os intrincados caminhos do Labirinto aos que pretendem decifrá-lo.

A *experiência* uspiana revela o que parece ser o óbvio: não há portões entre esse Labirinto e a cidade.

Desde que foi inaugurada em 1934, simbolicamente colada à cidade que a abriga pela data de 25 de janeiro, que é a do decreto estadual de sua criação, a USP existe em função das questões da *polis*; para os que queiram uma base empírica mais sólida para essa afirmação, a consulta à série de artigos nos quais Júlio de Mesquita Filho sustentava, no jornal *O Estado de S. Paulo* do início dos anos de 1930, a necessidade da existência de uma sólida instituição universitária em São Paulo, fornecerá evidências mais que suficientes.

Quando, em seus anos fundacionais, Claude Lévi-Strauss, Ferdinand Braudel, Roger Bastide, Pierre Deffontaines e tantos outros ministravam lições nas salas de aula da recém-criada Universidade de São Paulo, faziam-no porque a cidade via na presença desses mestres europeus a sinalização do que era, então, o norte das *expectativas* que conferiam sentido à sua ação política no cenário nacional e internacional.

Em 1954, quando a Tertúlia Acadêmica de São Paulo tomou a iniciativa de instalar próximo ao edifício da Reitoria a réplica do *Cabra*, o sino que desde o século XVIII marca as horas da Universidade de Coimbra do alto de sua torre, esse gesto pretendia que as oitenta badaladas que os estudantes de Coimbra fizeram soar na cerimônia da instalação do sino[8] pudessem soldar a memória da USP – e, nela, a das universidades brasileiras – à *experiência* da mais tradicional das universidades de língua portuguesa, ao mesmo tempo em que anunciavam a *expectativa* de estreitamento de colaboração e de laços culturais com Portugal e com a colônia portuguesa no Brasil.

Nesse mesmo ano, quando o lançamento da pedra fundamental da Cidade Universitária representou um dos pontos altos das celebrações do quarto centenário da cidade de São Paulo, o projeto da Torre do Relógio que deveria marcar o centro do *campus* propunha que os doze painéis em que estão os relevos de Elisabeth Nobiling simbolizassem a integração das artes e das ciências. O projeto, no entanto, situava significativamente a filosofia, o teatro, as ciências econômicas, as ciências sociais e a dança no *mundo da fantasia*, enquanto a matemática, a química, a astronomia, as ciências geológicas, a física e as ciências biológicas apareciam no *mundo da realidade*[9], tal como a concepção tradicional da cidade letrada as buscou nos livros que traduzem o *campo de experiência* de Benedetto Croce e tal como a rígida clivagem entre ciências duras e humanidades se anunciava então no *horizonte de futuro* do campo científico brasileiro. Os sucessivos adiamentos da construção efetiva da Torre até 1974 e o roubo do relógio original que a encimava em meados da década de 1980 indicam até que ponto as circunstâncias globais da sociedade e a violência da cidade estão presentes no centro físico e simbólico do *campus*.

E se ainda fosse necessário sublinhar como o Labirinto da universidade se imbrica com a história da cidade e da sociedade, as instalações da rua Maria Antonia n. 294, invadidas e destruídas pelas forças da repressão em outubro de 1968, inscrevem em carne viva no *campo de experiência* da USP e da universidade brasileira as batalhas travadas para que a democracia pudesse vir a ser o *horizonte de expectativa* de todos os brasileiros. Devolvidas à USP em 1991, e abrigando hoje o Centro Universitário Maria Antonia, as instalações são talvez a melhor evidência de como o Labirinto da universidade se situa no coração da cidade assim como no centro de seus embates mais duros e de seus sonhos mais generosos.

Chegados a esse ponto, é possível concluir o primeiro movimento proposto, uma vez que ficam expostas as razões segundo as quais, na perspectiva aqui adotada, pode-se considerar que o Labirinto da universidade – da USP ou de qualquer outra universidade – é parte do Labirinto maior e mais complexo da cidade, com ela se relaciona organicamente e existe em função da vida dos cidadãos.

A constatação, se por um lado parece tornar quase impossível a tarefa de decifrar os segredos desse duplo Labirinto, por outro lado traz a enorme vantagem de desvendar algo fundamental: o Minotauro que vive no âmago do duplo Labirinto e que devora o futuro não habita uma inexpugnável Torre de Marfim, a despeito do que muitos parecem pensar. Para chegar até ele, basta a astúcia de um fio condutor, pois se os caminhos desses Labirintos são complicados e podem nos deixar desorientados, as defesas que cercam o Monstro são mais frágeis que o fio de Ariadne.

Mas o que fazer se Ariadne, adormecida, fica esquecida nas praias da ilha de Naxo, e nossas naus têm de seguir sem ela o seu caminho?

Mnemosine e o fio de Ariadne

Na ausência de Ariadne, sempre é possível o recurso a outra hábil fiandeira, Mnemosyne, a encarnação da memória no panteão mitológico, filha de Urano e Gaia, representações mitológicas do céu e da terra, irmã de Cronos e mãe das nove musas, entre as quais Clio, a musa inspiradora da história. Mãe da História e irmã do Tempo, Mnemosyne fornecerá o fio que permite entretecer lembranças e esquecimentos – ambos partes constitutivas da memória – para fazer e refazer os caminhos que, pessoalmente, ainda que nunca isoladamente, trilhei pelo Labirinto uspiano.

A memória individual é sempre tão ou mais pessoal e intransferível que nosso próprio nome. Isso não impede que a reconheçamos como fruto – também – de uma experiência coletiva. Nesse sentido, a experiência aqui narrada, por afinidade ou por contraste, pode cumprir o papel de um exercício que cada leitor está convidado a empreender, e é esse o objetivo da narrativa.

A primeira vez que cruzei os sempre abertos portões da USP, no final dos anos de 1960, eu era uma universitária carioca, estudante de História, que com muitos outros universitários de vários pontos do país acorreu a uma reunião na USP. "Fiel e móvel, como toda a memória"[10], como ensina Jacques Le Goff, a que guardo dessa primeira visita ao Labirinto uspiano é lacunar, seletiva e, mesmo que referida ao passado lembrado, sempre entremeada com o tempo da lembrança, ou seja, com o presente.

Nas águas do rio Lete, a fonte do esquecimento que brota no Olimpo, perdeu-se talvez para sempre o motivo exato que levou aquela quase menina a enfrentar o desconforto de duas noites insones em um ônibus para ir a São Paulo e de lá voltar, a fim de participar de uma das inúmeras assembléias que congregavam estudantes e professores para discutir como os tempos duros da *polis* e da política de então desafiavam a Universidade.

Ficaram na memória algumas sensações que revisito hoje, não sem certa nostalgia. A primeira delas é justamente a antítese do que sustento na primeira parte desse texto: a longa distância percorrida, a rodoviária da qual recordo apenas horrendas flores de plástico não sei se reais ou se imaginárias; o caminho até o *campus*, mais longo por ser desconhecido; e a disposição da entrada da USP, ao final da avenida Afrânio Peixoto, deixaram em mim a falsa impressão de que a cidade tentacular terminava às portas da Universidade. E a imensidão do *campus* fez com que ele me parecesse um mundo à parte. A segunda sensação que guardo é a de surpresa e espanto, por descobrir que a bibliografia que lia tinha rosto e voz, e não se furtava ao embate das discussões de uma assembléia que recordo como multitudinária. Lembro com especial nitidez a figura de um professor discreto, de fala mansa e discurso lúcido e corajoso, em que os conceitos de ética e política se articulavam perfeitamente, e que eu não sabia quem era. Os estudantes paulistas me disseram tratar-se de um professor de Letras de nome Antonio Candido, e não sei se lembro ou invento agora haver pensado então – como continuo a pensar hoje – que gostaria de ser como ele quando crescesse.

Dessa primeira visita à USP fica a recordação difusa e algo embasbacada de uma universidade irreal, imensa, limítrofe com a cidade do comum dos mortais, povoada por referências bibliográficas em carne e osso, mas que trazia para suas discussões as questões da *polis* e da política. Fica também a lembrança do medo da polícia e da força mobilizadora dos sonhos coletivos, mais fortes que o medo. E, sobretudo, fica a certeza nunca perdida de que ali aprendi que, mesmo em tempos sombrios, a universidade é um lugar onde o debate permite a explicitação das diferenças, a resistência ao arbítrio e a cristalização de esperanças tópicas e utópicas.

Muitos anos se passaram, no meu caso, entre a primeira e a segunda visita à USP que consigo datar. De volta de um longo período fora do país e já com o doutorado concluído, retornei à USP em 1985 para a minha primeira banca de doutorado como examinadora, ainda nos tempos em que as teses de doutoramento eram trabalhos de maturidade intelectual, antes, portanto, de que a *taylorização* dos programas de pós-graduação os tivesse transformado em linhas de montagem de teses e dissertações em que o critério do tempo mínimo de titulação por vezes atropela os ritmos de consolidação intelectual do trabalho acadêmico e o prazer do exercício intelectual.

Dessa visita guardo a recordação de um certo estranhamento diante do Salão Nobre onde se realizam as defesas de tese, no prédio da Administração da Faculdade de Filosofia, Letras e Ciências Humanas, e que com os anos se tornaria tão familiar pelas muitas vezes em que ali estive. Seus lambris e seus quadros, em que os retratos pintados dos vários diretores da Faculdade pareciam me seguir com os olhos onde quer que eu me situasse na sala, causaram-me profunda impressão. A Universidade estava em greve, e a defesa havia sido autorizada pelo comando de greve. Lembro da sensação de um imenso vazio e de um silêncio pouco usual ali. Quando saímos, era já noite e aquela que aparentemente era a única luz acesa no *campus* me emocionou porque parecia sinalizar que, em meio aos conflitos que tecem a vida da Universidade, como de resto a vida de toda a sociedade, não se apagavam todas as luzes.

A partir de então voltei muitas vezes à USP, primeiro ao Departamento de História, onde, pouco a pouco, os colegas cuja produção eu lia com freqüência foram se tornando mais próximos; alguns passaram a fazer parte da minha vida profissional e pessoal como colaboradores, como co-autores e como amigos. Depois, em função das circunstâncias da vida acadêmica, passei a freqüentar também outros departamentos e as dependências da administração central da Universidade. Aos poucos, passei a me mover como em terreno próprio pelo Labirinto antes mitificado e a ver – em seus professores, pesquisadores e administradores – profissionais e pessoas feitas do mesmo e frágil barro que todos nós. Constato agora a importância e o significado dessa humanização da USP.

Ao fazer memória, hoje, dos meus próprios passos pelo Labirinto uspiano, as lembranças se atropelam. Bancas de mestrado e doutorado; reuniões; conferências; congressos; discussões acadêmicas; seminários; simpósios da associação científica dos historiadores (ANPUH); debates do Fórum de Pró-Reitores sobre o presente e o futuro da pós-graduação e da pesquisa no país; jornadas de Pibic; visitas da Capes, inclusive uma, bastante insólita para uma profissional da História, aos Programas de Astronomia e de Física em companhia de um físico francês e um astrônomo norte-americano, em uma ocasião em que a agência decidiu hipertrofiar o que, naquele momento, entendia ser a dimensão internacional da avaliação dos programas de pós-graduação.

Ao refazer esses passos seguindo o fio da memória, revivo encontros e desencontros; experiências intelectuais mais ou menos frutíferas; momentos de tensão e horas preciosas de troca acadêmica; sintonias e dissonâncias; debates memoráveis e alguma que outra circunstância que gostaria de esquecer. E, no conjunto dessas lembranças polifônicas, percebo alguns denominadores comuns que talvez possam ter alguma relevância.

O primeiro deles é que as lembranças que situo no cenário da USP são, em grande parte, análogas àquelas que situo nas universidades em que atuo e atuei profissionalmente e nas que participei ocasionalmente. Todas elas estão referidas às funções sociais fundamentais da universidade, ou seja, à produção de conhecimento, à formação e capacitação de profissionais titulados que são, também, agentes sociais capazes de autonomia intelectual, e à construção de condições para que a própria universidade desempenhe seu papel na sociedade e possa, assim, responder aos desafios e exigências de sua própria historicidade. Portanto, e guardadas as especificidades de tudo o que pude viver e experimentar na USP, o ali vivido e experimentado sempre esteve e está referido à identidade da universidade de pesquisa no Brasil.

O segundo denominador comum que posso perceber e que confere sentido à multiplicidade das lembranças diz respeito à necessária relação que esse exercício de memória evidencia entre os projetos de cuja formulação ou implementação participei na USP ou em outras universidades de pesquisa do país e as questões candentes que se apresentam à cidade, aqui entendida não apenas como a *urbs*, mas como a *polis* ou a *civitas*.

A noção de *urbs* faz pensar no sítio urbano em seu sentido mais estrito e, sem dúvida, é muitas vezes através dele que a sociedade interpela mais diretamente à universidade. Mas a *polis* e a *civitas* supõem a dimensão política da *urbs* e do contexto mais amplo em que esta se insere. Conforme a sugestão de Émile Benveniste[11], por estarem conformados pelos cidadãos ou por conformarem-se através da cidadania, os conceitos de *polis* e de *civitas*, não correspondem exatamente à cidade no seu sentido estrito. Se relacionados às práticas desenvolvidas na *universitas*, implicam na explicitação de sua dimensão *política*, ou seja, na consciência de que o que se faz e se projeta na universidade está imbricado com o universo mais amplo da cidadania. Os projetos formulados ou empreendidos pela USP e pelas Universidades brasileiras são, portanto, como todo projeto, "instrumentos básicos de negociação da realidade"[12], tal como assinala Gilberto Velho, e estão orientados necessariamente – ainda que não de forma unívoca – a buscar formas possíveis de lidar com a realidade. Daí sua natureza política.

Um terceiro denominador comum identificado implica na retomada da noção de escala, tanto em seu sentido espacial quanto na perspectiva temporal. A USP não é a universidade mais antiga do país, mas, na curta história das instituições universitárias brasileiras, tem uma longa trajetória, e sem dúvida, como nos adverte seu *website*, é "a maior instituição de ensino superior e de pesquisa do País".

A escala de sua abrangência implica, para o bem e para o mal, em um fenômeno curioso: ainda que a evidência empírica de que disponho seja apenas a da minha experiência pessoal e necessite de comprovação mais segura, não conheço nenhuma universidade no Brasil que deixe de ter, em seus quadros, docentes e pesquisadores formados pela USP – e incluo na amostragem uma universidade Federal que, quando a visitei, tinha apenas um doutor entre seus professores –, assim como jamais encontrei um problema, impasse ou conflito universitário que, em alguma medida, a USP não enfrente ou tenha enfrentado. Isso faz da USP algo assim como a *alma mater* de todos nós, também para o bem e para o mal, já que todos conhecemos, por um lado, a fundamental importância da *mater* na vida de cada um e, por outro, as múltiplas implicações de ordem psicanalítica de uma relação dessa natureza.

Caso o leitor tenha seguido a sugestão de refazer seus próprios passos pela USP, poderá constatar que, ao desenovelar a memória pessoal de nossas relações com a USP, fica nela, meio embaraçada, a intuição de que o Labirinto uspiano percorrido transformou-se em algo familiar, e que essa familiaridade deve-se tanto à freqüência com que cruzamos seus portões ou dialogamos com o que ali se produz quanto pela semelhança e proximidade de seus meandros com aqueles das universidades em que atuamos. Também o Minotauro que vive em seu interior é parente próximo dos monstros que habitam as demais cidadelas letradas do país, quer quando se adorna com as galas da prepotência, quer nas ocasiões em que sente morrer-se de inanição, quer nas horas em que acredita deter o monopólio do saber e da razão, quer nos momentos em que se permite dar as costas ao cotidiano duro da cidade, quer ainda quando, vez por outra, devora a esperança de futuro representada pelos jovens que a cidade lhe oferece.

Por isso é fundamental que não falte nunca, em todos os Labirintos universitários, um Teseu armado com a espada afiada do exercício crítico e capaz de tecer o futuro com o fio tênue e firme de Ariadne.

Velas brancas em tempos de tormentas

Consta do relato mitológico das aventuras de Teseu que o herói cometeu um equívoco fatal após aniquilar o Minotauro e assim libertar Atenas da obrigação de entregar ao monstro, todos os anos, sete moças e sete rapazes.

Ao partir, havia acertado com Egeu, seu pai, cuja confiança na vitória do filho era algo vacilante, que, caso sua expedição fosse perdedora, seu barco retornaria trazendo içadas as velas negras com que partira, mas, caso tivesse obtido sucesso na empreitada, ia substituí-las por velames brancos.

O herói esqueceu-se de substituir as velas negras pelas brancas quando sua embarcação se aproximou da costa da Ática, amargurado por haver perdido Ariadne, que, conforme algumas versões, foi esquecida enquanto dormia na ilha de Naxo. Ao reconhecer de longe o barco de Teseu e vê-lo aproximar-se sem o sinal de que o filho, os sete rapazes e as sete virgens retornavam sãos e salvos a Atenas, Egeu, desesperado, preferiu a morte, afogando-se no mar que desde então leva seu nome.

Teseu reinou sobre Atenas após seu regresso, mas teve de conviver com a solidão e com o remorso pela morte do pai e pelo destino incerto de Ariadne, frutos, ambos, de seu duplo esquecimento.

No belo livro em que pretende esboçar uma história cultural do esquecimento tomando como base a recorrência do tema na literatura européia, Harald Weinrich sublinha, fiel às coordenadas de seu campo acadêmico de origem, a etimologia, a "inaparente sabedoria do uso lingüístico"[13] para lembrar a dupla raiz etimológica da palavra *esquecimento*, por um lado relacionada com a forma verbal *oblivisci*, da qual deriva em latim o substantivo *oblivio* que, em português, dá origem ao sinônimo pouco usual de *esquecimento* que é a palavra *olvido*, assim como a forma, mais usada e referida ao que não pode ser esquecido, *inolvidável*. Mais freqüente na língua cotidiana é o uso do verbo *esquecer* e do substantivo *esquecimento*, derivados do latim *cadere* (cair)[14], dessa origem decorre a associação do esquecimento com uma *queda*, um *movimento descendente*, portanto.

Seguindo sua tentativa de aproximação aos diversos significados da palavra *esquecimento*, Weinrich passa do campo da etimologia para o território da semântica, ao assinalar o parentesco entre o nome dado ao mítico rio do esquecimento, o *Lethe* grego, e o conceito de *aletheia*, em seus múltiplos sentidos sempre associado à noção de *verdade*, para destacar que o prefixo de negação *a* anteposto à raiz *lethe* permite conceber "a formação da palavra *aletheia*, a verdade, como o 'inesquecido' ou 'inesquecível'"[15].

Para concluir a reflexão aqui proposta fazendo do relato mitológico que reúne Ariadne, Teseu e o Labirinto um roteiro a ser seguido no plano metafórico para pensar nas complexas relações entre a cidade e a universidade, é preciso sublinhar que o relato não se conclui na dupla vitória de Teseu sobre o inextricável Labirinto e sobre o monstruoso Minotauro, a primeira obtida através da flexibilidade do fio de Ariadne e a segunda pela força da espada. A narrativa da aventura de Teseu desemboca em uma dupla perda: a de Ariadne, esquecida em Naxos, e a de Egeu, afogado ao avistar o barco do filho no horizonte com as velas negras da derrota esquecidas no mastro.

Tal como o mar singrado por Teseu após sua dupla vitória em Creta, os mares do presente que se abrem diante das universidades de pesquisa brasileiras – e entre elas a USP – estão longe de supor travessias serenas e tranqüilas. Não poucas vezes escondem decepções, obstáculos inesperados e eventuais tormentas.

Talvez o que não possamos deixar *cair no esquecimento* – como o fez Teseu – seja o compromisso de levar sempre içadas as velas brancas da esperança. É para mantê-las enfunadas que a cidade investe a Universidade da função de guardar sempre aceso o fogo da busca da verdade, da sempre provisória e essencial *aletheia*, naquilo que ensinamos, aprendemos, pesquisamos e produzimos. Esse é o único e imaterial patrimônio pelo qual somos chamados a responder, hoje como em cada momento, perante a cidade e o conjunto dos cidadãos.

Notas

1 Jacques Le Goff, "Memória", em *Memória – História. Enciclopédia Einaudi*, vol I, Lisboa, Imprensa Nacional/Casa da Moeda, 1984, p. 47.
2 http://www2.usp.br/publishing/insite.cg, consultado em 22 de novembro de 2003. Grifos meus.
3 *Idem*.
4 *Idem*.
5 Reinhart Koselleck, *Le futur passé. Contribution à la sémantique des temps historiques*, Paris, Editions de l'Ecole des Hauts Études en Sciences Sociales, 1990, p. 310.
6 *Idem*, p. 311.
7 *Idem*, *Ibidem*.
8 Dados retirados do volume organizado pela Comissão de Patrimônio Cultural da USP intitulado *Obras Escultóricas em Espaços Externos da USP*, São Paulo, Edusp, 1997.
9 *Idem*.
10 Jacques Le Goff, *op. cit.*, p. 46.
11 Émile Benveniste, "Deux modèles linguistiques de la cité", em Jean Pouillon e Pierre Maranda (orgs.), *Échanges et communications: mélanges offerts à Claude Lévi-Strauss à l'occasion de son 60ème anniversaire*, Haia/Paris, Mouton, 1970, pp. 590-596. Agradeço a sugestão da leitura desse texto ao professor Moacir Palmeira, do programa de pós-graduação em Antropologia Social da UFRJ.
12 Gilberto Velho, "Memória, Identidade e Projeto", em *Projeto e Metamorfose: Antropologia das Sociedades Complexas*, Rio de Janeiro, Zahar, 1994, p. 103.
13 Harald Weinrich, *Lete: Arte e Crítica do Esquecimento*, Rio de Janeiro, Civilização Brasileira, 2001, p. 17.
14 *Idem*, p. 18.
15 *Idem*, p. 20 e 21.

Uma reflexão sobre a USP e a comunidade que a cerca

O afastamento ou aproximação de uma e outra representariam movimentos de defesa ou de possíveis incompatibilidades?

Celia Belem[*]

Escrever sobre a USP, seus caminhos e perspectivas, mais especificamente sobre a percepção de ser uma instituição isolada, fechada, intramuros, mundo à parte, obrigou-me a realizar um movimento interno profundo, denso e perturbador.

Afastada, física e profissionalmente, da USP há exatos trinta anos, minha primeira sensação foi de quem está diante de um espelho, onde a imagem refletida mostra uma pessoa que vive e trabalha na comunidade, distante das lides intelectuais e produtoras de conhecimento científico formal. Fora dele, retenho memórias e sentimentos surpreendentemente intactos da juventude vivida nesta instituição, na intensidade da segunda metade da década de 1960 e o início da de 1970. A simbologia da duplicidade de imagem representa a divisão estabelecida dentro de mim e que fui obrigada a harmonizar. Felizmente, constato que trago até hoje na minha bagagem pessoal, além das lembranças, a visão do mundo, a estrutura do conhecimento estudado, assim como os instrumentais necessários para a aquisição de novos aprendizados, conjunto que é transportado aonde e no que quer que eu pense, faça ou produza. Desta forma, o exercício de escrever este texto produziu um efeito benéfico, o de me fazer perceber que, embora não me sinta parte da USP atual, ela faz parte indelével da minha vida e do meu trabalho.

Depois de muita reflexão e da conciliação interna, decidi que a melhor contribuição que eu poderia dar era utilizar o que aprendi fora da instituição, buscando, talvez, um novo olhar sobre as relações entre a USP e a comunidade que a cerca.

Socióloga por formação e historiadora por pós-graduação, afastei-me da USP por um acidente de percurso e lancei-me no mercado de trabalho, desenvolvendo pesquisa de mercado e planejamento estratégico de comunicação que, por dever de ofício, tornou-me uma investigadora profissional, próxima desses mesmos grupos sociais – traduzidos aqui por comunidade – aos quais me refiro durante este texto. Proximidade que me fez observar de perto sua dinâmica em permanente movimento.

Em síntese, o texto que se segue é resultado da combinação de três ângulos de análise: (1) a memória e a opinião da participante ativa da instituição no passado, (2) a observadora/cidadã da sociedade no presente e (3) a análise das opiniões dos representantes da USP, que fornece o atual padrão de atitudes e comportamentos da instituição hoje.

O resultado bruto de todo esse material fez emergir uma dimensão analítica rica, quase impossível de ser condensada em um capítulo. Contudo, para os meus propósitos e na tentativa de contribuir com algum tipo de explicação para o fenômeno proposto, o cenário obtido apresenta a possibilidade de estabelecer uma forma diferenciada de entender o inter-relacionamento de eventos conhecidos e, assim, produzir outras perspectivas de interpretação. A metodologia adotada analisa da mesma maneira fatos, atitudes, comportamentos e visões da USP e da comunidade, ambas entendidas aqui como corpos sociais com características próprias, que foram moldadas pelos acontecimentos históricos e por suas personalidades sociais. Não considerei, em nenhum momento, a sobredeterminação econômica como explicação exclusiva das atitudes, senti-

[*] Socióloga e pós-graduada em Ciências Sociais e História, pela Faculdade de Filosofia, Letras e Ciências Humanas da USP.

mentos e percepções da comunidade. Tentei ser democrática, buscando uma perspectiva mais isenta, despida de "pré-conceitos" com relação a uma ou à outra.

Pensar sobre a inserção da USP na comunidade, sua proximidade ou afastamento me fez recorrer, até por vício da profissão, à psicologia e história sociais, elaborando uma análise mais distante da sociologia ou da história formais. Afinal, o tema pedia uma discussão sobre eventuais percepções que a comunidade teria a respeito da universidade, e sabemos que percepções não se constituem em fatos visíveis diretamente. Sabemos também que percepções são respostas inerciais a estímulos "percebidos". Por outro lado, a forma como "percebemos" os fatos depende do ponto de vista do observador, seu nível cultural e econômico, seus valores, ideologia e experiências. E mais: o objeto observado emite sinais, expõe atitudes transformadas em comportamentos, quando escancara seus valores e intenções, que são captados consciente ou inconscientemente pelo observador, estabelecendo uma comunicação de mão dupla, cuja dinâmica configura o tipo de relacionamento existente entre um e outro. Desta forma, a avaliação do possível histórico das percepções e sentimentos da universidade e da comunidade visava a um outro tipo de análise dos fatos: entender o relacionamento entre elas ao longo destes setenta anos de existência, "re-descobrindo" os elementos constitutivos da relação, as formas de respostas mais comuns e, finalmente, o quanto de semelhanças ou diferenças existe entre ambas. Vale lembrar finalmente que, em termos de teoria de comunicação, no relacionamento entre duas partes – quaisquer que elas sejam – existe uma tendência a repudiar aspectos que um lado reconhece no outro e nega em si mesmo e, ao contrário, aceitar aspectos que são considerados positivos ou mesmo desejados, provocando os chamados processos de identificação por semelhança ou projeção.

De fato, creio que a USP, de um lado, e a comunidade, de outro, trazem aspectos comuns: aspectos que em alguns momentos históricos são luminosos, associativos, aproximadores e, em muitos outros, são sombrios, não permitindo sua explicitação, por fazerem parte de um conjunto de características não conscientes na instituição, e tampouco na comunidade. São claramente aspectos polarizadores de amor e ódio, de aproximação e afastamento, cuja movimentação não permite um eixo de relacionamento estável. *O que podemos concluir é que os movimentos de aproximação acontecem sempre que a USP e a comunidade comungam do mesmo ideário e os de afastamento quando uma ou outra apresenta posições não compatíveis entre si.* Como veremos a seguir, o período de fundação da instituição, os anos de 1960-1970 e o momento atual são três momentos exemplares desse fenômeno.

1º MOMENTO – SENTIMENTOS DE SUPERIORIDADE, DE AMEAÇA E REGIONALISMO APROXIMAM A SOCIEDADE PAULISTA E A NOVA INSTITUIÇÃO DE ENSINO SUPERIOR, FUNDADA EM 1934

A dinâmica social da década de 1930 e os eventos que antecederam e sucederam a fundação da USP apresentam um quadro explicativo bastante peculiar no que se refere à geração desta (des)conexão.

Dentro da proposta de considerar os dois planos de opinião, a uspiana e a comunidade, li e analisei textos uspianos sobre o período e sobre a fundação da USP, buscando entender a perspectiva interna. Li vários documentos, e em um, especificamente, encontrei um sumário do que observei em outros:

> O que se pode concluir sobre a história da USP e o papel que vem desempenhando no cenário nacional nestas seis décadas? Em resumo, creio que o substancial foi sua contribuição decisiva para a execução e modernização da Ciência no Brasil. É claro que antes de 1934 já havia atividade científica no Brasil, pelo menos em algumas áreas muito importantes. Jamais serão olvidados, por exemplo, os pioneiros trabalhos científicos em Manguinhos, no Butantan, no Agronômico, na Esalq, no Biológico, nas faculdades de Medicina do Rio e de São Paulo, na Politécnica, etc., *mas a Ciência moderna inicia-se no país com a criação da USP* e quando para ela veio *um grupo de professores estrangeiros*, dedicados integralmente à missão de formar pesquisadores, trazendo como bagagem, em várias áreas, *a experiência universitária européia.* [...] Esta façanha é o resultado de muito esforço e tenacidade, *de êxitos para superar revezes transitórios, de luta contra interesses mesquinhos e atraso cultural.* É o resul-

tado, enfim, de 60 anos de esforços continuados de várias *gerações de docentes e de funcionários, que contaram com a firme determinação de administradores do estado de São Paulo* de aplicar vultosos recursos do erário para a construção de um patrimônio cultural no mesmo nível das 100 melhores universidades do mundo[1].

Esse texto apresenta quatro idéias importantes para a tese desenvolvida neste capítulo:

1) A "inauguração da ciência moderna" no país.
2) Um sentimento de ameaça ou incompreensão que podia ou pode (?) interferir no desenvolvimento do conhecimento científico.
3) O elogio à vinda da Missão Francesa para o desenvolvimento da pesquisa científica e das ciências humanas na nova Faculdade de Filosofia, Ciências e Letras.
4) O esforço exclusivo dos quadros internos da instituição para a execução da enorme tarefa proposta desde o início, sem qualquer menção à comunidade que sempre a rodeou.

A primeira idéia, pela semelhança da expressão e intenção, remeteu-me às análises históricas do início da Idade Moderna e da importância do Renascimento para a re-inauguração das ciências e das artes. Lá, a desvinculação progressiva dos dogmas religiosos e da autoridade da Igreja Católica, aqui a criação da Faculdade de Filosofia, Ciências e Letras: a novidade daquele momento parece ter sido incumbida desta mesma tarefa, funcionando como elo entre as várias escolas, dando-lhe uma nova vida e intenção, agora sob o teto da Universidade de São Paulo. O texto do professor Fava sugere um traço mal disfarçado de orgulho, e talvez um excesso de expectativa de atuação para uma escola tão jovem e inexperiente.

A segunda idéia, pela referência à necessidade de uma luta interna para evitar ameaças ou incompreensões ao desenvolvimento do trabalho científico da USP, mantém o paralelo anterior: a de que o trabalho intelectual foi e sempre será uma atividade perigosa, pelo que pode representar de contestação, via ciência, ao poder instituído, seja ele qual for. Arquetipicamente, temos em nosso inconsciente a relação com esses mesmos processos do início da Idade Moderna: as vidas de Copérnico e Galileu, entre outros, são exemplos marcantes. Quatro séculos depois de tais eventos, o texto mantém o mesmo temor e reafirma, implicitamente, a idéia de que a USP trazia como missão a luta pela ciência contra ameaças externas.

A terceira idéia, pelo elogio à vinda da Missão Francesa e a importância intelectual para o desenvolvimento da pesquisa acadêmica e das ciências humanas que lhe é conferida, o que revela um outro aspecto arquetípico da brasilidade e prova o quanto dos sentimentos e imaginário da comunidade permeia a USP, desde a sua fundação. A nação brasileira foi criada e desenvolvida por europeus pouco interessados no seu desenvolvimento, manutenção ou estímulo da cultura local. Esta pátria "sem pai nem mãe" cresceu sem a devida autovalorização, tendo, como reforço importante a este sentimento de baixa estima, a visão do mundo universalista trazida pela Igreja Católica. Assim, faz parte do inconsciente coletivo brasileiro o culto da idéia de que o melhor de tudo se encontra fora daqui. Não seria diferente com relação ao saber. O melhor conhecimento encontrava-se na Europa nesse período. Em se tratando de ciências humanas, a França aparecia como o seu melhor modelo. Eu me pergunto se hoje, e para alguns, o modelo americano de ensino – forma e conteúdo – não pode conter o mesmo sentido[2].

A quarta idéia, pela explicitação do conceito de que a enorme tarefa e sua superação só foram possíveis pelo esforço da comunidade uspiana, apesar de tudo e de todos, do "atraso cultural" e das possíveis incompreensões (ou falta de apoio) à tarefa proposta. O texto do professor Fava, distante sessenta anos do evento original, praticamente confirma o sentimento de "cidadela" instalado na instituição na época e, por hipótese, mantido inconscientemente até hoje. No texto, a comunidade não aparece, sua atuação é mais próxima do "mais ajuda quem não atrapalha..." Mas será que tal exclusão correspondia aos sentimentos da época? É possível que esse sentimento tenha se cristalizado, criando uma barreira invisível entre uma e outra, onde uma precisa de distância para a produção intelectual e a outra se sente estranha e alijada de sua principal instituição de ensino?

Então, como prometi, volto meus olhos para os possíveis sentimentos, expectativas, receios e anseios da comunidade do período. Não ousaria discutir as questões econômicas e políticas e nem as intenções que cercaram a fundação da USP, fartamente documentada e analisada por brilhantes historiadores deste período[3]. Ao contrário, gostaria de contribuir buscando outros elementos que permitam o entendimento da dinâmica social da época. Como não existem pesquisas com esse fim, realizo a análise dos acontecimentos da época, tentando decodificar suas possíveis reações e percepções a partir da minha experiência no entendimento da sociedade atual e da maneira como ela reage a eventos marcantes ou mobilizadores. Adicionei à análise histórias recorrentemente contadas na minha família, típica da São Paulo dos anos 1930: formada por uma filha de italianos (minha mãe) e por um descendente do grupo que veio com a expedição de Martim Afonso de Souza (meu pai).

Os anos de 1930 registram uma enorme gama de acontecimentos importantes para a cidade, estado e país. Não estaria errando muito ao concluir que a década deve ter sido, igualmente, rica de percepções, impressões e emoções para a comunidade da época. Então, façamos de conta que vivemos naquele período como indivíduos normais, vendo o estado de São Paulo passar, para começar, por duas derrotas importantes: A Revolução de 1930 e a Constitucionalista de 1932. Do ponto de vista do cidadão paulista e paulistano, esses acontecimentos devem ter representado perdas inestimáveis. Basta lembrar da mobilização popular criada pela Revolução de 1932, por meio da entrega de seus jovens filhos ao movimento, das doações de recursos financeiros e da participação feminina que costurou e tricotou para as tropas, em um claro movimento de defesa do seu território e aprovação de suas intenções. A morte dos jovens estudantes no centro de São Paulo[4], transformado em campo de batalha com certeza repercutiu fundo na população, mesmo sem o estímulo que os atuais meios de comunicação poderiam ter gerado se os acontecimentos tivessem ocorrido hoje. Como a população não participa de análises científicas e tampouco escreve jornais, o sentimento desses eventos deve ter calado profundamente na comunidade, marcando-a para sempre e já anunciando o sentimento regionalista de "*nós contra todos*", que aliás o início da rebelião só iria confirmar, quando o estado de São Paulo se viu sozinho, sem o apoio articulado anteriormente com os líderes dos estados de Minas Gerais e do Rio Grande do Sul. Sozinho e traído. É possível ameaça maior? (Semelhança com as sugestões do professor Fava ao recordar os sessenta anos vividos pela USP?)

Tentando, ainda, desvendar o ponto de vista da comunidade, chegamos ao ano de 1934, quando, paralelamente aos acontecimentos locais, desenrolavam-se eventos no plano mundial que culminariam na Segunda Guerra Mundial. Buscando a recomposição dos sentimentos da coletividade, lembremos que esse foi o ano da "Copa do Fascismo", realizada e vencida pela Itália, tendo como presença constante, em todos os jogos, o próprio Benito Mussolini. Não podemos esquecer o que o futebol representa e sempre representou para o Brasil. A seleção brasileira não conseguiu passar para a segunda fase, sendo derrotada pela seleção espanhola logo na estréia. Fora da competição, os paulistanos assistiram à vitória final da Itália e viram a festa de comemoração pela conquista tomando o centro da cidade de São Paulo. Esta alegria deslocada gerou um sentimento de repulsa e raiva por aqueles mais engajados e que possuíam um sentimento nacionalista mais aguçado pelo orgulho de ser paulista[5]. O sentimento regionalista de superioridade já estava instalado naqueles dias, assim como é possível acreditar, até hoje, que as ciências modernas só se desenvolveram *no país* a partir da fundação da *Universidade de São Paulo*...

Na esfera federal, Getúlio Vargas, pressionado social e politicamente, realiza as eleições para o legislativo. A Assembléia Constituinte, finalmente, é instalada em 15 de novembro de 1933[6], e a nova Carta é votada em 1934. Não obstante as circunstâncias políticas da época, este evento representou uma importante conquista para o estado e principalmente para a população trabalhadora da cidade de São Paulo, que já apresentava um desenvolvimento diferenciado em relação às demais do país. Em especial, o sabor de conquista referiu-se a algumas novidades contidas na nova Carta: a nova Legislação e Justiça Trabalhista que reconhecia a crescente importância dos trabalhadores nos centros urbanos; o novo sistema eleitoral, incluindo o voto universal e secreto, e o direito de voto feminino, evidenciando o valor da mulher.

Contudo, e na mesma Carta, Getúlio incluiu a eleição indireta para o próximo presidente, para um período de quatro anos, artifício que lhe permitiu vencer Borges de Medeiros e perpetuar-se no poder, aprimorando o que mais tarde seria conhecido por Populismo, técnica de mobilização popular copiada por vários políticos que se seguiram e não muito diferente, enquanto método, do que estava ocorrendo em outras partes do mundo. Com ela Getúlio estreitava sua relação com a parte menos privilegiada da população e distanciava-se da mais privilegiada, assim como da classe média liberal.

Para recompor o ambiente da época e os possíveis efeitos para o imaginário da comunidade, vamos lembrar que, no mesmo ano da Revolução Constitucionalista, novas ideologias conflitantes começavam a se organizar: 1932 marca a fundação da organização mais representativa do fascismo nacional, a *Ação Integralista Brasileira*, que recebe apoio dos setores mais conservadores brasileiros, enquanto em 1935 é fundado seu contraponto, a *Aliança Nacional Libertadora*, organização de esquerda formada por ex-tenentes, líderes sindicais, socialistas e liberais alijados do poder. *O que se percebia dentro se via fora*: no plano internacional, por análise, a comunidade liberal paulista e paulistana deve ter considerado ameaçadores e perigosos os eventos em andamento: Hitler incentivava a indústria bélica, reerguendo uma Alemanha destruída após a Primeira Guerra Mundial, e dando por meio do Nazismo um novo sentido à nacionalidade e ao orgulho de ser alemão. Um pouco ao sul, na Itália, "Il Duce", com o apoio da Casa Real de Savóia, desenvolvia o Fascismo e, assim como Hitler, utilizava-se de todos os meios para criar o conceito de "grandeza da nação", inclusive no esporte, como vimos há pouco. Aliás, ambos conhecidos como criadores da propaganda de massa, *não inventaram os conceitos* que mobilizaram fortemente as respectivas sociedades, porém, mais por intuição, vivência e proximidade, *entregaram aos seus respectivos povos aquilo que era desejado e idealizado: é assim que, até hoje, a propaganda funciona*... Mais além, no Oriente, em uma grande e tão superpovoada quanto desconhecida nação, Mao Tse Tung iniciava a Grande Marcha na China, um movimento inquietante pela ideologia e intenções, consideradas, nesse e em períodos posteriores, como a mais ameaçadora pelos liberais de plantão.

É no bojo de todos esses eventos e sentimentos que acontece a fundação da USP. É absolutamente necessário considerar que, apesar de todas as intenções políticas, o sentimento de parte importante da comunidade paulistana[7], aquela que forma opinião – menos do que levada por e mais em linha com – apoiou e aplaudiu forma, conceito e ideologia que marcam a fundação da USP, já que ela representava uma conquista ímpar, em um contexto social e político marcado por ameaças internas e externas e também pelo surgimento de novas ideologias que, de uma forma ou de outra, sugeriam uma desestabilização social ou perigo imediato. Até a questão da formação de uma elite intelectual, textual no decreto de sua formação[8], parece por hipótese adequada e necessária para a recuperação, via produção de conhecimento científico, em especial das ciências humanas, *do poder, prestígio e valor de São Paulo*. Em resumo, embora liderada pela classe dominante e pelo jornal que a representava, *O Estado de S. Paulo*, a fundação da USP deve ter respondido aos anseios de boa parte da população carente do reconhecimento de seu poder e com necessidade de criação do saber.

Aí o nosso pressuposto, de que a existência da USP e sua importância passam a fazer parte do "inconsciente coletivo" do estado e da cidade, a partir de um segmento formador de opinião, que por efeito de demonstração e em tempos diferentes, acabaria por atingir toda a comunidade ao seu redor[9].

A primeira questão para ampliação da questão original dirige-se, então, à constatação da *conivência social* quanto à forma e intenção da fundação da USP, a um *sentimento arquetípico da superioridade paulista e à necessidade de criação de um sistema defensivo* frente ao resto da nação. Este *sentimento da sociedade, "criadora", permeia a USP, "criatura", desde a sua fundação*. Parte daí, talvez, a primeira explicação dos sentimentos polarizantes entre uma e outra e da falta de equilíbrio no seu relacionamento, que podem parecer, à primeira vista, um paradoxo: naquele momento, valores comuns aproximavam universidade e comunidade, *o desejo de um era a ação do outro, não importa se observamos a comunidade ou a instituição.*

O oposto, contudo, iria acontecer em futuro próximo, realizando o movimento de afastamento, como veremos a seguir.

2º momento – universidade e comunidade divergem: enquanto a primeira avança ideologicamente à esquerda, a segunda permanece à direita

Criada, organizada e estruturada a partir da ideologia liberal, dos ditames da ciência francesa, e apoiada por parte da comunidade, cônscia dos riscos que enfrentava, receios transferidos inercialmente para a recém-fundada instituição, desde o início a USP abrigou-se em um espaço particular, uma cidadela, pronta a se defender de um poder maior que poderia ameaçá-la. Realmente, o temor não era vão, havia obstáculos e perigos à vista. A história iria comprovar a necessidade da postura defensiva, especialmente no que dizia respeito ao desenvolvimento das ciências humanas.

Os acontecimentos pós-fundação assinalam a monitoria da ditadura em tudo o que acontecia dentro da USP, no que foi respondida pelo olhar atento de dentro da cidadela pelos seus líderes. Nos anos que se seguiram, detendo-me apenas nos eventos mais importantes, ela usufruiu exatos dezenove anos de relativo sossego, intervalo de tempo compreendido entre o fim da ditadura getulista (1945) e o golpe militar (1964). Pouco tempo para se desvencilhar dos temores ou mesmo para se livrar de um certo autocentrismo já incorporado à instituição. Nos anos que antecederam o golpe militar, a universidade, distanciada dos sentimentos da sociedade, fervilhava, atuando e pensando em novas formas de organização política, econômica, social e cultural: finalmente iria cumprir-se *o destino da elite intelectual* criada entre seus muros, mesmo que ideologicamente distante dos desejos de seus criadores. Contudo, a USP foi pega, vamos dizer, quase de surpresa pela eclosão de um movimento mais forte e abrangente do que imaginava a princípio e, pior do que isto, apoiado pela maior parte da população. Fácil de entender: muito pensamento, muita elaboração intelectual teórica, pouca relação com a comunidade, pouco diálogo e compartilhamento...

Como conseqüência, a USP e outras instituições de ensino superior no Brasil, seus alunos e professores foram alvos do novo regime de exceção política. Reagindo como sempre, mais como instituição civil do que pública, já que nem sempre foi representada por reitores que compartilhavam dos mesmos ideais e postura.

A tentativa de desmantelamento da instituição passa pela repressão aos movimentos estudantis, pelo afastamento dos professores, exílio e depois aposentadoria compulsória, pela reforma universitária de 1968, pelo afastamento físico das várias unidades, antes no centro da cidade[10], para o *campus* da Cidade Universitária, ainda inacabada, onde a Faculdade de Filosofia, Ciências e Letras foi instalada, provisoriamente, no prédio da História e depois no que se convencionou chamar de "barracões", construídos às pressas para abrigar os sem-teto da rua Maria Antonia. O cerceamento aos movimentos internos da USP foi total, assim como ao seu corpo discente e docente.

É importante notar que este afastamento da sociedade – concreto e emocional – produziu uma dissociação importante: em geral, o grupo formador de opinião da sociedade faz parte da elite cultural, podendo influenciar a sociedade como um todo. Contrariando a teoria, só o alheamento ao sentimento da sociedade explica o afastamento resultante não só da USP, mas também do seu corpo discente e docente. A comunidade estava integralmente tomada pelos temores de um movimento de esquerda e, além de não conceder o apoio necessário para estancar a perseguição, apoiava o perseguidor. Difícil de digerir, mas uma conclusão possível para os eventos que se seguiram pelo menos até o dezembro de 1968 e o fatídico Ato Institucional n. 5.

As paralisações freqüentes do centro da cidade pelas passeatas dos estudantes, denunciando os atos arbitrários da ditadura, a morte do estudante secundarista José Carlos Guimarães na frente do prédio da Maria Antonia, onde acontecia uma batalha campal entre os grupos da USP e do Mackenzie, liderados pelo CCC (Comando de Caça aos Comunistas), a interrupção do trânsito, as pancadarias entre estudantes e polícia e, fundamentalmente, o medo provocado pelo comunismo marcaram a relação de distanciamento entre universidade e sociedade nesse período[11].

Hoje, distante no tempo, minha memória emocional comparece intacta, principalmente a decepção por ver o sonho não se transformar em realidade. Contudo, muito mais madura e vivida, entendo que o sonho era nosso, não fora compartilhado com a comunidade, ela apenas foi surpreendida... Basta considerar o tempo que se passou entre esses acontecimentos e *a eleição do primeiro professor da USP para Presidente da República, seguido do primeiro líder sindical...*

Lembremos do "desenvolvimento" levado a cabo pela ditadura em seus primeiros anos e tentemos, de novo, colocar-nos na pele da comunidade. Órfã e aflita ao ver a renúncia do presidente eleito em 1961, Jânio Quadros, que no texto de despedida explicava seu afastamento "por forças ocultas". Quais? Quem? Por quê? Estas questões devem ter povoado o imaginário popular. A sociedade, angustiada com o prenúncio de mudanças políticas e econômicas com, as quais provavelmente não concordava ou, pelo menos, não se sentia preparada, e, mais do que isso, temendo sua conseqüência, apoiou o golpe e, como em outros momentos, doou "ouro para o bem do Brasil", acreditou no "Brasil à beira do abismo" e no "ame-o ou deixe-o", ou seja, na sua primeira fase, compactuou com o que acreditava ser uma revolução "libertadora" dos perigos do comunismo.

Estávamos à frente ou contra o nosso tempo na década de 1960? *Vivíamos o sonho da elite intelectual* sem nos darmos conta das percepções da comunidade, dos seus temores, da necessidade de aproximação: por incrível que possa parecer, fomos presa de nossa própria ignorância. A repressão à USP, com o apoio da sociedade civil, *serviu para reforçar o conceito original de sua formação* e não para transformá-la criativamente: *a cidadela continuava ameaçada, precisava levantar seus muros, proteger-se, reagrupar os quadros restantes e lutar pela sobrevivência...* O possível na época. Aliás, querendo ou não, na sua forma – e não conteúdo – *foi exatamente o que a comunidade fez.*

Como enunciado a princípio, este é um momento decisivo de discordância e decorrente afastamento entre instituição e comunidade. Elas se afastam, discordam ideologicamente e na prática. A instituição se fecha, continua aprimorando e desenvolvendo o conhecimento científico em todas as áreas, e a comunidade continua a crescer à sua volta. Com a democratização do poder político no país, percebo que a admiração da comunidade em relação à USP se volta mais para as áreas de exatas e biológicas. Parece que ela rompe com as de humanidades, coincidência ou não, basta ver quão pouco os cursos de ciências humanas são concorridos no vestibular da Fuvest, com exceção dos cursos de comunicação, que parecem mais alinhados com o novo "*espírito do tempo*". Coincidência ou não, se este rompimento realmente ocorreu, ele afetou basicamente a área que viera para *reinaugurar a ciência moderna no país, para criar uma elite intelectual em substituição à política*, enfim, atingiu o cerne, o elo das demais escolas quando de sua fundação.

Não adiciono aqui a visão dos uspianos porque, em geral, ela permanece a mesma a seguir, quando elejo o momento atual como o terceiro e último do capítulo, e dedico-me à exploração da visão da USP através de seus representantes.

3º momento – os segmentos formadores de opinião da população, econômica e culturalmente privilegiados, criam seus modelos para acompanhar o desenvolvimento desejado do país, a USP das humanidades se distancia mais ainda da comunidade

Para entender a USP hoje, preciso analisar o desenvolvimento da sociedade brasileira, em especial da paulista e paulistana, nos últimos trinta anos, a partir do que estudei e pesquisei fora da universidade, até para que as questões colocadas façam sentido e efetivamente ampliem a discussão, não permitindo interpretações errôneas.

Os movimentos estudantis da década de 1960 no Brasil ocorreram simultaneamente a outros movimentos idênticos na forma, embora estimulados por conteúdos diversos. Assim, se aqui os estudantes combatiam a ditadura, nos Estados Unidos reagiam contra a Guerra do Vietnã e na França contra o sistema de ensino, apenas para citar os mais emblemáticos. Não foi coincidência a sua eclosão ao mesmo tempo. Foram movimentos que combatiam, na verdade, um sistema social dos valores vigentes, antigos, fechados e refratários a qualquer alteração. Não estou sugerindo que os motivos aparentes não tivessem importância social, estou apenas afirmando que a sincronia desses movimentos em lugares díspares sugere uma outra luta: a quebra dos padrões e da moral vigente, o que incluía fundamentalmente o fim da indiscutível autoridade e poder masculinos, uma abertura para a participação da juventude contra uma moralidade e visão de mundo calcadas na meia-idade e a libertação feminina desses mesmos paradigmas. O pós-guerra, o desenvolvimento industrial acelerado e as novas demandas sociais ancoraram esses movimentos, travestidos por questões emblemáticas e representativas da *velha ordem social*.

Assim, se tais movimentos perderam em seus motivos aparentes e, especialmente no Brasil, tiveram que esperar o ritmo da história e o espírito do tempo para a sua concretização, *a nova ordem social* começa a reforçar seus novos contornos com os movimentos que se seguiram: a contracultura, a cultura hippie, o feminismo, a inserção definitiva da mulher no mercado de trabalho[12], as decorrentes alterações na organização familiar e o culto à juventude, que desprivilegia o adulto e o marginaliza, demonstrando o efeito dessa cadeia de acontecimentos.

O mundo da década de 1980 assiste a alterações geopolíticas impensáveis, alterações que iriam mudar para sempre as relações de poder mundial, as consciências e as ideologias: a queda do muro de Berlim, simbolicamente, representou o fim dos referenciais fixos do pensamento, à direita ou à esquerda. Na vida real, a Guerra Fria cede lugar a outros territórios de luta, muito mais perigosos pela falta de contextualização territorial e até de uma clara referência ideológica. Nas mãos de um só líder mundial, uma só ideologia, o mundo de repente perdeu os referenciais conhecidos e partiu em busca de novos. A sociedade mundial atualmente procura outros apoios e diretrizes, enquanto isto flexibilizando as estruturas sociais, familiares, educacionais, enfrentando crises econômicas seqüenciais, buscando um novo ponto de equilíbrio pessoal e social e sempre acreditando na ocorrência de um milagre redentor. No Brasil não foi diferente.

É preciso entender que a vida fora da universidade viu no Plano Real, na primeira metade da década de 1990, uma oportunidade única de desenvolvimento, de estabilização econômica, de organização do orçamento doméstico e planejamento de consumo, do fim dos estoques de alimentos e do uso sistemático do *freezer* e das dispensas, como forma de evitar a corrosão dos recursos financeiros disponíveis e, mais do que tudo, a possibilidade de ingresso do Brasil no Primeiro Mundo. Tais sentimentos permearam e ainda persistem como esperança na sociedade. Esse período de maior auto-estima interna foi percebido também como uma grande oportunidade de desenvolvimento científico e tecnológico. A desesperança do final da década resultou na inversão de perspectiva e na eleição do primeiro líder sindical como Presidente da República. A sociedade trocou o representante da intelectualidade, das humanidades da USP, pelo homem do povo, que poderia talvez entender melhor sua decepção, dificuldades e anseios.

No plano das perspectivas da juventude, vejo recorrentemente uma crítica à sua falta de projetos, desconsiderando por completo a complexidade de todas as mudanças e suas conseqüências para os jovens de hoje. Apesar de vivermos sob a égide da ideologia da juventude, parece que ela é mais valorizada pelos pais do que pelos filhos, paradoxalmente. Nesse contexto, é preciso considerar que o projeto dos jovens é de sobrevivência pessoal em um país que apresenta poucas perspectivas de formação e depois de colocação profissional[13]. Ao contrário da geração de 1960, que, comprovadamente, pôde ser mais educada e até mais rica que seus pais, a geração atual está fadada à situação inversa. Assim, seu *projeto é pessoal e não social*. Nem poderia ser de outra forma. O mundo mudou da década de 1960 para cá. Aquela era a nossa luta, nosso projeto. Quer tenhamos sido bem ou mal sucedidos, está aí a atual juventude como prova da atuação da nossa geração. Se eles são extremamente auto-indulgentes, é caso de perguntar se nós, no anseio de evitar o conflito e sequer esbarrar em algum tipo de autoritarismo, estabelecemos uma relação com nossos filhos que alia um discurso liberal, "no qual tudo pode", a uma prática controladora não explícita, que é compensada através de bens e atendimento de desejos[14].

E a USP, como viveu, compreendeu e inseriu essas mudanças nas suas próprias estruturas? Fui buscar nos textos uspianos em que estágio a academia se encontra quanto a esse conjunto de mudanças.

Aparentemente, os atuais representantes da USP não apresentam uma postura única. Nas humanidades, principalmente, eles divergem quanto a várias questões, soluções, papel da universidade, visão da sociedade, por vezes confundida com mercado, grau de interferência do investimento privado, formas de atuação no desenvolvimento da pesquisa científica, entre outros temas polêmicos. Senão, vejamos o que escreve Marilena Chauí em 1994:

> Entre 1967 e 1994, as grandes mudanças na forma do modo de produção capitalista e, conseqüentemente, das relações sociais, do lugar ocupado pela ciência e pela tecnologia, das novas expectativas de *uma sociedade de massa e de consumo, fascinada por imagens velozes e fugazes*, determinaram outras maneiras de perceber a universidade e parecem impor-lhe outras finalidades.
>
> Entre 1967 e 1984, uma nova USP foi criada. Houve uma segunda fundação. Quis a ironia da história que os prepostos da ditadura, na universidade, realizassem as propostas contidas no documento de Simão Mathias, disso resultando o que vimos: ali onde Mathias falava em integração, fez-se a centralização; onde falava em reformulação curricular e vestibular unificado por áreas de conhecimento, fez-se a escolarização e a massificação dos testes de múltipla escolha; onde propunha articular pesquisa básica e aplicada, graduação e pós-graduação, formação de novos docentes, pesquisadores e profissionais, *fez-se a partilha entre pesquisa financiada por poder público e iniciativa privada*, instituiu-se a distinção hierárquica e de prestígio entre os dois níveis do ensino, e a separação entre *docentes, pesquisadores e profissionais ligados ao mercado.*
>
> Há, hoje, na Universidade de São Paulo, três tipos de escola que não correspondem à divisão institucional da universidade em institutos e faculdades, mas ao modo com a atividade universitária é pensada e exercida, os três tipos podendo existir e coexistir em qualquer dos institutos e faculdades: a que propicia prestígio curricular ao docente; a que oferece complementação salarial a docentes e pesquisadores; e a universidade pública. *A escola de prestígio curricular é aquela na qual o docente não é pesquisador e tampouco se dedica à docência em tempo integral, mas ali leciona em tempo parcial, dedicando-lhe algumas horas por semana. Embora a verdadeira profissão seja exercida noutro lugar (consultório, escritório particular, empresas privadas), o profissional tem interesse em apresentar-se com o currículo de professor da USP porque este vale clientes ricos ou um bom cargo na firma.* Sabe-se que o regime do tempo parcial foi proposto a muitos profissionais eminentes para que a Universidade pudesse contar com a experiência e o prestígio que lhe traziam. Hoje, porém, *instalou-se a situação inversa, a USP legitimando carreiras não acadêmicas que prestigiam o docente e não a instituição*[15].

Outros textos encontrados demonstram posições contrárias à exposta anteriormente, evidenciando que acabaremos nos defrontando com nossos piores temores. A divisão da intelectualidade, afinal, serve a quem?

Vamos tentar uma outra visão do papel atual da Universidade através de um texto de Jacques Marcovitch, reitor da USP, publicado em um jornal de São Paulo em 2002:

> A USP mantém cerca de 400 convênios de cooperação com empresas privadas. Quer isso dizer que tudo vai bem e dispensa maior sintonia? Não. O número é um recorde no país, mas ainda não corresponde ao imenso potencial da parceria entre estes dois importantes segmentos da vida nacional. Ambos, cada um a seu modo, ainda *cultivam desconfianças que somente uma busca persistente poderá eliminar*. Há dois mitos a destruir. O primeiro, cultivado pelos empresários, de que o pesquisador acadêmico é um ser etéreo, descolado da realidade. O segundo, corrente na área de pesquisa, de que o empresário despreza a ciência. Vencidos estes equívocos, universidade e empresa *encontrarão finalmente um novo modelo de convívio.*
>
> A força da pós graduação na universidade pública igualmente se reflete na simples constatação de que ela mantém 1047 programas de doutorado e 559 de mestrado, contra apenas 112 e 57, respectiva-

mente, do sistema particular. Mas aqui não se trata apenas de fazer comparações e sim de *apontar equívocos de uma cega e radical defesa dessa mesma pós-graduação, que se costuma fazer no âmbito da universidade pública*. A verdade é que alguns colegas, *felizmente a minoria, valorizando de modo equivocado os méritos desta área, querem-na intocável, sacralizada, imune às exigências da contemporaneidade*. Aí se inscreve o erro de considerá-la *descolada inteiramente do mundo do trabalho*[16].

Ou uma visão, simultaneamente experiente e profunda, na minha opinião, um presente do professor Renato Janine Ribeiro:

> Se educarmos pessoas que não partam da crença na existência de uma única teoria certa, mas que tenham sido formadas no confronto de linguagens, de teorias, enfoques e abordagens, sabendo que cada uma dessas ferramentas de pensar está dotada de qualidades, mas também de limitações, teremos diante de nós uma geração de pessoas mais aptas a lidar com o que é mutável no conhecimento e no mundo. Não as conformaremos a um único modo de conversar com o mundo; esse tipo de formação é, hoje, desastroso no mais alto grau, por deixar as pessoas inteiramente despreparadas para as crises que tenham em suas vidas, além de ser intelectualmente insuficiente, por vender-lhes como *verdade definitiva o que, cientificamente, nunca pode ser mais que provisório*.
>
> *A universidade não deve tentar fazer (mal) o que a empresa pode fazer melhor*. O papel do ensino superior é o de fazer bem o que só ele pode fazer – no caso, *formar pessoas para um ambiente de mudanças*. Se dermos às pessoas a densidade intelectual, cultural e ética que depois as capacite a enfrentar – e mesmo a esposar – as mudanças que experimentarem ao longo de suas vidas profissional e pessoal, teremos dado a elas o melhor de nós. *E os ambientes de trabalho em que elas depois se integrarem proporcionarão a sintonia fina dos meios pelos quais exercerão sua vida profissional*[17].

Poderia continuar, ininterruptamente, recortando trechos e colando-os aqui para provar a tese da divisão entre os intelectuais. Mas acho que basta e a tese está comprovada pela importância dos nomes e análises aqui colocados. É clara a divergência sobre onde centrar e desenvolver a força da instituição, sobre como conciliar pensamento científico e trabalho ou manter a defesa da "cidadela" e continuar a levantar suas muralhas em nome da ciência. Hoje, o campo de batalha está centrado na luta contra o neoliberalismo, nas propostas de adaptação do ensino às exigências do mercado, no ensino superior pago, e em questões correlatas a estas. Baseada nos anteriores e em muitos outros textos, acho que devo colocar as minhas próprias impressões, em nome da comunidade e do seu possível afastamento, menos pela divergência entre os representantes da instituição e mais pela necessidade de democratizar suas opiniões na sociedade. Embora tal voz não seja uníssona, representaria, de um lado, um momento inédito de compartilhamento de opiniões, e, de outro lado, em plena sociedade do aprendizado, a instituição poderia ouvir e tentar entender o ponto de vista da comunidade, suas necessidades e anseios:

- A discussão a respeito do que é bom ou ruim para a USP, desconectada da comunidade que a cerca, mantém o tom entrópico, só inteligível para quem vive dentro dela. É bom lembrar que, embora dedicada ao desenvolvimento do conhecimento científico – uma de suas funções – a USP é financiada pelo poder público, o que, em última instância, significa que é paga pela sociedade. Seria fundamental então levá-la em consideração nas discussões internas, ou então, poderemos presumir que a elite intelectual continua a pensar que sabe, acima de qualquer outro poder ou experiência, o que é bom para o país, sociedade etc.
- Acreditar que professores em regime não integral, que possuem outras profissões, dão aula na USP apenas para ter prestígio e conseguir bons empregos é no mínimo preconceituoso no seu princípio. Em outros termos, acreditar que não existe conhecimento sendo produzido fora dos muros da USP que possa ser compartilhado nas salas de aula, e que a experiência produzida fora da USP e trazida para seu interior não possa ser enriquecedora para os alunos e para a Universidade, pode ser entendido como o recurso da ave que, para não ver, esconde a cabeça...

- Sociedade não é mercado. Sociedade é o conjunto de indivíduos com história comum. É composta de grupos sociais, com suas próprias visões de mundo, valores, anseios, expectativas e necessidades. Mercado é o que existe em todas as sociedades capitalistas, que vivem da produção e de todas as atividades correlatas a ela, incluindo consumo, propaganda, mídia etc. Um cientista social pode fazer a crítica da interferência do segundo sobre a primeira, mas jamais confundir os dois conceitos, muito menos quando isso é usado para evitar a atualização da instituição e de seus objetivos.
- Preparar jovens formandos para o mercado de trabalho não pode parecer um trabalho menor, dentre os vários levados a cabo dentro da Universidade. A rigor, e desde a sua fundação, esta é uma das funções da USP. Esse preparo é importante para o país e seu desenvolvimento em todas as dimensões, além do que pode garantir uma posição ética e crítica, um desempenho criterioso e profundo quando disseminado pelos formandos no mundo do trabalho e na vida em sociedade. Tal postura deveria ser estimulada e não desqualificada como a menos importante entre suas funções. Vamos lembrar que só os mais privilegiados economicamente e/ou aqueles que possuem bolsas de estudo podem permanecer nos quadros da Universidade, sem ter que trabalhar, até que possam sobreviver da vida acadêmica.
- Ao contrário das ciências exatas e biológicas, as ciências humanas sempre demonstraram uma enorme dificuldade em mostrar o quanto o seu conhecimento é importante para a sociedade, por paradoxal que seja. Talvez a sua análise crítica a distancie de tal maneira que torne impossível um contato mais íntimo e profícuo. No entanto, é disto que precisamos neste momento de democratização do país: cientistas das humanidades que falem, compartilhem seus conhecimentos, mas também ouçam, percebam a comunidade à sua volta. Só assim poderemos assegurar sua importância e relevância para o desenvolvimento de uma sociedade mais justa e participativa[18].

A menos que a academia atue de uma outra forma, esta mesma sociedade vai continuar a criar suas próprias teorias de interpretação da realidade, onde se inclui a USP, e até do que é conhecimento. A comunidade paulista e paulistana já provou em outros momentos seu poder de combater e brigar por seus ideais. Aliás, produziu a USP. Esta talvez seja a sua "*mais completa tradução*", como diria Caetano Veloso.

Os textos consultados sobre o assunto, em sua maior parte, parecem desconsiderar os grandes movimentos e necessidades sociais, sempre em nome da produção do conhecimento científico sério e ético, como se uma demanda fosse incompatível com outra. Por exemplo, o risco da invasão do investimento privado é dado como prova do perigo do contato, porque experiências anteriores demonstram como ele conseguiu "invadir e depois tomar" instituições inteiras ou parte delas. Na verdade, o problema, na minha opinião, está dentro, e não fora. O fato de a USP ter-se desenvolvido em uma estrutura defensiva para sua própria proteção leva a uma incapacidade de incorporação criativa e ativa das mudanças à sua volta: por não conseguir olhar fora do seu próprio mundo, demonstra, sem querer, uma atitude elitista e fechada em si mesma, exprime um comportamento que pode ser considerado preconceituoso e, por decorrência, escancara a dificuldade em lidar com as diferenças, não negocia os limites possíveis das interferências, e acaba sendo ludibriada e roubada, quando poderia usufruir, por exemplo, dos recursos fornecidos pelo investimento privado, sem entregar inercialmente o conteúdo programático, ficando alijada da administração de faculdades inteiras ou partes delas. A sociedade percebe este comportamento de longe e, na ausência de maiores explicações, tira as suas próprias conclusões.

Será que se a USP soubesse avaliar melhor seus defeitos e vulnerabilidades não conseguiria controlar a contribuição do financiamento privado? Ou é melhor esbravejar em grupos contra e a favor e enquanto isto, aí sim, o "inimigo" entra sorrateiramente e toma conta do que é da instituição, legitimamente, tornando-se um *fait accompli?* E, a partir desse momento, e com o exemplo vivo convivendo em pleno *campus*, o fato é utilizado para reforçar a posição defensiva e intramuros e evitar novos contatos com a comunidade, confundida com o mercado que, por sua vez, acostumado a esta posição ou mesmo alheio a ela, aplaude a modernidade das instalações e a infra-estrutura física "doada" pelo poder privado, contra a situação da maior parte dos prédios do *campus*, mantida pelo poder público...

Será que a comunidade uspiana sabe desses sentimentos e percepções? Será que é possível ver do alto dos muros o que acontece fora dela? Será que não é tempo de abrir uma brecha, ver o que ocorre na sociedade, e principalmente ouvir o que ela tem a dizer? Vamos lembrar que, embora a intenção original fosse de ilhar a USP na Cidade Universitária, hoje, como evidência das enormes transformações, a cidade a abraça e, no máximo, o trânsito intenso de São Paulo é o maior problema para o seu alcance.

Um exemplo final, originado da minha experiência pessoal. Os recursos dos investimentos privados nacionais e multinacionais vêm produzindo, há tempos, um enorme conhecimento da sociedade, seus grupos sociais, seus movimentos, suas motivações, desejos e necessidades. Para chegar a esse conhecimento, foi necessário o desenvolvimento de técnicas de pesquisa, e importação e adaptação de outras ao solo brasileiro, em um enorme esforço intelectual na direção das ciências sociais, mais especificamente da psicologia social, da sociologia e até da história social. Hoje, guardados nos centros de informação das grandes empresas, descartados os objetivos de mercado que originaram tais documentos, encontramos o maior acervo da vida social dos últimos trinta anos, em todas as suas dimensões e vertentes. O último dado de investimento em pesquisa fornecido pela ANEP[19] foi de um gasto de R$ 520 milhões de reais em 2001. Seus profissionais, boa parte egressos da USP, não se conformam em não poder compartilhar seu conhecimento com a academia. Aliás, a oportunidade de escrever este capítulo acalmou muito da minha ansiedade pessoal, já que pude dividir um pouco do que aprendi fora dela a partir do seu instrumental teórico.

As questões finais que coloco são: será que a USP entende, principalmente no território das humanidades, o quanto de conhecimento está sendo produzido sem que ela saiba? E será que, se lhe for oferecido um compartilhamento, ela será capaz de utilizá-lo? Será que não está na hora de olhar para dentro e não para fora, em busca do perigo?

O mundo da produção não vai esperar a queda dos muros, vai continuar a produzir, desenvolver o mercado, buscar profissionais competentes, na medida do desenvolvimento do país. Não adianta tentar estancar o momento histórico. Mais interessante seria contar com uma troca profícua de idéias. Se o movimento for consciente, o risco é praticamente nulo. Ninguém discute a necessidade da produção intelectual independente e ética, nem os próprios meios de produção que dependem desse conhecimento para o seu desenvolvimento. No atual momento histórico, negar o que acontece à sua volta e, mais do que tudo, negar a democratização da discussão parece ser a pior alternativa.

O campo de batalha hoje é outro. Ele está mais bem expresso numa possível luta pelo desenvolvimento das ciências, em especial das ciências humanas, relegada a um décimo plano de importância pela burocracia estatal e, de novo, pela sociedade. Estou certa de que a atualização deste olhar seria extremamente benéfica para a USP e mais convergente com as necessidades da sociedade que a rodeia. Quem sabe é hora de continuar o movimento de defesa, mas contra os verdadeiros riscos, para que se possa tomar o controle da situação, e não ficar ao sabor dos acontecimentos.

Vimos que os movimentos de afastamento sempre ocorrem quando a USP e a sociedade se opõem, divergem. Ambas vêm exercitando o movimento de afastamento há anos. Aos setenta anos, cônscia de seu saber e poder, a Universidade já pode se dar ao luxo de se aproximar da sociedade e, em um movimento democrático, falar e ouvir, até para poder auxiliar no desenvolvimento do pensamento social e político dessa mesma comunidade. Os grandes obstáculos do passado não existem mais e os novos são muito menos ameaçadores ou perigosos. Ou, então, a USP pode ficar indefinidamente procurando novas ameaças e defendendo-se de seus possíveis ataques. Não é o que a sociedade espera dela. É hora de falar, ouvir e ocupar seu verdadeiro papel. Afinal, a USP não pode negar seu destino de liderar, pensar e estruturar o conhecimento, assim como formar as elites culturais, e, até segunda ordem, as econômicas, do país. Recriaria e, principalmente, atualizaria o destino que lhe foi conferido ao nascer. A comunidade, antecipadamente, agradece.

Notas

1 Flávio Fava de Morais, reitor em 1994, em texto comemorativo aos sessenta anos da USP, em *Revista On Line*, site da Universidade São Paulo. Grifos nossos.

2 Para maior aprofundamento sobre o assunto, consultar Roberto Gambini em *O Espelho Índio, os Jesuítas e a Destruição da Alma Indígena*, Rio de Janeiro, Espaço e Tempo, 1988, e *Outros 500, Uma Conversa Sobre a Alma Brasileira*, São Paulo, Senac, 1999.

3 Em especial a obra de Maria Helena Capelato e Maria Ligia Prado, *O Bravo Matutino, Imprensa e Ideologia: O Jornal* O Estado de S.Paulo, São Paulo, Alfa-Omega, 1980.

4 Em uma das manifestações de apoio à convocação da Assembléia Constituinte, lançada pela recente frente entre o Partido Republicano e o Partido Democrático, manifestantes entraram em conflito com a polícia, resultando na morte dos estudantes Euclides Bueno Miragaia, Mário Martins de Almeida, Dráusio Marcondes de Souza e Antonio Américo Camargo de Andrade, cujos nomes e sobrenomes seriam lembrados pela sigla, MMDC, em 23 de maio de 1932, portanto há pouco menos de dois meses do início da Revolução Constitucionalista (09.7.1932).

5 Recorro aqui às histórias contadas por minha mãe, contemporânea desse tempo e participante ativa dos movimentos. Dizia ela que, ao sair do cinema com meu pai, na época seu namorado, nesse dia da vitória da Itália, ficou arrasada com a festa que se fazia nas ruas do centro de São Paulo, de onde tiveram de sair rapidamente pela sua intensidade e pelo início de agitação que se prenunciava entre os que comemoravam e os paulistanos, que se sentiam ultrajados. Para seu desespero, encontrou a mesma festa em sua casa, já que era filha de italianos. Para ela, que havia tricotado pelas tropas da Revolução Constitucionalista no Conservatório Musical de São Paulo, transformado em posto avançado de auxílio às tropas, que se considerava uma paulistana, e depois brasileira, em todos os sentidos – fazia questão de não ter o famoso sotaque italiano da capital –, e que quase havia sido abatida na Praça da República, na mesma manifestação que matou os quatro jovens estudantes, aquela atitude era um absurdo para o Brasil, e especialmente para São Paulo.

6 O ano de1933 marca a eleição da primeira mulher como deputada federal, a *paulista* Carlota Pereira de Queiroz, fato que se insere nos pequenos detalhes que contribuem para a formação do inconsciente coletivo da população.

7 Vale aqui uma nota importante. Estamos nos referindo na época, e mesmo agora, à parcela da comunidade considerando os "incluídos", os educados, aqueles que, por circunstâncias econômicas e por formação cultural, foram informados do fato, e nesse segmento não se incluem apenas a elite dirigente, mas o grupo social formador de opinião da sociedade.

8 Trecho do Decreto n. 6283, de 25 de janeiro de 1934, de fundação da Universidade São Paulo, assinado por Armando de Salles Oliveira, interventor no Estado: "considerando que a formação das classes dirigentes, mormente em países de populações heterogêneas e costumes diversos, está condicionada à organização de um aparelho cultural e universitário, que ofereça oportunidade a todos e processe a seleção dos mais capazes".

9 Estudos recentes desenvolvidos no Brasil e no mundo indicam que a sociedade pode ser dividida, além das variáveis demográficas, em fatias ou segmentos "psicográficos", que representam estilo de vida, valores, visão de mundo e não exclusivamente poder econômico. Nesse tipo de segmentação há sempre um pequeno grupo criador de tendências, formador de opinião, que através de um "processo de demonstração" é copiado gradativamente pelos demais segmentos existentes, de maneira que os grupos menos educados ou com estilo de vida mais conservador são os últimos a serem atingidos, no mesmo momento em que o grupo pioneiro já alterou sua posição e tendência. Para um melhor entendimento desse tipo de estudo, consultar o trabalho de mestrado de Silvia Assumpção do Amaral Tomanari, *Segmentação de Mercado com Enfoque em Valores e Estilo de Vida (Segmentação Psicográfica) – Um Estudo Exploratório*, São Paulo, ECA, USP, 2003.

10 Em especial pela extinção literal do prédio da rua Maria Antonia, sede da Faculdade de Filosofia, Ciências e Letras da USP, pelo CCC, Comando de Caça aos Comunistas, em missão liderada pelo vizinho de frente, o Mackenzie.

11 Um depoimento pessoal: lembro-me com detalhes do dia da passeata subseqüente à morte do estudante secundarista, quando me juntei à passeata, sem nenhum esquema de segurança (saíamos em grupos, de forma a saber se alguém desaparecia durante a repressão ao movimento). Naquele dia, ao descermos a avenida São João, vimos uma enorme tropa de choque no Viaduto do Chá e percebemos que não haveria saída possível. A dispersão, pelo menos a minha, foi absolutamente aleatória. Peguei um ônibus elétrico que passava pela rua Líbero Badaró e que sequer sabia para onde ia. Em volta do ônibus, os estudantes corriam perseguidos pelo exército. Dentro, as pessoas gritavam em pânico que os estudantes comunistas iam virar o ônibus e colocar fogo nele (!). Teria preferido ficar fora, mas já era tarde, tentei sair mas o condutor se recusava a abrir a porta. Mais do que isso, vi ódio nessas pessoas comuns. Ódio aos estudantes e não apoio ou, pelo menos, solidariedade. Não havia espaço para explicar que jamais estes fariam aquilo que era imaginado. De onde eles teriam tirado essa idéia?! Consegui descer na praça João Mendes, onde alguns estudantes corriam e o exército ainda os perseguia. Tomei outro ônibus para voltar para casa. Dentro dele, e fora do perímetro de luta, percebi que todos me olhavam estranha e perigosamente. Depois de algum tempo me dei conta que continuava com a tira preta de luto no braço, o que me identificava com a "turba de estudantes" desordeiros... Paro por aqui. Não consegui entender o fenômeno, já que a luta tinha como objetivo essa mesma sociedade que a repelia e temia.

12 Segundo o Seade, 54,4% das mulheres que vivem na região metropolitana de São Paulo, em 2002, possuem atividade remunerada fora de casa, ou seja, compõem a força de trabalho. "Por faixa etária, houve movimentos distintos da taxa de participação, com crescimento nos grupos de mulheres jovens e adultas e redução nos de crianças e ado-

lescentes." *Mulher & Trabalho*, fev. 2003, publicação trimestral editada pela Fundação Seade, www.seade.gov.br.

13 Na Europa, os jovens vivem uma situação extremamente difícil, profissionalmente, embora por motivos diversos. Lá os mais velhos recusam-se a se aposentar e dar lugar aos mais jovens, provocando outros tipos de problemas. Coincidência?

14 *Como me Vejo, Como sou Visto*, Pesquisa institucional realizada pela Ammirati Puris Lintas no ano de 1999, publicada na Revista *Isto É*. Coordenação e supervisão do Departamento de Planejamento Estratégico, sob minha direção e realização da Cunali e Moretti.

15 "USP 94: *A Terceira Fundação*", Marilena Chauí, em *Revista on line* (s/d). Marilena Chauí é professora do departamento de Filosofia da Faculdade de Filosofia, Letras e Ciências Humanas da USP. Grifos nossos.

16 "A Cooperação da Universidade Moderna com o Setor Empresarial". Jacques Marcovitch, 52, foi reitor da USP e autor de *A Universidade Impossível* (Editora Futura/Siciliano). Artigo publicado no jornal *Valor* de 30.10.02, p. A-10. Grifos nossos.

17 Renato Janine Ribeiro, *A Universidade num Ambiente de Mudanças*, texto publicado no caderno especial *Políticas Públicas de Educação Superior – Vol. 1 – Desafios e Proposições*, Brasília, Abmes/Funadesp, 2002, pp. 427-441. Grifos nossos.

18 Não me refiro aqui a escrever artigos para os jornais, já que, infelizmente, o meio continua atingindo indivíduos mais cultos e ricos. Conforme dados da Pesquisa Ipsos/Marplan e Datafolha, no site da ANJ (Associação Nacional de Jornais), apenas 3,9 milhões de pessoas lêem jornal diariamente. Entre os leitores de jornal, 61% pertencem às classes A/B, 32% à classe C e apenas 6% às classes D/E. De forma esperada, portanto, 31% destes leitores possuem curso superior completo e 39% o secundário. A Cidade do Conhecimento, programa de compartilhamento do conhecimento da USP, que contém vários programas sociais e culturais de alto interesse, esbarra, entretanto, no mesmo problema que o da leitura de jornais. Do total dos 7,2 milhões de usuários da Internet, 64% pertencem às classes A e B, 57% estão localizados na Região Sudeste e, entre os que têm de doze a 24 anos, apresentam um potencial de consumo mensal de R$ 1,1 bilhão, conforme Ibope E-Ratings, www.ibope.com.br.

19 ANEP, Associação Nacional de Pesquisa, *Pesquisa em Foco*, dezembro de 2002, www.anep.org.br

Campus da Capital

Campus de Piracicaba

Campus de Ribeirão Pre

Campus de São Carlos

Campus de Bauru

OS *CAMPI* DA USP

Patrimônio e Cidade

*Ana Lúcia Duarte Lanna**

A Universidade de São Paulo foi criada por decreto estadual em 25 de janeiro de 1934. Reunia instituições de ensino existentes na capital paulista e a Esalq, em Piracicaba. O decreto fundador, assinado pelo interventor federal no estado de São Paulo, dr. Armando de Salles Oliveira, afirmava que

> considerando que a organização e o desenvolvimento da cultura filosófica, científica, literária e artística constituem as bases em que se assentam a liberdade e a grandeza de um povo;
>
> considerando que somente por seus institutos de investigação científica de altos estudos, de cultura livre, desinteressada, pode uma nação moderna adquirir a consciência de si mesma, de seus recursos, de seus destinos;
>
> considerando que a formação das classes dirigentes, mormente em países de populações heterogêneas e costumes diversos, está condicionada a organização de um aparelho cultural e universitário, que ofereça oportunidade a todos e processe a seleção dos mais capazes;
>
> considerando que em face do grau de cultura já atingido pelo Estado de São Paulo, com escolas, faculdades, institutos, de formação profissional e de investigação científica, é oportuno elevar a um nível universitário a preparação do homem, do profissional e do cidadão,
>
> Decreta:
> Título I
> DA UNIVERSIDADE DE SÃO PAULO
>
> Art. 1º – Fica criada, com sede nesta Capital, a Universidade de São Paulo
>
> Art. 2º – São fins da Universidade;
>
> a) promover, pela pesquisa, o progresso da ciência;
> b) transmitir, pelo ensino, conhecimentos que enriqueçam ou desenvolvam o espírito ou sejam úteis à vida;
> c) formar especialistas em todos os ramos da cultura, e técnicos e profissionais em todas as profissões de base científica ou artística;
> d) realizar a obra social de vulgarização das ciências, das letras e das artes, por meio de cursos sintéticos, conferências, palestras, difusão pelo rádio, filmes científicos e congêneres [...][1].

Setenta anos depois de sua criação, a USP possui cerca de 75 milhões de m^2 em área, incluindo seus *campi* espalhados por seis municípios e áreas em outros onze municípios do estado de São Paulo, das quais podemos mencionar o Cebimar em São Sebastião. No ano de 2002 matricularam-se na Universidade 42 554 alunos de graduação e 30 313 de pós-graduação. Participaram dos seus cursos de extensão, aprovados pela Pró-reitoria de Cultura e Extensão Universitária, outros 42 352 estudantes. Possui nos acervos de suas bibliotecas, entre livros, teses, periódicos e multimeios, um total de 4 543 142 exemplares. Seus programas de pós-graduação estão entre os mais conceituados do país. O seu quadro funcional compõe-se de aproximadamente 4 900 docentes e 15 mil servidores[2]. Seus *campi* caracterizam-se por significativa diversidade, que pode ser percebida nos seus aspectos físicos, históricos e arquitetônicos. Agregam múltiplas áreas de conhecimento, mas são marcados por cursos e áreas que lhes conferem características específicas. Assim, o *campus* de Piracicaba é essencialmente voltado para ciências agrárias; o de São

* Doutora em História Social pelo Departamento de História da Faculdade de Filosofia, Letras e Ciências Humanas da USP, professora titular da Faculdade de Arquitetura e Urbanismo da USP e diretora do Centro de Preservação Cultural – USP.

Carlos tem forte presença tecnológica nas diversas áreas da engenharia. Em Ribeirão Preto, tem-se a área médica. Bauru articula-se em torno da Faculdade de Odontologia de Bauru; e Pirassununga, da Faculdade de Zootecnia e Engenharia de Alimentos. O *campus* da capital nasce marcado pela proposta de contemplar as diversas áreas do conhecimento.

A partir de 1930, o governo Vargas materializou projetos ensaiados, desde os anos 1920, de constituição de universidades no Brasil. Elas, inseridas no projeto do Estado brasileiro, estarão incluídas desde então no ideário progressista e modernizador que se forjava. Caberia, nos marcos desse projeto, no qual se inseria a Universidade de São Paulo, dotar seus alunos de sólida cultura geral, sem exclusivo viés profissionalizante, bem como desenvolver padrões científicos na produção do conhecimento, associar ensino e pesquisa, e formar profissionais capazes de minimizar os hiatos entre as qualificações do ensino fundamental e superior[3]. Em São Paulo esse projeto de organização universitária foi desde o "início completamente estadualizado, sem que tal vínculo orçamentário e de jurisdição administrativa se traduzisse em esgarçamento de sua autonomia acadêmica e intelectual"[4]. A criação da USP expressava o empenho político de parte das elites paulistanas em participar de forma crescente e central deste projeto modernizador.

O surgimento da Universidade ocorre em momento de intensa urbanização e industrialização, expressões maiores da modernização. A sua constituição e permanência seriam incompreensíveis sem a presença dessas condições sociais, dessa cidade modernizada e diversa. A formação de padrões de cientificidade, o abandono do estilo ensaístico utilizado pelos chamados "intérpretes do Brasil", com a adoção de novos modelos de exposição de idéias expressos na emergência de uma linguagem científica e na pesquisa sistemática, em muito inspirada nos *surveys* americanos, implicavam na proposição de novas formas e temas de conhecimento[5].

A USP nasce marcada pela tradição ao incorporar as centenárias instituições de ensino pré-existentes, como, por exemplo, a Faculdade de Direito que, até hoje, é mais conhecida pelo seu nome São Francisco. Mas nasce também marcada pela modernidade e pelos temas do seu tempo: abrigar as mais diversas áreas do conhecimento, estabelecer diálogos intelectuais que ultrapassassem o campo do nacional, contribuindo para defini-lo, profissionalizar a produção intelectual, articular ensino e pesquisa. Nasce procurando estabelecer vínculos com a cidade, com o seu passado e construindo esta linhagem de uma cidade da educação. A imagem, de José Wasth Rodrigues, que ilustrava os primeiros anuários da Faculdade de Filosofia, Ciências e Letras, ela mesma núcleo central da recém-criada universidade, expressava claramente esta vinculação. Do local fundador da cidade, em 1554, o colégio dos jesuítas, nascia a frondosa árvore do conhecimento coroada pela Universidade colocada em primeiro plano.

Os desafios colocados no ato da fundação atualizaram-se e continuam norteando as atividades da USP. A relação ensino, pesquisa e extensão permanece orientando suas atividades e fazendo-a efetivamente uma universidade. A construção de novos desafios intelectuais, de novas propostas de produção de conhecimento, expressas em suas pesquisas, cursos e *campi*, continua articulada com a existência do que podemos chamar de sua tradiçao, de onde emergem grandes desafios e perspectivas marcando a história e memória, permanentemente atualizada, dos compromissos e da diversidade que compõem a USP.

O processo de expansão permanente é uma das características da Universidade de São Paulo. Expansão esta que pode ser percebida pela transformação dos seus cursos, pela ampliação das áreas e temas de conhecimento abordados nas suas diversas unidades, pela manutenção de uma formação humanista, crítica e técnico-científica, pela permanência dos ideais de um ensino público e gratuito qualificado e diverso. A sua base física tem acompanhado e dialogado com este processo. A arquitetura e o urbanismo dos diversos *campi*, as propostas, discussões e multiplicidade de caminhos propostos reforçam a idéia da universidade como lugar do múltiplo, do diverso, do debate, da experimentação.

A incorporação de edifícios pré-existentes à constituição da Universidade, assim como de coleções e acervos, sinalizam o reconhecimento da importância da USP pela sociedade e são marcos permanentes no seu processo de expansão e consolidação. A implantação de propostas urbanísticas e arquitetônicas inovadoras e que tinham como desafio um diálogo do nacional inserido no internacional marcam as intervenções de caráter modernista, executadas sobretudo nos anos 1960. A crescente complexidade dessa base física que espelha e interage com as práticas de produção do conhecimento levaram à criação do Fundo de Construção da Universidade de São Paulo (Fundusp) em 1969. Naquele momento, sem questionamento dos princípios modernistas de zoneamento e funções que orientavam os planos de ocupação dos *campi* universitários, alterava-se a concepção em relação aos edifícios, que se distanciariam da proposta de prédios destacados, monumentais e únicos[6].

Seja para o recém-implantado *campus* da Capital, seja para os diversos *campi* localizados no interior, o Fundusp, atual Coordenadoria do Espaço Físico (Coesf), procurava atuar na manutenção, cadastro e desenvolvimento de diretrizes construtivas para as permanentes demandas de expansão da área edificada. Introduz-se a perspectiva de construções modulares, procuram-se parcerias e experiências internacionais e implementa-se um corpo técnico permanente de arquitetos e engenheiros na USP. Alguns *campi* do interior, como São Carlos, criam também escritórios de obra. Simultaneamente arquitetos são contratados para a realização de projetos específicos.

O convênio MEC-BID, em suas diversas etapas e tendo como principal consultor Rudolph Atcon, promoverá profundas reformas na universidade brasileira a partir de meados dos anos 1960, que marcam uma crescente influência norte-americana. A reforma universitária de 1968 eliminará a cátedra, introduzirá o sistema de créditos, reforça-

Antigas instalações da Faculdade de Direito.

Anuário da Faculdade de Filosofia, Ciências e Letras, 1934-1935.

Abaixo, Faculdade de Medicina.

rá o papel dos departamentos como unidades de ensino e pesquisa, incrementará o papel da pós-graduação e ampliará o número de vagas. As reformas das bases físicas serão parte essencial deste acordo, reforçando a importância do *campus* universitário como local de concentração das atividades e distanciamento das cidades. "Dos quase 400 milhões de dólares aplicados no ensino superior brasileiro por conta dos Programas MEC-BID I, II, III, em cerca de 20 anos, tinham por objetivo atingir três setores principais: edificações, equipamentos para laboratório e capacitação de pessoal." A USP recebeu aproximadamente 170 milhões de dólares, sendo que 36,7% deste valor foi aplicado em obras civis[7]. Implantava-se a idéia da modulação e da reprodutibilidade; minimizava-se o caráter preponderante do espaço central de convivência – o *core* modernista, elemento central no plano diretor de 1956, ela-

Ao lado, conjunto residencial, com o edifício da Antiga Reitoria ao fundo.

Abaixo, vê-se à esquerda o Conjunto das Químicas e, à direita, a Faculdade de Filosofia, Letras e Ciências Humanas, reunindo diversos exemplos de construções modulares.

borado para a Cidade Universitária Armando Salles de Oliveira na Capital –, e as unidades passariam a ser pensadas a partir do modelo norte-americano de *campus*, ganhando maior autonomia e segregação em relação ao espaço geral da cidade universitária. Este processo norteia, em linhas gerais, os processos de transformação das bases físicas nas universidades brasileiras, mantendo a concepção de espaços universitários separados das cidades onde estão implantados[8].

Essas múltiplas perspectivas de intervenção na base física da USP, muitas vezes conflitantes, expressam também diversas possibilidades de compreensão do que seja a obra arquitetônica. Esta trajetória complexa transforma os *campi* da USP em uma materialidade onde se pode acompanhar a trajetória da arquitetura brasileira e a relação da educação com o Estado. A discussão sempre presente, e atualmente central, acerca da implantação de planos diretores também expressa muitos dos debates do urbanismo brasileiro. A crescente importância dos edifícios de reconhecido valor histórico e arquitetônico pertencentes à USP tem contribuído para estimular o debate acerca das questões do patrimônio cultural. Se muito há para ser feito, hoje a Universidade já reconhece a especificidade do patrimônio e suas necessidades. Nesse sentido podemos destacar várias intervenções de restauro nos edifícios históricos, a existência de dotações orçamentárias específicas para esses bens imóveis e a atuação do CPC, visando à qualificação de uso desse imenso patrimônio.

As dificuldades desse movimento permanente de expansão materializam-se em restrições orçamentárias e em diferentes perspectivas e projetos definidores da ação construtiva e da crescente importância da questão do patrimônio cultural no âmbito da Universidade. Da noção presente nos anos de 1940 de um *campus* suburbano, retirado da cidade, para que assim se criassem condições adequadas de reflexão e produção do conhecimento; da proposta de criação de cidades universitárias articuladas por um *core* e ordenadas por rígido zoneamento funcional respeitando as quatro funções estabelecidas nos preceitos modernistas – habitação, trabalho, lazer e circulação; da implantação de *campi* universitários com maior autonomia, isolamento e reprodutibilidade de suas edificações, caminhamos para situações urbanas, complexas e diversas por definição. As universidades continuam a ser percebidas como ilhas dentro das cidades: parques, locais restritos porque preenchidos de doutores e interdições que, muitas vezes, são percebidas como privilégios. O fato é que elas mantém com as cidades que as envolvem uma relação de distanciamento e semelhança. Qualificam as áreas urbanas onde se inserem, são usufruídas pela população como local de lazer, são referidas como aspiração de conhecimento e instrução, mas dificilmente são percebidas como parte das cidades ou mesmo como situações urbanas. A permanência da idéia de *campus* que norteia seu crescimento e implantação pode ser largamente associada à essa relação de segregação, seja em relação à cidade seja internamente. A superação destas relações de distanciamento constituem um dos desafios enfrentados atualmente pela universidade.

A expansão da USP, sua crescente presença em áreas urbanas, suas múltiplas e ampliadas atividades de ensino, pesquisa e extensão apresentam-se como um contrapon-

Casa de Dona Yayá – Sede do CPC.

Nesta página, vistas da Cidade Universitária com a Marginal do Rio Pinheiros e a cidade ao fundo.

Na página ao lado, Faculdade de Medicina de Ribeirão Preto.

to à segregação, introduzindo novos problemas e desafios. Os *campi*, que foram sendo incorporados à USP ao longo dos seus setenta anos de existência, têm variadas trajetórias urbanísticas e arquitetônicas. Alguns foram produzidos como cidades universitárias, outros originaram-se de escolas agrícolas, com forte presença do neocolonial, também ele um estilo à procura da definição do nacional. Foram sendo incorporados às cidades, transformando-se em marcos referenciais e compartilhando com elas de novas proximidades, transferências e desafios.

Notas

1 Decreto n. 6283, de 25 jan. 1934.

2 Dados para o ano de 2002 do *Anuário Estatístico da Universidade de São Paulo*. Fonte: http://www. sistemas.usp.br/anuário.

3 L.A.F. Rodrigues, *Universidade e Fantasia Moderna: A Falácia de um Modelo Espacial Único*, Niterói, Eduff, 2001, pp. 80 e 66; M.A.N. Arruda, *Metrópole e Cultura: São Paulo no Meio Século XX*, Bauru, Edusc, 2001, p. 198 e seguintes.

4 M.A.N. Arruda, *op. cit.*, p. 194, citando Sergio Miceli, "Condicionantes do Desenvolvimento das Ciências Sociais", em *História das Ciências Sociais no Brasil*, São Paulo, Sumaré/Fapesp, 1995, p. 85.

5 M.A.N. Arruda, *op. cit.*, pp. 204-213.

6 L.A.F. Rodrigues, *op. cit.*, p. 201, aponta três momentos na evolução do espaço universitário brasileiro. Uma primeira fase, entre 1930-1960, caracterizava-se pelas propostas de cidades universitárias seguidoras dos preceitos das cidades-jardins e da arquitetura moderna funcionalista expressas, sobretudo, na Carta de Atenas; uma segunda fase, entre 1960-1980, em que os modelos de *campi* universitários diferenciam-se sobretudo no que se refere ao tratamento dado aos edifícios; e uma terceira fase, pós-1980, em que as críticas ao modelo adotado acentuam-se e surgem algumas propostas de revisão não necessariamente implantadas.

7 L.A.F. Rodrigues, *op. cit.*, pp. 145-153.

8 Os *campi* foram criados como unidades administrativas por portaria de 3 de fevereiro de 1972, do então reitor Miguel Reale. Instituiram-se os *campi* de Ribeirão Preto e São Carlos. Em nova portaria, de 25 de junho de 1985, reafirma-se a organização do *campus*, alterando-se sua estrutura administrativa. Os *campi* devem sediar mais de uma unidade da USP e ter órgão responsável para atender as necessidades comuns das unidades, no que se refere à execução de serviços e obras assim como aos de manutenção. A portaria de 1985 cria o Conselho do *Campus*, atuais prefeituras, e constitui os *campi* administrativos de Piracicaba e Bauru. Portaria GR n. 1696 de 3.2.1972 e n. 1821 de 25.6.1985.

CAMPUS DA CAPITAL

Ano de aquisição da gleba do Butantã: 1941
Área total: 5 985 291,41 m²
Área construída total: 876 421,86 m²
Número de unidades: 34

Ano de aquisição da gleba da Zona Leste: 2005
Área total: 2 642 500,00 m²

No alto, Centro Universitário Maria Antonia.

Acima, maquete eletrônica da USP Leste.

A Universidade de São Paulo marca sua presença em diferentes localidades dentro da cidade de São Paulo. Quando da sua criação, em 1934, a USP ocupava diversos edifícios localizados na área central da Capital, muitos deles sedes de instituições de ensino preexistentes à Universidade, como a Faculdade de Direito no Largo de São Francisco, criada em 1827; a Escola Politécnica no bairro do Bom Retiro, fundada em 1894; a Faculdade de Farmácia e Odontologia na rua Três Rios, criada em 1899 e a Faculdade de Medicina em Cerqueira César, criada em 1913[1]. O edifício localizado na rua Maria Antonia abriga, a partir de 1949, a então recém-implantada Faculdade de Filosofia, Ciências e Letras. Hoje, esses e outros edifícios que foram sendo incorporados ao patrimônio da Universidade são importantes marcos urbanos: museus, centros culturais, unidades de ensino e um complexo de saúde, espalhados pelas regiões Oeste, Sul, Sudeste e Centro.

Atualmente a USP possui na capital dois *campi*. O primeiro deles, concentrado na região sudoeste da cidade, foi implementado a partir dos anos de 1950 e pretendeu, desde sua origem, abrigar os diversos campos do conhecimento. Segundo a prefeitura do Campus, sua área total é de aproximadamente 4 434 025 m^2, dos quais aproximadamente 741 615 m^2 são área edificada[2]. Grande parte dessa área pertencia originalmente à Fazenda Butantan, local onde predominavam pastagens, próximo à várzea do ainda não retificado rio Pinheiros. Em 1941 foi promulgado pelo então interventor do estado de São Paulo, Fernando Costa, um decreto estabelecendo a área do futuro *campus*. Ele também estimulou a criação de várias escolas agrícolas no interior do estado de São Paulo, algumas das quais foram posteriormente incorporadas à Universidade, constituindo os atuais *campi* de Pirassununga e Ribeirão Preto.

O segundo *campus* está atualmente em fase de implantação, abrigará novos e diferenciados cursos e localiza-se na zona leste, próximo ao Parque Ecológico do Tietê[3]. Sua área total é de 2 642 500 m^2, sendo que parte será utilizada pela USP (cerca de 1 550 000 m^2) e parte será área de preservação (1 092 500 m^2).

A área do *campus* do Butantã teve sua estrutura física longamente discutida e planejada. Sua história se confunde com a da própria formação da Universidade. Já na

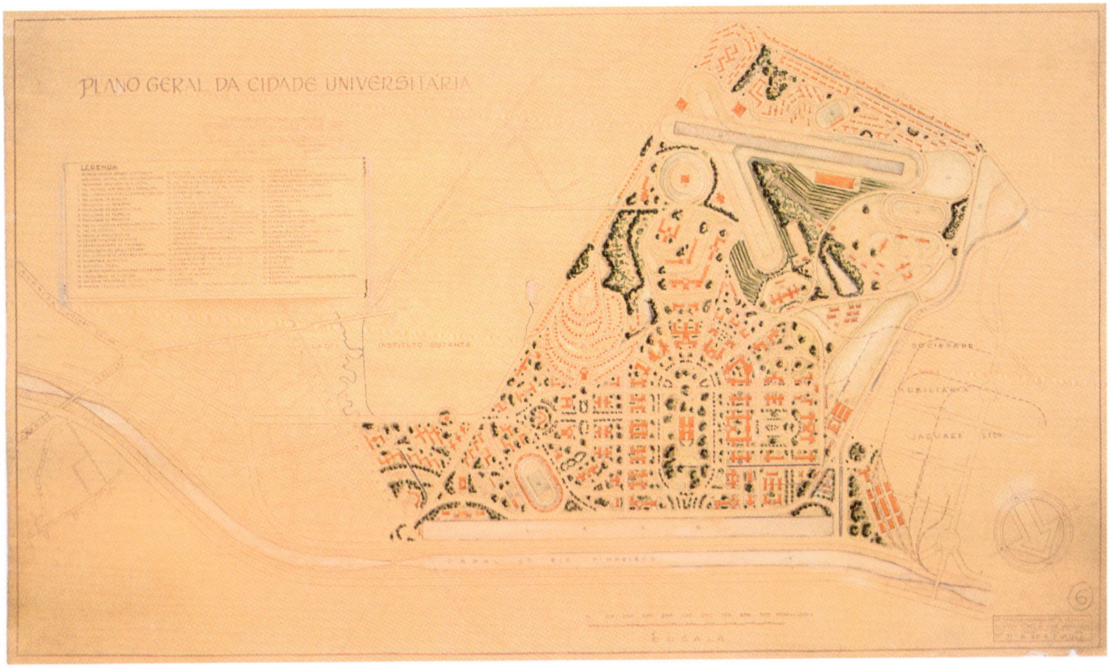

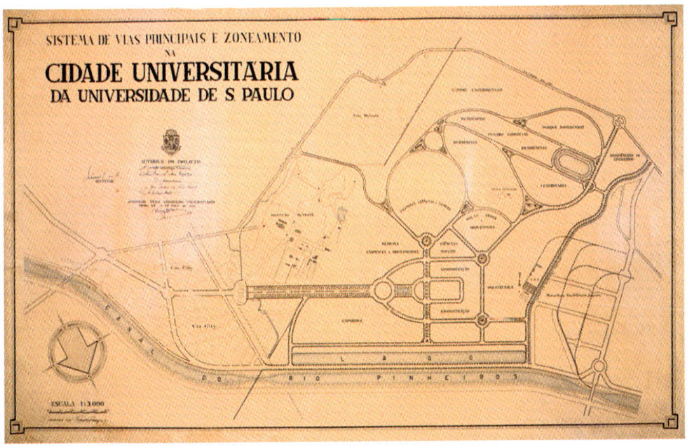

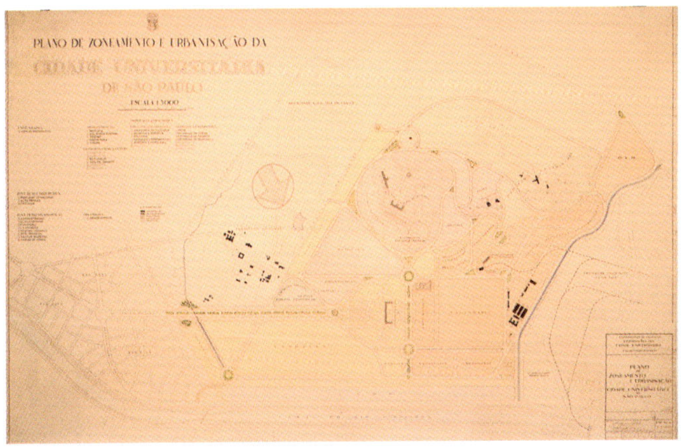

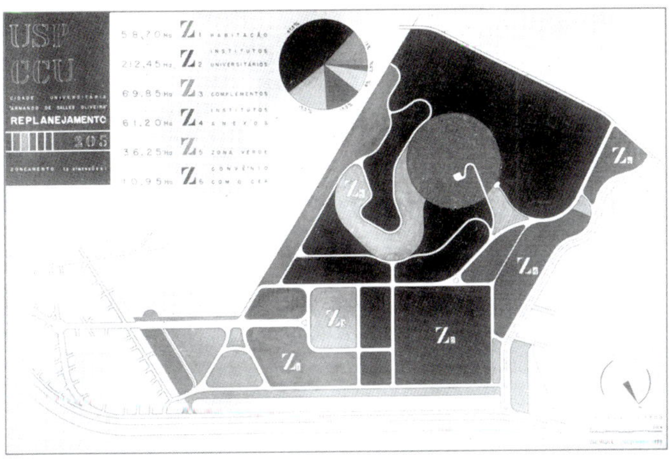

Acima, propostas de ocupação da Cidade Universitária dos anos de 1947, 1949 e 1952.

Ao lado, plano diretor de Helio Duarte, 1956.

Ao lado, Faculdade de Educação, antigo Instituto do Professor Primário.

Abaixo, obras do sitema viário de acesso à Reitoria e ao Conjunto Residencial.

sua fundação, em 1934, estava presente a idéia de construção de um *campus* universitário. Defendia-se a criação de um espaço que mantivesse, na cidade, as características de uma vida suburbana, onde paz e tranqüilidade pudessem estar presentes, de forma a estimular a produção do saber.

A esta concepção romântica e que contrapunha a Universidade à cidade sucederam-se muitas outras propostas para a instalação do *campus*. A USP materializa a idéia de uma cidade na cidade. Em 1956, foi aprovado o Plano Diretor para o *campus* da Capital, elaborado por Hélio Duarte[4]. Este plano seguia os preceitos do urbanismo funcionalista moderno e estruturava a área como se uma cidade com zoneamento – aqui definido pelas áreas de conhecimento – e estabeleciam-se divisões por funções, seguindo os preceitos modernistas – moradia, trabalho, circulação e lazer. Era central a idéia do *core* articulando todas as partes[5].

A criação deste *campus* diverso, plural e multidisciplinar não significou a transferência de todas as unidades que compunham inicialmente a USP para o novo espaço físico. Permanecem ainda hoje a funcionar nos mesmos locais a Faculdade de Direito, no Largo de São Francisco, a Faculdade de Medicina (e também a Faculdade de Saúde Pública e a Escola de Enfermagem) no complexo das clínicas e o Museu Paulista (Museu do Ipiranga), no Parque da Independência, onde também funciona o Museu de Zoologia da USP.

A Comissão do Planejamento e Execução da Cidade Universitária, subordinada nos anos de 1950 à reitoria da USP, gerenciava a construção dos primeiros edifícios no novo *campus*, atendendo às diretrizes estabelecidas no plano diretor de Hélio Duarte. O edifício do acelerador Betatron, da física nuclear, pode ser considerado o pioneiro desse espaço, construído em 1948. Em seguida, em 1951, foi construído o Pavilhão de Alta-Tensão, do Instituto de Eletrotécnica e Energia, seguido, em 1952, do edifício do acelerador Van der Graaf, também da física nuclear, em 1955 do edifício Basílio Jafet, em 1959 do edifício Alessandro Volta, ambos da cadeira de Física, e em 1959 do edifício do Departamento de Botânica, todos da então Faculdade de Filosofia, Ciências e Letras.

O Fundo para a Construção da Cidade Universitária foi criado em junho de 1960, assumindo as tarefas admi-

Faculdade de Direito.

Faculdade de Medicina.

Museu Paulista.

Edifício Basílio Jafet.

Pavilhão de Alta-Tensão.

Departamento de Botânica.

Corredor das Humanas.

Na página ao lado, Cidade Universitária, ao fundo o Conjunto das Químicas e o Departamento de História e Geografia.

Acima, vista geral da Cidade Universitária, com a Escola Politécnica em primeiro plano e, à direita, Edifício Adriano Marchini (IPT), um dos primeiros edifícios construídos no campus do Butantã.

Ao lado, em primeiro plano, Faculdade de Economia, Administração e Contabilidade. À esquerda, Instituto de Matemática e Estatística.

nistrativas e construtivas do *campus*[6]. As atividades de planejamento incorporavam as discussões sobre a centralização de faculdades e cátedras em institutos. Mais do que nos diversos setores de zoneamento estabelecidos pelo plano diretor, era na arquitetura proposta para os novos edifícios da Universidade, muitos deles de inspiração também modernista, que se materializavam sua estrutura e sua filosofia. A vizinhança formada pela Faculdade de Arquitetura e Urbanismo e pela Faculdade de Filosofia, Letras e Ciências Humanas, criando o chamado "corredor das humanas", é um exemplo disso.

Depois da reforma universitária estabelecida pela Lei 5 540 de 1968 e da elaboração dos novos estatutos da Universidade de São Paulo, em 16 de dezembro de 1969, foram criados diversos institutos, que antes estavam concentrados em departamentos de ensino. Os investimentos decorrentes do convênio MEC-BID, na década de 1970, ampliaram significativamente a área construída do *campus*, implementando-se projetos padronizados definidos a partir de concepções modulares. Os projetos assumidos pela Universidade são desenvolvidos dentro dessa perspectiva. Edifícios como o do Departamento de História e Geografia da FFLCH, projetado por Eduardo Corona (1961), deram lugar a edifícios como o do Instituto Oceanográfico, de Dirceu Lauretti (1972); o do bloco A do Instituto de Matemática e Estatística, de Gabriel Sister (1974); o da Filosofia e Ciências Sociais e do Instituto de Psicologia.

A permanente expansão das atividades acadêmicas e administrativas da Universidade significa uma incessante ampliação de suas bases físicas e sua necessária adequação aos projetos em andamento. Laboratórios, salas de aula, centros de convivência são permanentemente criados e/ou reformados, seja com recursos próprios, seja com parcerias e convênios firmados pelas diversas unidades da Universidade. As alterações implementadas ao longo destas décadas foram suficientes para transformar mas não para apagar as marcas desse ato fundador e construtor do espaço da Cidade Universitária[7].

A dinâmica da USP está presente nessa permanente preocupação e reflexão sobre seu espaço físico. O estabelecimento de diretrizes de expansão que não afetem as condições de funcionamento e mantenham adequadas con

Maquete eletrônica do futuro Centro de Convenções.

dições ambientais são desafios contemporâneos presentes, por exemplo, na proposta do plano diretor para a Cidade Universitária Armando de Salles Oliveira. Há o reforço de algumas questões já postas desde o plano de 1956, como o zoneamento por áreas afins e a preservação de visuais e aspectos urbanísticos, atualizadas pelas discussões sobre integração, tanto entre unidades dentro do *campus* quanto entre a cidade e a Cidade Universitária.

Notas

1 Além dessas instituições, a Universidade também foi constituída pelo Instituto de Educação, pela Faculdade de Filosofia, Ciências e Letras, pelo Instituto de Ciências Econômicas e Comercias, pela Escola de Medicina Veterinária, pela Escola Superior de Agricultura e pela Escola de Belas Artes.

2 http://www.usp.br/pco/

3 http://www.usp.br

4 Hélio Duarte em parceria com Ernest Mange elaborará as diretrizes do atual *campus* I de São Carlos e participará ativamente das propostas renovadoras de ensino elaboradas por Anísio Teixeira, que estarão presentes no projeto do prédio da Faculdade de Educação do novo *campus* da capital, projeto de Alcides da Rocha Miranda e José de Souza Reis.

5 A construção de cidades universitárias fundadas nos princípios da arquitetura racionalista funcional largamente influenciadas por Le Corbusier e a Carta de Atenas será a tônica em todo o Brasil. Podemos mencionar os exemplos das atuais UFRJ, na Ilha do Fundão, e a UFMG, na Pampulha.

6 Universidade de São Paulo, *O Espaço da USP: Presente e Futuro*, São Paulo, Prefeitura da Cidade Universitária Armando de Salles Oliveira, 1985, pp. 50-59.

7 E. S. Campos, *op. cit*; e Alberto Xavier, Carlos Lemos e Eduardo Corona, *Arquitetura Moderna Paulistana*, São Paulo, Pini 1983.

CAMPUS DE PIRACICABA

Ano de criação do *campus* administrativo:
1985 (Portaria GR n. 1821, de 25.6.1985)
Área total: 8 169 300,00 m² (Piracicaba),
3 800 000,00 m² (Anhembi), 3 060 000,00 m²
(Anhumas) e 22 249 342,00 m² (Itatinga)
Área construída total: 179 282,11 m² (Piracicaba),
780,00 m² (Anhembi), 1 918,75 m² (Anhumas) e
1 220,00 m² (Itatinga)
Número de unidades: 4

A cidade de Piracicaba localiza-se na região central do estado de São Paulo, a 152 km da Capital, com uma população de aproximadamente 350 mil habitantes[1]. O *campus* da Universidade de São Paulo em Piracicaba, na região sul da cidade, ocupa uma área de 8 169 300 m^2, dos quais 179 282 m^2 são área edificada.

Além de Piracicaba, a Escola Superior de Agricultura Luiz de Queiroz (Esalq) é responsável por instalações de apoio ao ensino, pesquisa e extensão nos municípios de Anhembi, com uma área de 3 800 000 m^2, dos quais 780 m^2 são área edificada, Anhumas, com área de 3 060 000 m^2 dos quais 1 918 m^2 são área edificada e Itatinga, com 22 249 342 m^2 dos quais 1 220 m^2 são área edificada[2].

A origem da Esalq data do final do século XIX, quando Luiz Vicente de Souza Queiroz, herdeiro de rica família de agricultores e estudante de Agronomia no exterior, idealizou o que viria a ser a primeira escola técnica profissionalizante de agricultura no país, em Piracicaba.

Influenciado por suas viagens e estudos no exterior, Luiz de Queiroz previa a necessidade de uma escola de agricultura no Brasil[3], pois acreditava que as pragas e as doenças que assolavam plantações e rebanhos, comprometendo sua própria produção e a de outros lavradores, conferiam o atraso das práticas agrícolas no Brasil.

Para a instalação da nova escola Luiz de Queiroz, adquiriu, em 1891, a Fazenda São João da Montanha, em Piracicaba, com 319 hectares, banhada pelo rio Piracicaba e pelo Ribeirão Piracicamirim. Tendo o governo, fazendeiros e parentes negado apoio financeiro para o empreendimento, buscou planos no exterior, e encomendou um pro-

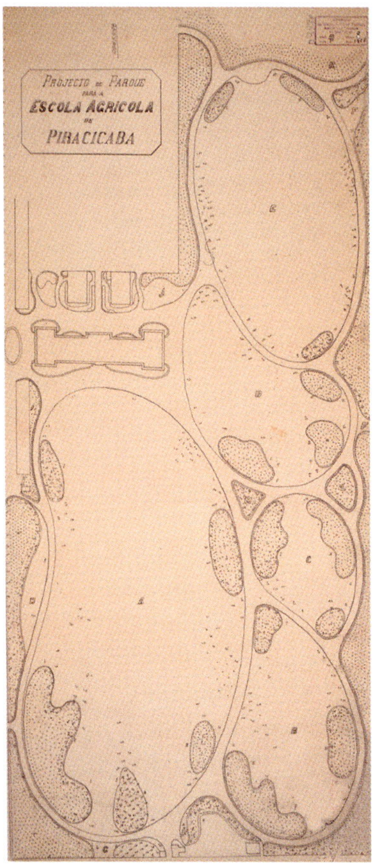

Projeto do Parque da Esalq e vista antiga do campus.

jeto de escola agrícola e fazenda modelo para arquitetos ingleses, chegando ao Brasil com um professor de agricultura e dois arquitetos para iniciar a construção da escola.

As primeiras construções iniciadas foram: casas de colonos, casa do diretor da fazenda, pocilga e estábulo, e edifício sede da escola. Porém Luiz de Queiroz, responsável pela usina elétrica que era construída em Piracicaba ao mesmo tempo que a escola, não conseguiu arcar com as despesas e continuar a obra.

Em 1892, foi criada a Secretaria de Agricultura do Estado de São Paulo e promulgada uma nova lei que autorizava o Executivo a fundar uma escola superior de agricultura e estabelecer dez estações agronômicas com campos experimentais. Luiz de Queiroz doou a fazenda e suas instalações para o governo do estado de São Paulo, com condição de, no prazo de dez anos, ser inaugurada a Escola de Agricultura[4].

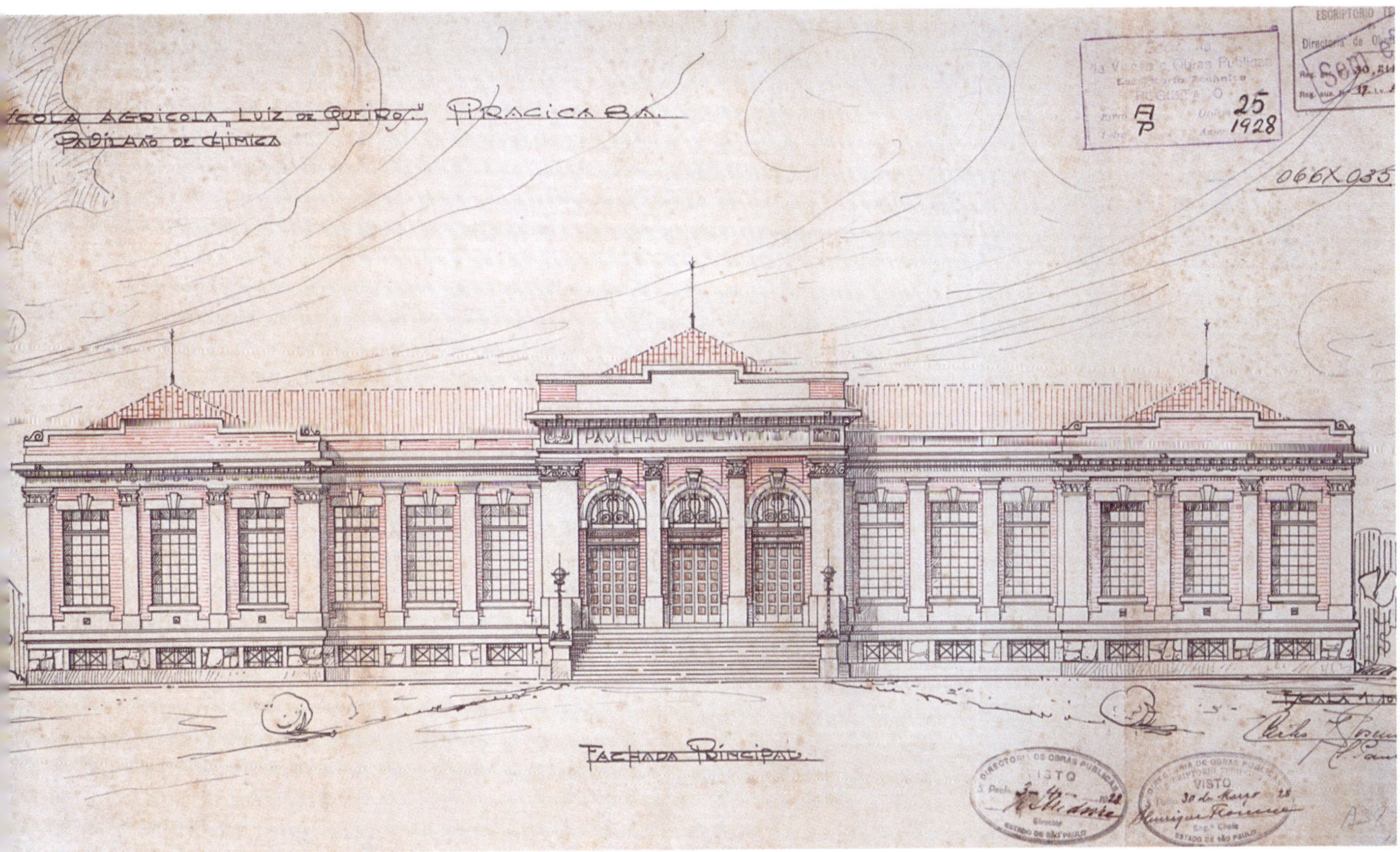

No alto, antiga colônia.

Acima, fachada do Pavilhão de Química.

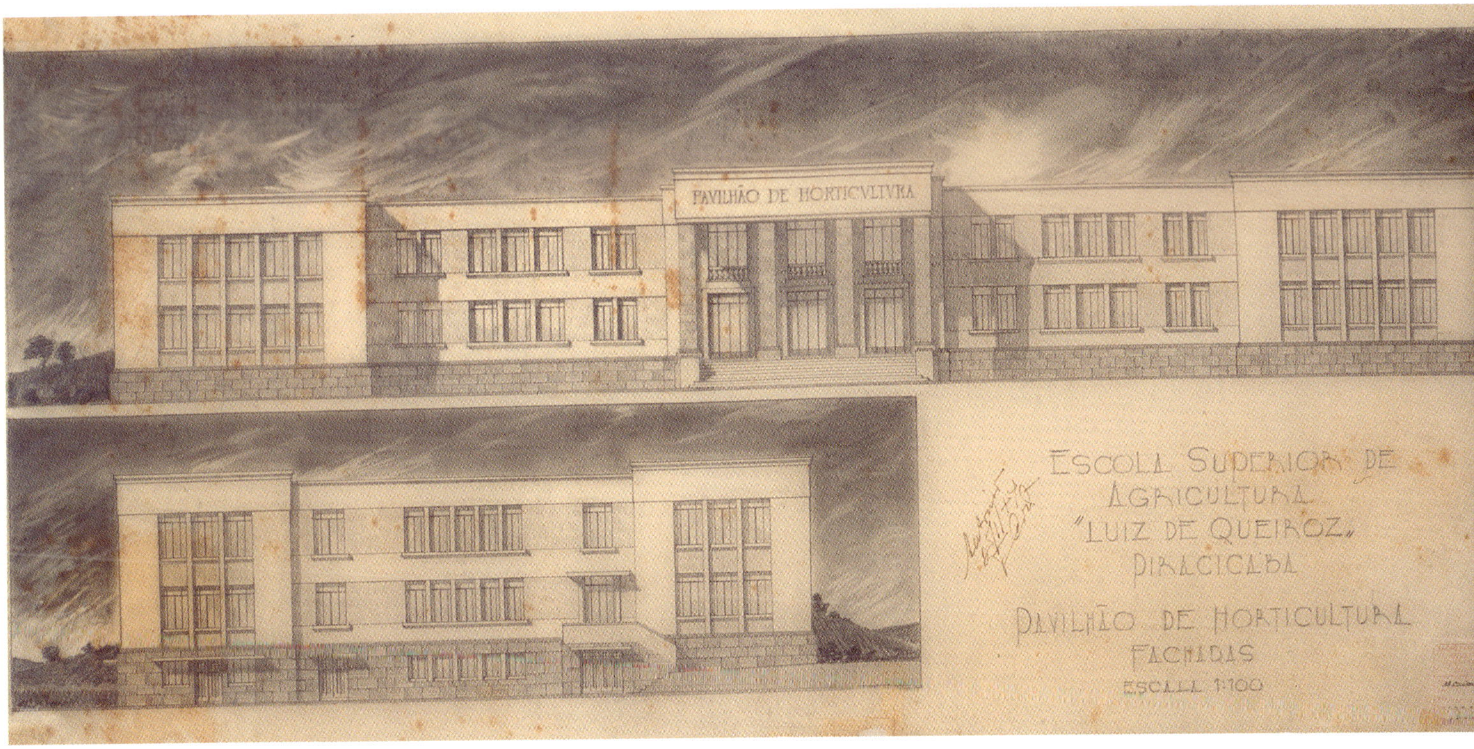

Na página ao lado, vista do Edifício Principal, antes da construção do 2.º pavimento e vista antiga do campus.

Nesta página, Pavilhão de Agricultura, Edifício de Economia Doméstica e fachadas do Pavilhão de Horticultura.

No alto, Centro de Energia Nuclear na Agricultura.

Acima, Secretaria de Graduação e Pós-graduação.

Apesar das diversas dificuldades, a Escola Prática São João da Montanha foi inaugurada em 3 de junho de 1901, com nome modificado para Escola Prática de Agricultura Luiz de Queiroz. O edifício principal e o parque em estilo inglês só foram finalizados em 1907.

Escola de nível médio, era destinada a rapazes com instrução primária. Com o início das pesquisas agrícolas e por atingir considerável padrão de ensino, foi elevada a nível universitário em 1925. Seu projeto educacional inicial foi elaborado pelo agrônomo belga Leon Morimont, que trabalhava para o governo de São Paulo. O ensino de ciências básicas e aplicadas prevalecia com conteúdos programáticos e práticos sobre os teóricos[5].

Esse modelo de escola foi retomado quarenta anos mais tarde, em política pública de incentivo ao ensino agrícola e à agricultura, com as construções de escolas agrícolas, das quais duas delas originaram os atuais *campi* da USP de Pirassununga e Ribeirão Preto[6].

No período de 1901 a 1934, a Esalq pertenceu à Secretaria de Agricultura do Estado de São Paulo. A partir de 1934, passou a integrar, como unidade fundadora, a Universidade de São Paulo. Fernando Costa, ex-aluno da escola, teve grande papel no desenvolvimento e crescimento das bases físicas da escola, promovendo também ampliação das atividades de ensino e pesquisa. Ao ocupar a Secretaria de Agricultura, Indústria e Comércio, construiu o pavilhão da Química, com as mais modernas instalações da época[7]. Mas é como interventor do estado de São Paulo que realiza uma das mais importantes reformas na Esalq, entre 1943 e 1945.

Fernando Costa aplicou um grande volume de verba[8] na reforma da Escola. Ampliou-se a área para atividades práticas, iniciaram-se as construções do ginásio e campos de esportes, pavilhões de Agricultura, Avicultura, Horticultura e Engenharia, Instituto Zimotécnico e Usina Piloto, e finalizou-se a reforma do edifício principal. Criaram-se os *Anais* para divulgação dos trabalhos experimentais e fundou-se a associação dos ex-alunos. Nesse processo, a área da Escola aumentou de aproximadamente 400 ha para 1000 ha, assim como foi notável o crescimento de sua área construída[9].

A partir da década de 1950, com recursos orçamentários ou convênios firmados pela USP, construiu-se com dificuldade, sendo erguidos poucos edifícios. Nas décadas seguintes foram concluídos os edifícios da Biblioteca, Instituto de Genética, pavilhão de Mecânica, piscina, Casa do Estudante, e as principais instalações do Cena[10].

A expansão das atividades da USP e as novas necessidades físicas daí decorrentes implicam em ampliação permanente da área construída. A partir de 1970, foram introduzidas em Piracicaba as construções do Fundusp (atual Coesf). Foram inaugurados os Departamentos de Entomologia e de Zoologia adotando sistema modular de construção. Posteriormente, na década de 1990, os edifícios do pavilhão de Economia e Sociologia Rural e da Secretaria de Graduação e Pós-Graduação são elaborados a partir de padrões e modelos pré-definidos pelo corpo técnico da USP, procurando-se adaptá-los às necessidades específicas de cada edifício.

A construção da base física do *campus* deu-se, assim, marcada por diferentes linguagens que correspondem às diferentes épocas e estilos da arquitetura oficial do estado de São Paulo. O conjunto, no entanto, ainda mantém sua organização do início do século, com malha viária sinuosa e hierarquização das áreas nobres e de serviços[11]. Alguns edifícios, incluindo o edifício principal, e o parque atualmente encontram-se em processo de tombamento pelo Condephaat[12].

O *campus* de Piracicaba foi instituído conforme portaria do reitor n. 1821, de 25.6.1985. Nesse momento, o Centro de Energia Nuclear na Agricultura deixa de fazer parte da Esalq para se tornar uma unidade, e é estabelecida a prefeitura do *campus*. Atualmente, além dessas unidades, o *campus* é formado pelo Centro de Informática da Agricultura.

Foi nesse *campus* que se iniciaram os primeiros estudos sobre cana-de-açúcar, milho, essências florestais, fruticultura, olericultura, zootecnia, uso de fertilizantes, máquinas agrícolas, aplicação de energia nuclear na agricultura, entre outros[13]. Na suas áreas de especialidade a Esalq caracteriza-se por ser um centro de excelência, reconhecido nacional e internacionalmente, que promove intenso desenvolvimento tecnológico. A presença da pesquisa, ensino e extensão materializam-se nos vínculos com o setor produtivo, com a transferência de conhecimento para a sociedade, com a formação da quase totalidade de doutores atuando na área no Brasil e com a presença de ex-alunos na administração pública e privada.

Notas

1 http://www.cepea.esalq.usp.br/conheca.htm.

2 http://sistemas.usp.br/anuario/, "Área Edificada e Territorial por *Campus*, em 2002".

3 Luiz de Queiroz, importante empreendedor, instalou na cidade uma fábrica de tecidos que colaborou para o crescimento da região, introduziu a primeira linha telefônica, a primeira usina elétrica da América do Sul, fornecendo iluminação pública e particular já em 1893. Grande apreciador da natureza, arborizou praças e ruas da cidade e distribuiu sementes e mudas para lavradores, na intenção de introduzir novas culturas de plantas. Wilson Brandão Toffano, "'Luiz de Queiroz' Semente de um Ideal", *Esalq: 75 Anos a Serviço da Pátria*, Piracicaba, 1976, p.15.

4 Edmar José Kiehl, "Vida e Obra de Luiz de Queiroz", *Esalq: 75 Anos a Serviço da Pátria*, p.33.

5 Universidade de São Paulo. *Esalq 100 Anos – Um Olhar entre o Passado e o Futuro*. São Paulo, 2001, p. 34.

6 "O Campus", em Condephaat, Processo n. 23053/84, São Paulo, 1984. (Tombamento do *campus* "Luiz de Queiroz").

7 Di Paravicini Torres, "A Esalq de Fernando Costa", *Esalq: 75 Anos a Serviço da Pátria*, p. 98.

8 A verba para a reforma de 1943 a 1945 realizada na Esalq originou-se do encerramento das atividades do Departamento Nacional do Café, dinheiro que poderia ser aplicado somente em benefício da agricultura. Parte desse dinheiro, entre outras coisas, foi empregado nas instalações e aparelhagem das escolas práticas de agricultura. *Esalq: 75 Anos a Serviço da Pátria*, p. 101.

9 Di Paravicini Torres, *op. cit.*, pp. 102-103.

10 Ferdinando Galli, "O Ensino na 'Luiz de Queiroz' através dos tempos", *Esalq: 75 Anos a Serviço da Pátria*, p. 128.

11 "O Ambiente", em Condephaat, *op. cit.*

12 Conforme decisão do Colegiado, de 10.9.2001, ata n. 1214 (Processo 23053/84), publicada no DOE de 13.9.2001.

13 Salimi Simão, "Discurso", *Esalq: 75 Anos a Serviço da Pátria*, Piracicaba, 1976.

Campus de Ribeirão Preto

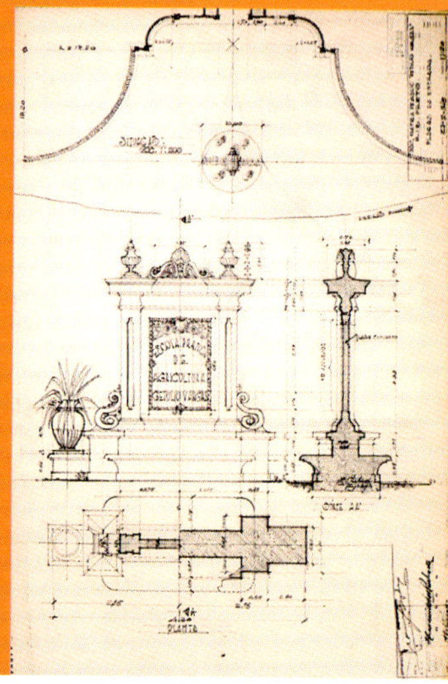

Ano de criação do *campus* administrativo: 1972 (Portaria GR n. 1696, de 3.2.1972)

Área total: 5 746 368,00 m²

Área construída total: 136 516,96 m²

Número de unidades: 8

Distante cerca de 320 quilômetros da Capital, o *campus* da USP em Ribeirão Preto tem sua composição física marcada por diversas fases consecutivas de ocupação da mesma área: inicialmente foi uma fazenda de café, constituída no último quartel do século XIX, e ao longo deste século abrigou primeiro uma escola prática de agricultura, para só então integrar-se à Universidade de São Paulo.

Com uma extensão de mais de 5,5 milhões de m^2, localiza-se junto à rodovia que liga Ribeirão Preto a Sertãozinho. Passou a ser propriedade da USP em 1952[1], para sediar a recém-criada Faculdade de Medicina de Ribeirão Preto. Nessa ocasião, a Universidade recebeu as diversas construções remanescentes da antiga Fazenda Monte Alegre e os edifícios construídos, em 1944, pelo então interventor do estado Fernando Costa para abrigar a Escola Prática de Agricultura Getúlio Vargas. A partir da década de 1950, foram sendo gradualmente anexadas novas construções para abrigar as diversas unidades de ensino, pesquisa e extensão que compõem este *campus*.

Em setembro de 1951, em seção pública realizada no Centro Médico de Ribeirão Preto, o prof. Zeferino Vaz – antigo diretor da FMRP – declarou: "*Minha gente, vim criar uma Faculdade de Medicina. Mas não vim criar uma Faculdade de Medicina qualquer. Vou fazer daqui o melhor centro de educação médica e de pesquisas científicas, no campo da Medicina, do hemisfério sul*"[2]. Estavam assim definidas as bases fundamentais que estruturariam não só a Faculdade de Medicina de Ribeirão Preto mas, em grande parte, todo o *campus* da Universidade de São Paulo nesse município. O objetivo de levar-se ao interior do estado de São Paulo o ensino universitário, não apenas como transferência de conhecimentos mas como um

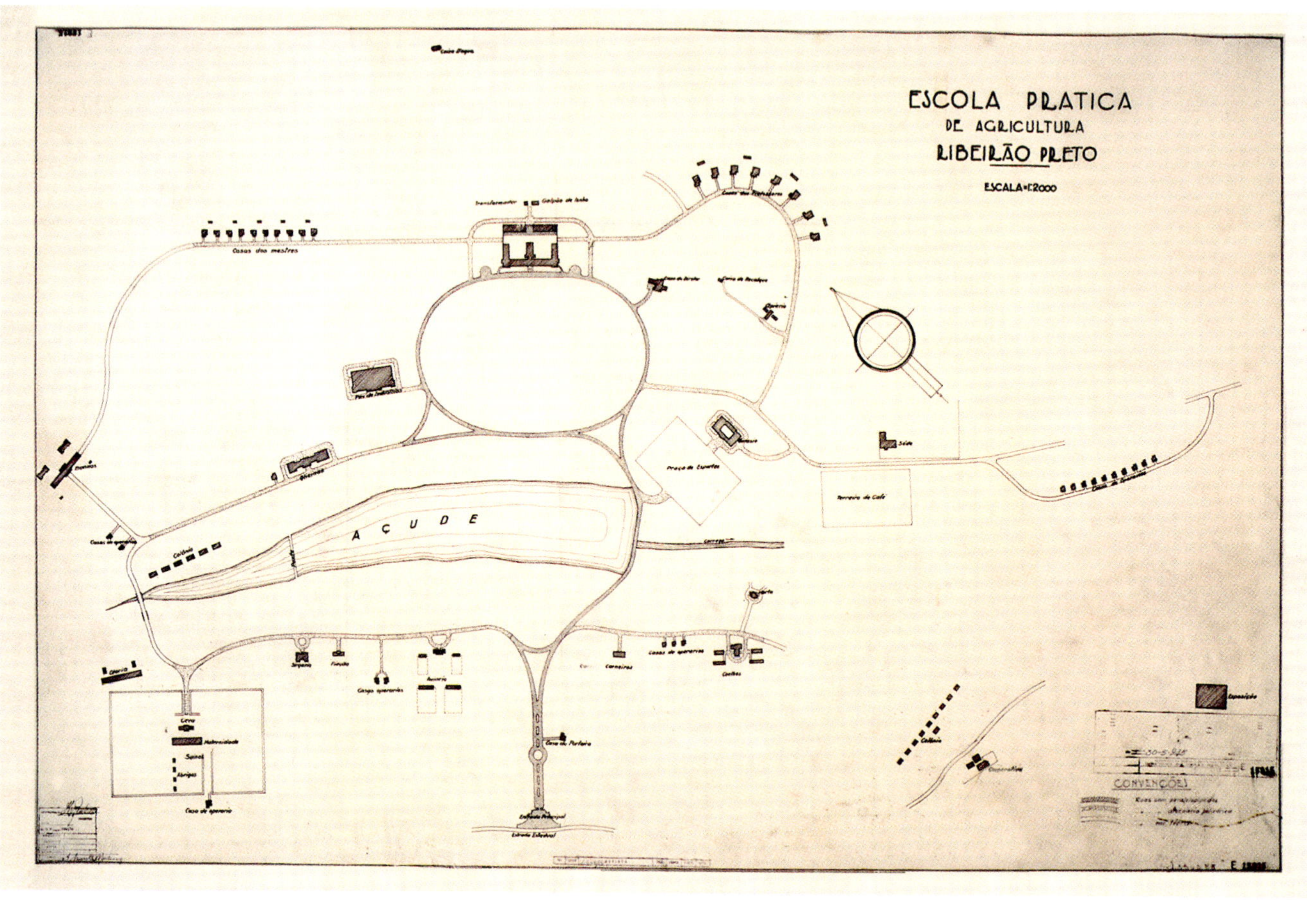

Implantação da Escola Prática de Agricultura Getúlio Vargas.

grande pólo de excelência gerador de pesquisas nessas áreas, foi consolidado pela indissociabilidade entre ensino e pesquisa, exigindo de seus docentes dedicação em tempo integral[3] e atraindo para a nova instituição cientistas pioneiros em diversos campos, como a histoquímica e a neurofisiologia[4].

Essa história é também contada a partir da criação das outras unidades que compõem o *campus* de Ribeirão Preto. Unidades como a antiga Faculdade de Farmácia e Odontologia de Ribeirão Preto, fundada em 1924 e incorporada à USP cinquenta anos mais tarde, e que, em 1975, dividiu-se em Faculdade de Odontologia de Ribeirão Preto (FORP) e Faculdade de Ciências Farmacêuticas de Ribeirão Preto (FCFRP)[5]; a Escola de Enfermagem de Ribeirão Preto (EERP), que nasceu vinculada à Faculdade de Medicina de Ribeirão Preto e, em 1960, ganhou autonomia, ou a Faculdade de Filosofia, Ciências e Letras de Ribeirão Preto (FFCLRP), que nasceu ligada à Secretaria de Educação do Estado de São Paulo, em 1959, com uma estrutura que já privilegiava a formação básica interdisciplinar e o desenvolvimento de pesquisas científicas[6], todas elas tiveram sempre caráter de excelência no ensino superior e pesquisa em suas respectivas áreas.

O objetivo inicial da criação de um pólo gerador e disseminador de conhecimento no interior do estado vem, a partir da criação da Faculdade de Medicina, consolidando-se tanto através do desenvolvimento e especialização das atividades das unidades pioneiras quanto pela diversificação das áreas do conhecimento dentro do *campus*, a partir do estabelecimento de outras unidades. Em 1992, instala-se no *campus* a Faculdade de Economia, Administração e Contabilidade de Ribeirão Preto (FEARP) e, mais recentemente, o Departamento de Música de Ribeirão Preto, como extensão da Escola de Comunicações e Artes do *campus* da Capital. Note-se que, tendo iniciado suas atividades de ensino a partir de 2003, o Departamento de Música de Ribeirão Preto já desenvolve atividades pioneiras de pesquisa e experimentação em história musical, dando especial enfoque ao período colonial e à região de Ribeirão Preto. No *campus* encontram-se ainda dois órgãos importantes para a vida cultural do município e que não pertencem à USP: o Museu Municipal de Ribeirão Preto e o Museu do Café.

Escola de Enfermagem de Ribeirão Preto.

Casa do Estudante de Medicina.

Faculdade de Ciências Farmacêuticas de Ribeirão Preto.

O *campus* de Ribeirão Preto assumiu importantes funções na prestação de serviços, não só para o município de Ribeirão Preto mas para toda a região do estado, sempre associadas ao desenvolvimento de pesquisas, principalmente na área da saúde. Podemos mencionar o Hospital das Clínicas em seus diversos departamentos e unidades – entre eles a Unidade de Emergência, localizada no centro de Ribeirão Preto, e o Hemocentro –, o Serviço de Verificação de Óbitos, as Clínicas Odontológicas, a Farmácia Escola e os trabalhos da Escola de Enfermagem com grupos de apoio, assistência e orientação.

O resultado desse complexo universo encontra-se em grande parte plasmado nas bases físicas do *campus* de Ribeirão Preto, uma vez que os diversos edifícios que o compõem são resultado do processo de constante expansão e crescimento da importância da Universidade de São Paulo na região. Retratam também um pouco de três momentos significativos para a história dessa região – o ciclo

Faculdade de Economia, Administração e Contabilidade de Ribeirão Preto.

Faculdade de Medicina de Ribeirão Preto.

Na página ao lado, Museu do Café e Museu Municipal.

do café, a escola de agricultura, e a chegada e expansão do ensino universitário.

Da Fazenda Monte Alegre, constituída por volta de 1874, encontram-se os vestígios do que foi uma grande fazenda de café – principalmente após sua aquisição no final do século XIX por Francisco Schimidt, um dos maiores cafeicultores do Estado em sua época: a antiga sede, que hoje abriga o Museu Municipal (junto ao qual há uma reserva florestal), a antiga casa do administrador, uma antiga colônia e a antiga tulha junto a uma área remanescente do antigo terreiro, que foi recentemente reformada para abrigar uma Sala de Concertos. Todas essas construções tiveram sua importância reconhecida e são patrimônios tombados pelo Condephaat desde 1994[7].

Foram também tombados, segundo esse parecer, a área verde, o sistema viário e as construções remanescentes do que compunha a Escola Prática de Agricultura Getúlio Vargas, construída entre 1943 e 1944. Essas construções com suas feições neocoloniais – estilo no qual foram construídas todas as escolas agrícolas do plano de Fernando Costa –, assim como seu cuidadoso projeto paisagístico de implantação, ainda são os elementos definidores do constante crescimento do *campus* de Ribeirão Preto, que se concretiza na instalação de unidades em novas construções ou na adaptação dos velhos prédios. Desse período destacam-se os simbólicos portão e edifício central, o ginásio, as antigas residências, o antigo pavilhão de Indústrias Agrícolas e o antigo prédio das oficinas.

Há uma preocupação constante, que se materializa em vários esforços da Universidade, em conciliar a preservação do patrimônio arquitetônico e ambiental com o crescimento e dinamismo do *campus* de Ribeirão Preto.

Notas

1 Lei Estadual n. 2029 de 24.12.1952.

2 Maria Cecília Loschiavo dos Santos, *USP:* Alma Mater *Paulista*, São Paulo, 1997, p. 115.

3 Fato esse que em grande parte se mantém até os dias atuais, sendo cerca de 90% dos docentes da unidade contratados em regime de dedicação integral. Maria Cecília Loschiavo dos Santos, *op. cit.*, p. 117.

4 Maria Augusta de Sant'Ana Moraes, "História da Faculdade de Medicina de Ribeirão Preto", em http://www.fmrp.usp.br.

5 A Faculdade de Farmácia e Odontologia de Ribeirão Preto já constituía parte do Sistema Estadual de Ensino desde 1958, mas passou a integrar a Universidade de São Paulo somente a partir do Decreto n. 5407, de 30.12.1974. Maria Cecília Loschiavo dos Santos, *op. cit.*, p. 124.

6 http://www.ffclrp.usp.br/.

7 Para maiores informações sobre os bens tombados do *campus* de Ribeirão Preto, ver Maria Cecília França Lourenço *et.al.*, *Bens Imóveis Tombados ou em Processo de Tombamento da USP*, São Paulo, Edusp/ Imesp, 1999, pp.192-201; ou Condephaat, processo n. 24699/86 São Paulo, 1986 (Tombamento do *campus* da USP em Ribeirão Preto). Resolução de tombamento SC/7, de 22.3.1994.

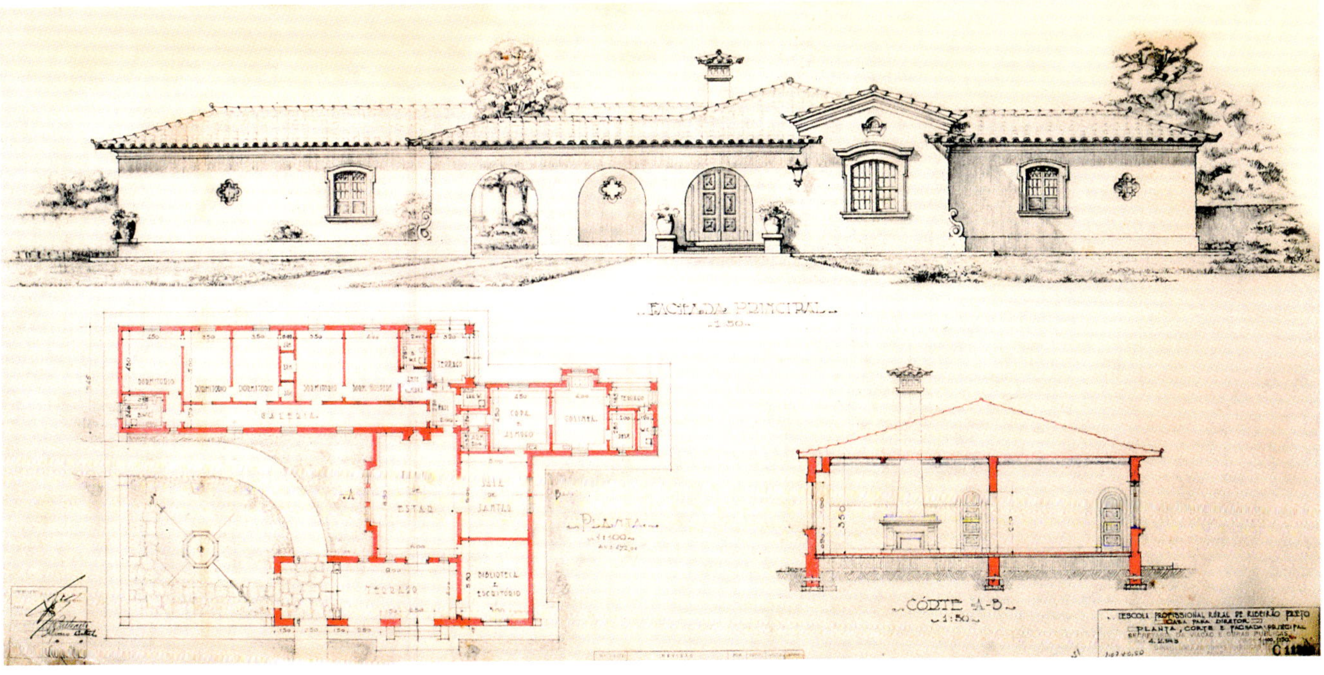

No alto, antigo Pavilhão das Indústrias Agrícolas, atual Departamento de Patologia.

Acima, antiga Casa do Diretor, atual FEARP

Campus de São Carlos

Campus 1

Ano de criação do *campus* administrativo:
1972 (Portaria GR n. 1696, de 3.2.1972)
Área total: 321 457,00 m² (São Carlos) e
253 602,72 m² (Itirapina)
Área construída total: 111 379,47 m² (São Carlos) e
3 605,45 m² (Itirapina)
Número de unidades: 7

Campus 2

Ano de aquisição da gleba do *campus*: 2001
Área total: 780 000 m²

A cidade de São Carlos localiza-se na região central do estado de São Paulo, a 230 km da Capital e à beira da rodovia Washington Luiz, com uma população de aproximadamente 180 mil habitantes[1]. A cerca de 1km do centro da cidade está o *campus* I, em São Carlos, da Universidade de São Paulo, ocupando uma área de 321 457 m^2 dos quais 114 984 m^2 são áreas edificadas[2].

Em 2002 iniciaram-se as obras do novo *campus* II em São Carlos, com 78 hectares, dando continuidade ao crescimento da Universidade. Distante 4 km do *campus* I, a nova área doada para a USP abrigará novos cursos que reforçarão as características tecnológicas desse *campus*.

Além dos dois *campi* na cidade, a Escola de Engenharia de São Carlos (EESC) é responsável por uma área de 253 602 m^2 no município de Itirapina, onde se encontram as instalações de apoio ao ensino, pesquisa e extensão, totalizando 3 605 m^2 em áreas edificadas, do Centro de Recursos Hídricos e Ecologia Aplicada, na represa do Lobo[3].

A Escola de Engenharia de São Carlos foi a primeira unidade da USP na cidade, naquele momento com 40 mil habitantes e um emergente pólo industrial[4]. A Escola inicia efetivamente suas atividades em 1953, instalada em um edifício no centro da cidade, cedido provisoriamente pela Societá Dante Alighieri. O prédio, construído no início do século, foi posteriormente adquirido, em 1985, pela USP. Hoje ali funciona o Centro de Divulgação Científica e Cultural–CDCC, cujas atividades de caráter cultural e científico são direcionadas principalmente para a comunidade, na busca de estabelecer um maior vínculo desta com a Universidade, através de projetos educacionais, cursos, biblioteca, museu e laboratório[5].

Na página ao lado, Centro de Divulgação Científica e Cultural.

Acima, Praça Central.

Ao lado, Instituto de Ciências Matemáticas e de Computação.

Acima, Bloco E1 em construção.

Ao lado, Bloco E1.

Na página ao lado, Centro Cultural, Departamento de Arquitetura e salas de aula da Escola de Engenharia de São Carlos.

Foto aérea do Campus II.

TABELA I

APROPRIAÇÃO DE ÁREAS POR PARTE DA USP SÃO CARLOS – *CAMPUS* I E II

Década de 1950	**135 700 m²**	**Prefeitura**
	21 500 m²	**Prefeitura**
Década de 1960	**20 130 m²**	**Prefeitura**
Década de 1970	**70 189 m²**	**Prefeitura**
	67 386 m²	**USP**
	6 552 m²	**Prefeitura**
Década de 1990	**72 ha**	**Empresa Novo Tema**
	5,2 ha	**Empresa Faber Castell**

Fonte: M.C.L Santos, *USP: Alma Mater Paulista*, São Paulo, 1997, pp. 75-76 e Milan Trsic, "Novo Campus da USP em São Carlos", *Jornal da USP*, 25 a 31 de março de 2002.

A conformação do espaço físico do *campus* de São Carlos deu-se por sucessivas doações de glebas de terras adjacentes no norte da cidade pela Prefeitura Municipal de São Carlos (tabela I). Adquirida a primeira área, Hélio de Queiroz Duarte e Ernest Robert de Carvalho Mange foram responsáveis pela elaboração do estudo preliminar e anteprojeto para a construção dos prédios e instalações definitivas da Escola. Baseada nos princípios modernistas de zoneamento e funcionalismo, a primeira proposta de planejamento do *campus* deu origem à construção do seu primeiro edifício, o bloco E1. Devido às dificuldades geradas pela falta de verbas, sua execução foi feita em duas fases e estendeu-se por cerca de três anos. Os outros edifícios propostos por Ernest Mange e Hélio Duarte não foram executados.

As construções realizadas em seguida faziam parte de um conjunto de prédios de apoio, como os Anfiteatros I e II e anexos, o Departamento de Engenharia Mecânica, o Alojamento, o Centro Acadêmico, o Departamento de Física e o Conjunto Esportivo. Muitos edifícios foram projetados por professores da Escola de Engenharia, que por muito tempo coordenou e projetou o espaço físico do *campus*[6].

No início da década de 1970, novas unidades são criadas: o Instituto de Física e Química e o Instituto de Ciências Matemáticas, antigos departamentos da Escola de Engenharia. No mesmo período, é criado o Escritório de Obras, pela EESC, para administrar e coordenar as construções, fazer a manutenção e conservação de todo o espaço físico. Nesse contexto de criação de novas unidades é instituído, em 1972, o *campus* da USP em São Carlos[7].

O recém-criado Fundusp elabora, em 1973, um plano diretor para São Carlos, com propostas divergentes do primeiro planejamento da Escola de Engenharia, de caráter modernista funcionalista. O novo plano – baseado nos conceitos de modulação, reprodutibilidade e rapidez de execução – é efetivado com a ampliação da área do *campus* a partir de novas doações e desapropriações de terras por parte da Prefeitura Municipal de São Carlos e da USP. Nesse período, a área construída do *campus* aumenta consideravelmente (tabela II).

O convênio MEC-BID foi responsável por viabilizar parte da construção do *campus*, com financiamento de obras novas, ampliações e reformas.

Cerca de cinqüenta anos após a criação da USP em São Carlos, partindo de uma origem comum (EESC), as unidades desse *campus* especializaram-se em diversas áreas de produção científica e tecnológica, desenvolvendo pesquisa de ponta, como, por exemplo, a primeira experiência latino-americana no espaço. Muitos de seus profissionais participam na elaboração da política científica e tecnológica do país. Ao mesmo tempo em que a Escola, a cidade cresceu, novas instituições de ensino e pesquisa foram criadas, e um importante pólo industrial de alta tecnologia se consolidou, caraterizando-a como um centro de ensino e pesquisa em ciências exatas e engenharia.

É nesse contexto de crescimento constante que a [illegible] para criação de um novo *campus* universitário, o *campus* II. Novos cursos, como Engenharia da Aeronáutica, assim como o plano de expansão de vagas do governo do Estado influenciaram na criação desta nova área de ensino universitário.

TABELA II

RELAÇÃO DE ÁREA CONSTRUÍDA NO *CAMPUS* I

Final da década de 1950	**6 800 m²**
Final da década de 1960	**15 000 m²**
Final da década de 1970	**42 700 m²**
Final da década de 1980	**63 350 m²**
1994	**96 000 m²**
2002	**114 972 m²**

Fontes: M.C.L. Santos, *USP*, Alma Mater *Paulista*, São Paulo, 1997, pp. 75-76 e "Área Edificada e Territorial por Campus, em 2002", em: http://sistemas.usp.br/anuario/.

Notas

1 http://www.sc.usp.br/scarlos.htm.
2 "Área Edificada e Territorial por Campus, em 2002", em http://sistemas.usp.br/anuario/.
3 *Idem*.
4 Eugênio Foreti, "50 Anos de EESC", *Jornal da Usp*, 19 a 25 de maio de 2003.
5 Pró-Reitoria de Cultura e Extensão Universitária, *CDCC USP*, São Carlos, 2002.
6 M.C.L. Santos, *USP*, Alma Mater *Paulista*, São Paulo, 1997, pp. 75-76.
7 http://www.eesc.sc.usp.br.

Campus de Bauru

Ano de criação do *campus* administrativo:
1985 (Portaria GR 1821, de 25.6.1985)
Área total: 156 850,00 m²
Área construída total: 47 476,69 m²
Número de unidades: 3

O *campus* da Universidade de São Paulo em Bauru localiza-se em perímetro urbano, na parte sudeste da cidade. Está implantado em zona residencial e ocupa uma área de 156 850 m², dos quais aproximadamente 47 475 m² são área edificada[1]. É integrado pela Faculdade de Odontologia de Bauru (FOB) e pelo Hospital de Reabilitação de Anomalias Craniofaciais (HRAC), conhecido como "Centrinho".

A Faculdade de Farmácia e Odontologia de Bauru integra a Universidade desde 1948, iniciando suas atividades apenas em 1961, por dificuldades de estruturação física. Foi a primeira, e por um período a única, unidade da USP na cidade. Em 1965, A Faculdade de Farmácia e Odontologia de Bauru passa a chamar-se Faculdade de Odontologia de Bauru. As demais atividades desenvolvidas neste *campus* tiveram suas origens, direta ou indiretamente, nessa unidade.

A Faculdade de Odontologia iniciou suas atividades em instalações provisórias, num prédio destinado a um grupo escolar, em 1962. Em 1967, instalou-se no novo edifício, ocasião em que também começou a funcionar em suas dependências o Centro de Pesquisa e Reabilitação de Lesões Lábio-Palatais, conhecido como "Centrinho". Ele é resultado de uma pesquisa realizada no final da década de 1960 pelos professores da Faculdade de Odontologia de Bauru na cidade, sobre crianças nascidas com fissura labiopalatal. Em 1973, o "Centrinho" saiu do espaço físico da FOB e passou a funcionar em novas instalações.

No início, o "Centrinho" dava atendimento à população por meio de um serviço integrado de ensino, pesquisa e assistência social[2]. Foi transformado em Unidade Hospitalar Autônoma em 1976 e, no início da década de 1980, foi o primeiro hospital universitário a firmar convênio com o Inamps. À medida que suas atividades eram reconhecidas e se consolidavam, também se diversificavam. Resultado disso foi o convênio firmado com a Funcraf[3] – Fundação para o Estudo e Tratamento das Deformidades

Centrinho.

Crânio-Faciais, em 1985, e a implantação do curso de Fonoaudiologia, em 1990, com apoio dos professores da FOB[4]. Em 1998, devido à ampliação do seu campo de atividade, o "Centrinho" passou a chamar Hospital de Reabilitação de Anomalias Craniofaciais – HRAC.

Os primeiros edifícios que constituíram o espaço físico do *campus*, o da Didática da Faculdade de Odontologia e o do "Centrinho", foram construídos no final da década de 1960. Nessa ocasião, as atividades da FOB e do "Centrinho" já estavam consolidadas e tinham um papel importante na cidade de Bauru, seja pela presença de uma importante unidade de ensino, integrante da Universidade de São Paulo, seja pelo atendimento à população realizado no hospital.

O *campus* de Bauru é altamente especializado. Sua área inicial foi aumentando, sendo ampliadas, ao longo

Centrinho.

Hospital de Reabilitação de Anomalias Craniofaciais.

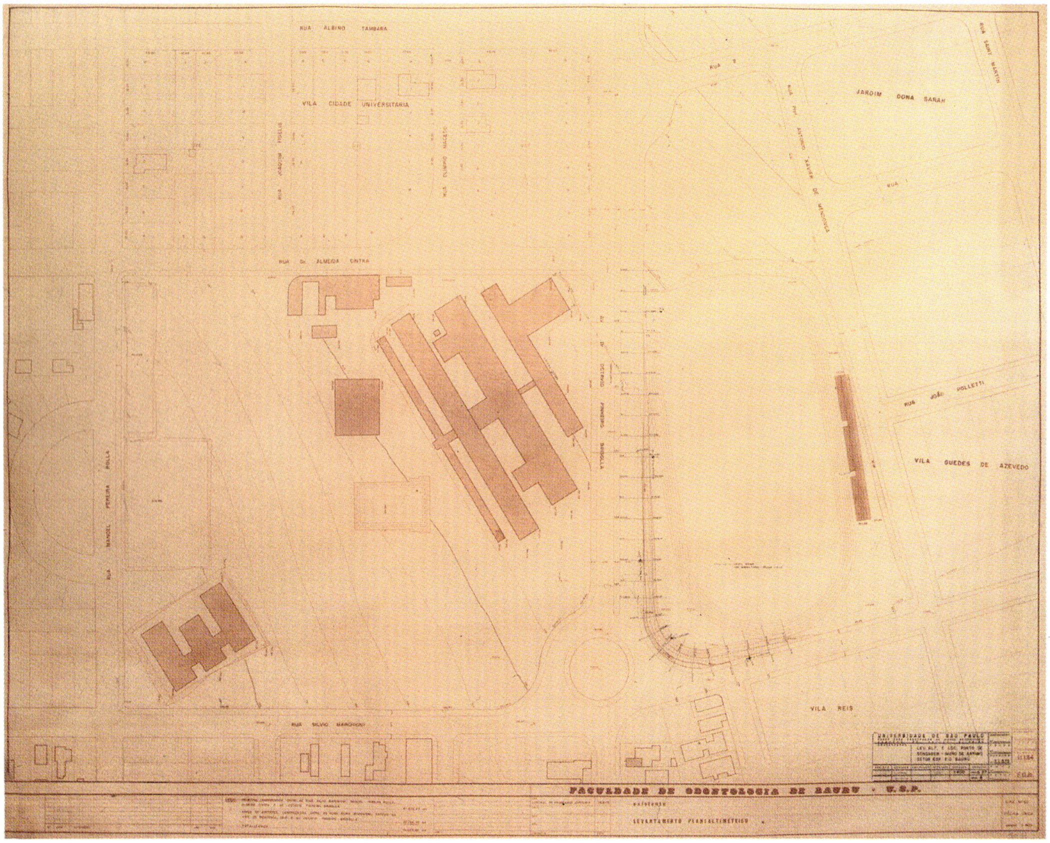

Ao lado, mapa do campus em 1972.

Abaixo, Edifício da Didática em 1971.

À esquerda, Edifício da Didática.
À direita, Edifício da Fonoaudiologia.

das décadas de 1970 e 1980, as instalações da FOB, do "Centrinho" e as geridas pela Prefeitura do *campus*. Seu crescimento físico e a diversificação de suas atividades estão diretamente relacionados com a Faculdade de Odontologia e, posteriormente, com o "Centrinho", e a configuração espacial é fruto do crescimento das atividades em torno dessas unidades. Tanto seus edifícios quanto sua malha viária foram se estruturando de acordo com a necessidade de atender às demandas das atividades específicas dentro do *campus*. O planejamento e a aquisição de novas áreas contíguas às antigas eram respostas ao desenvolvimento e crescimento das atividades de ensino, pesquisa e atendimento à população.

Notas

1 M.C.L. Santos, *USP:* Alma Mater *Paulista*, São Paulo, 1997, p. 122, e http://sistemas.usp.br/anuario/.

2 http://www.centrinho.usp.br/hospital/.

3 A Funcraf, fundada em 1985, é uma entidade sem fins lucrativos, com autonomia administrativa e financeira, que oferece suporte aos serviços do Centrinho-USP e possui subsedes em outras localidades do Brasil, cujos convênios são firmados com órgãos públicos ou privados, municipais, estaduais e/ou federais. Fonte: http://www.funcraf.org.br/ e http://www.centrinho.usp.br/hospital/parceria/file/func_01.html.

4 *Centrinho/USP Especial*, Bauru, 2002.

Campus de Pirassununga

Ano de criação do *campus* administrativo: 1989 (Res. Reitorial de 17.10.1989)
Área total: 23 333 204,00 m²
Área construída total: 64 403,25 m²
Número de unidades: 3

Localizado a cerca de 200 quilômetros da capital do estado e a 100 quilômetros de Ribeirão Preto, o município de Pirassununga abriga o maior entre os seis *campi* da Universidade de São Paulo. Com uma extensão territorial que totaliza quase mil alqueires (2 269 hectares ou mais de 22 milhões de m^2), o *campus* de Pirassununga funciona como uma grande fazenda modelo, apesar de encontrar-se hoje dividido pela Via Anhangüera, entre os quilômetros 211 e 218. Menos de 1% de sua extensão é ocupado por área construída (cerca de 60 mil m^2), onde se encontram mais de 5 milhões de m^2 de mata de cerrado remanescente de vegetação nativa, além de 590 mil m^2 de lâmina d'água[1].

Toda a extensão do *campus* foi doada à Universidade de São Paulo em 1957, pelo então governador do Estado Jânio Quadros. Abriga atualmente dois cursos de graduação e um de pós-graduação da Faculdade de Zootecnia e Engenharia e Alimentos (FZEA), além de parte da Faculdade de Medicina Veterinária e Zootecnia (FMVZ). Possui vasta infra-estrutura que engloba mais de mil hectares destinados à pastagem, cerca de 400 hectares em culturas agrícolas, instalações para o processamento da produção resultante e laboratórios de ponta, assim como vastas redes elétrica e de esgoto, ampliadas recentemente[2].

Embora seja o *campus* mais novo da Universidade de São Paulo, uma vez que passa a receber tal título apenas a partir de 1989[3], para entender sua origem é necessário voltar a 1942, quando Fernando Costa, então interventor federal do estado de São Paulo, começa a delinear o projeto que se torna uma das características mais marcantes de sua administração: a criação de um abrangente conjunto de Escolas Práticas de Agricultura. Tratava-se, em grande parte, de dar continuidade a diversas de suas realizações enquanto ministro da Agricultura nos anos imediatamente anteriores, em sua busca por regulamentar e implantar de forma efetiva o ensino agrícola, nos mais diversos graus, em todo o Brasil[4]. Tal projeto tem continuidade com sua indicação, pelo governo Vargas, como interventor do estado de São Paulo.

Num contexto de "progresso e engrandecimento nacional"[5], Fernando Costa elabora um amplo plano para a agricultura do estado, que englobava a implantação de uma rede de escolas profissionalizantes localizadas em alguns de seus principais centros produtivos, de forma que seus raios de ação cobrissem quase todo o território estadual. São criadas em 1912 as dez primeiras "Escolas Práticas de Agricultura" do plano de Fernando Costa[6], localizadas em Amparo, Araçatuba, Ribeirão Preto, Bauru, Guaratinguetá, Itapetininga, Marília, Presidente Prudente, Pirassununga e Rio Preto. Cabe destacar entre elas a Escola Prática de Agricultura Fernando Costa, em Pirassununga, e a Escola Prática de Agricultura Getúlio Vargas, em Ribeirão Preto, que, doadas à Universidade de São Paulo em circunstâncias e momentos diversos, deram origem aos *campi* dessa instituição nos respectivos municípios.

Na página ao lado, edifício central

Nesta página, vistas dos edifícios produtivos.

Tendo provavelmente como exemplo a Escola Superior de Agricultura Luis de Queiroz, criada em finais do

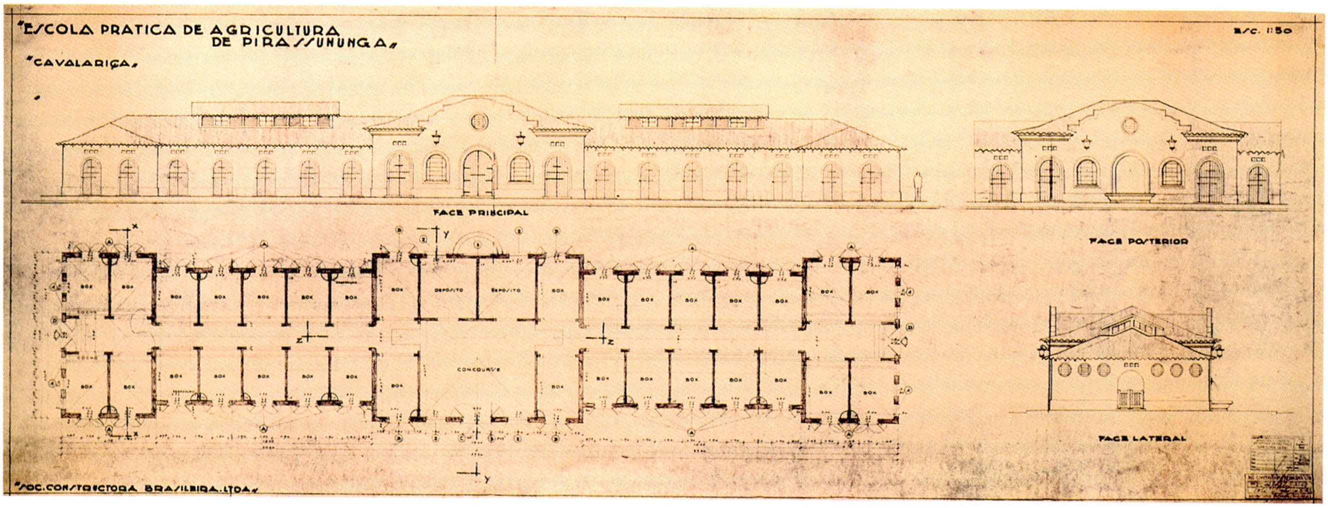

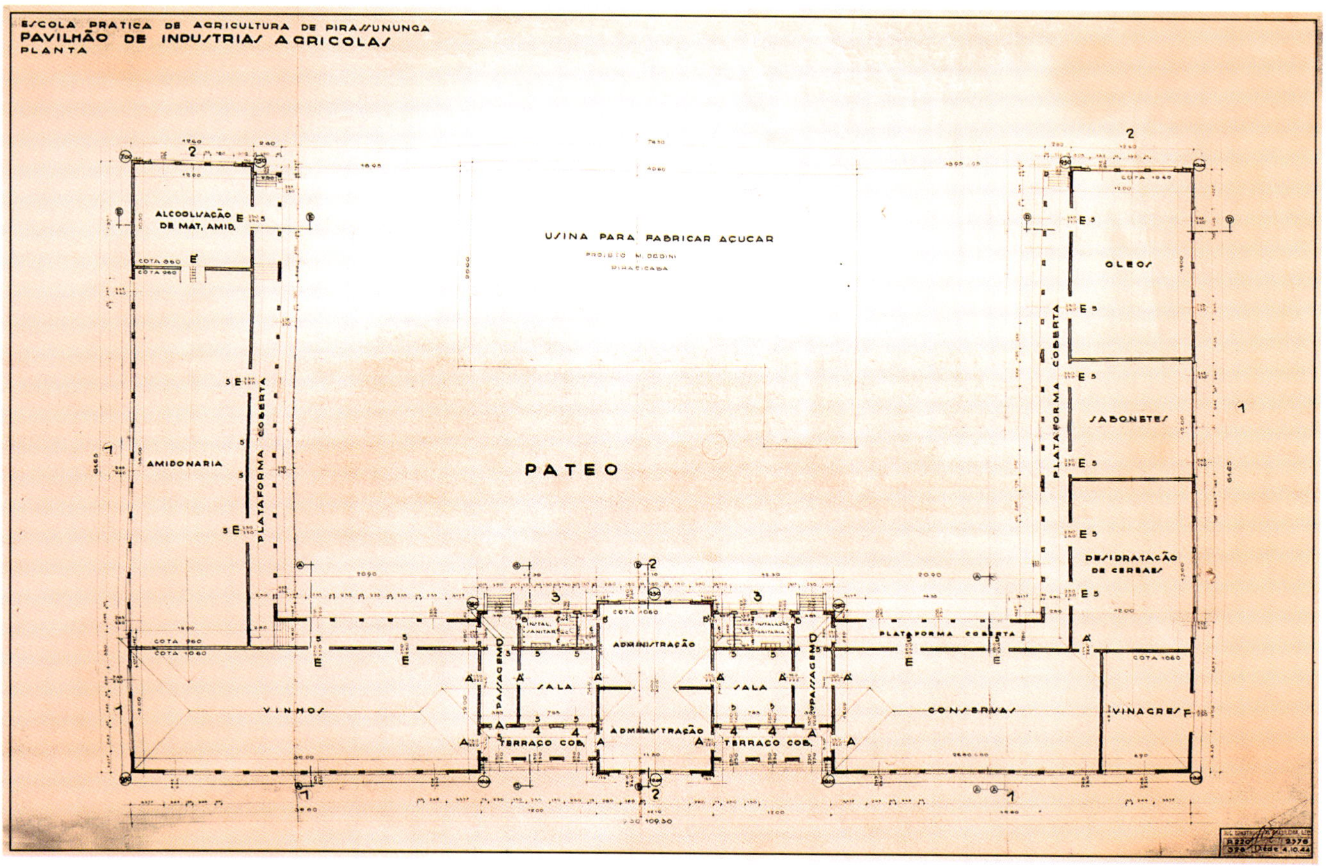

No alto, planta e fachada do Edifício da Cavalariça.

Acima, planta do antigo Pavilhão de Indústrias Agrícolas, atual Edifício João Soares Veiga.

século XIX e incorporada à Universidade de São Paulo desde sua criação em 1934, e voltando-se à "formação de um proletariado hábil e capaz"[7], as Escolas Práticas de Agricultura adotam o sistema de internato e prevêem a existência de um vasto número de construções, não só para as atividades de ensino como também para alojamento e demais funções necessárias. Assim, o plano para tais escolas agrícolas é elaborado de forma a se instalarem em grandes glebas, que funcionariam como fazendas, possibilitando a auto-suficiência e um caráter essencialmente prático e utilitário para o ensino[8].

Cumprindo as prerrogativas de tal planejamento, a Escola Prática de Agricultura Fernando Costa é criada já entre 1943 e 1944 com "sessenta unidades de construção"[9], que englobavam não só o monumental edifício central – com instalações para a administração, salas de aula e anfiteatro, além de alojamento para trezentos alunos internos, e facilidades como cozinha e lavanderia – e um completo ginásio para atividades físicas, mas também amplas instalações produtivas como estábulos e pavilhões para criação de animais, oficinas, armazéns, silos e locais para tratamento de leite, entre outros.

São essas as bases físicas que a Universidade de São Paulo recebe, em 1957, do governo do estado e que iam inicialmente compor o Centro Intra-unidade de Zootecnia e Indústrias Pecuárias (CIZIP), sob coordenação da Faculdade de Medicina Veterinária e Zootecnia (FMVZ), abrigando o curso de Zootecnia a partir do início da década de 1980, para só a partir de 1989 ganhar o título de *campus*, e a partir de 1992 sediar a Faculdade de Zootecnia e Engenharia e Alimentos (FZEA)[10]. Essa base física, herdada do projeto de Fernando Costa, vai conferir grande especificidade ao *campus* de Pirassununga no contexto dos diversos *campi* da Universidade de São Paulo. Quando sua ampla infra-estrutura produtiva passa a abrigar parte de um grande centro de ensino universitário, pesquisa e geração de conhecimento como a USP, estabelece-se um diálogo constante e contínuo entre o desenvolvimento de conhecimento de ponta e a prática.

Essas características conferem em grande parte ao *campus* de Pirassununga o papel de "celeiro", não só de

Fábrica de ração.

Antigo setor de exposições.

Eixo de acesso ao Edifício Central.

Detalhes arquitetônicos de edifícios do campus.

conhecimento em sua área de concentração específica – como todas as unidades da USP o são – mas também ao ser auto-suficiente e fornecer alimentos para outros *campi*. Os exemplos disso são diversos: toda a água utilizada no *campus* é proveniente de duas reservas próprias[11].

Toda a estrutura produtiva do *campus* – desde suas bases agrícolas, cerca de 400 hectares de plantação e criação de mais de 2 mil animais de diferentes espécies, até suas instalações para a otimização e processamento da produção – não só garante sua auto-suficiência e fornecimento de alimentos para diversos *campi* da USP, como permite o desenvolvimento de novas tecnologias, pesquisas e experiências, que vão desde as características do solo para a plantação, passando pelas formas de processamento da ração e chegando à nutrição e saúde dos animais alimentados.

O ensino e pesquisa, ao estarem todo o tempo retroalimentando-se de observações e experiências de aplicações práticas, envolvem profissionais de diversas áreas e especificidades e voltam, as descobertas geradas, para a prática de extensão universitária, em projetos que vão de assessorias a produtores em suas plantações e criações a parcerias, como a estabelecida com a APAE de Pirassununga, visando a gerar novas práticas de ensino para crianças e adolescentes com necessidades especiais a partir da convivência com os animais[12].

Um último aspecto a ser destacado diz respeito ao valioso patrimônio arquitetônico que o conjunto de construções da Escola Prática de Agricultura Fernando Costa representa. Embora construído no mesmo contexto e época que a Escola Prática de Agricultura Getúlio Vargas, que hoje compõe o *campus* de Ribeirão Preto da USP, o conjunto de Pirassununga ainda aguarda por estudos mais acurados. Sabe-se, no entanto, que o projeto do amplo conjunto foi elaborado pela então Divisão de Engenharia Rural da Secretaria de Agricultura, Indústria e Comércio do Estado de São Paulo, entre 1943 e 1944, "com linhas puras e sóbrias [...] obedecendo todas as construções rigorosamente ao estilo colonial brasileiro"[13], estilo no qual foram elaborados todos os projetos das "Escolas Práticas de Agricultura". O conjunto encontra-se ainda hoje sem grandes alterações, e mesmo a Via Anhangüera – que hoje divide o *campus* em duas partes –, na prática, não descaracteriza a implantação inicial, de cuidadoso projeto paisagístico fortemente marcado pelo eixo que conduz ao prédio principal e às vias laterais a esse, ocupadas pelas residências e pelos edifícios voltados à produção.

Com uma área que compõe de forma significativa o patrimônio ambiental da Universidade de São Paulo e infra-estrutura invejável, o *campus* de Pirassununga começa a planejar sua expansão, não só dentro da área de concentração que foi a sua característica marcante até a atualidade, mas também elaborando projetos para abrigar novos cursos e outras áreas de conhecimento. Essa deve ser uma oportunidade para conciliar tal crescimento com a preservação responsável de tão significativo patrimônio ambiental e arquitetônico.

Notas

1 Ana Lucia Duarte Lanna (coord.), *Meio Ambiente: Patrimônio Cultural da USP*, São Paulo, Edusp, 2003, p. 120.

2 Izabel Leão, "Sobra Espaço para Expansão", *Jornal da USP*, 11 a 17 de março de 2002.

3 Embora propriedade da USP desde 1957, apenas recebe o título de *campus* em 1989 pela resolução reitoral n. 3588 de 17.10.89, publicada no Diário Oficial do Estado de 18.10.89, seção I, p. 24.

4 Ver a respeito em Maria da Gloria de Rosa, *História do Ensino Agrícola no Brasil República*, Marília, Unesp, 1980, pp. 122-123.

5 Marcelino Ritter, *Fernando Costa na Interventoria do Estado de São Paulo*, São Paulo, Tipografia das Flores, 1943, p. 8.

6 Decreto n. 12742, de 3.6.1942.

7 A esse respeito Ritter, *op. cit.*, p. 111, argumenta que "de nada valeria aparelhar a Secretaria da Agricultura para suas complexas atividades de laboratório, de assistência técnica e de fomento agrícola; pouco adiantaria a ampliação dos centros superiores de investigação e ensino, sem a concomitante formação de um proletariado hábil e capaz, em condições de utilizar-se praticamente das últimas conquistas da técnica e da ciência. Essa será a função das Escolas Práticas de Agricultura, estabelecimentos grandiosos, mas sem luxo [...]".

8 "Escola Prática de Agricultura Fernando Costa", *Acrópole*, n. 80, p. 245, dez. 1944.

9 "Realizações da Divisão de Engenharia Rural da Secretaria de Agricultura de São Paulo", *Acrópole*, n. 73, p. 6, maio 1944.

10 M. C. L. Santos, *USP:* Alma Mater *Paulista*, São Paulo, 1997, pp. 128-132 e 227-228.

11 Ver a respeito em Ana Lucia Duarte Lanna (coord.), *op. cit.*, p. 122.

12 Izabel Leão, "A Pedagogia dos Bichos", *Jornal da USP*, 25 a 31 de março de 2002.

13 Marcelino Ritter, *op. cit.*

Auditórios

Bibliotecas

Edifícios Especializados

Edifícios Multifuncionais

Ginásios e Estádios

Hospitais e Clínicas

Os edifícios da USP

O INVENTÁRIO DOS *CAMPI* E EDIFÍCIOS DA USP

Juliana Mendes Prata,
Luciana Alem Gennari,
Marianna Ramos Boghosian,
*Tatiana Durigan de Freitas Almeida**

A série *Cadernos CPC* tem por objetivo refletir sobre a problemática do patrimônio cultural, por meio de inventários relativos aos bens da USP. Os números que a compõem trataram a questão em diversos enfoques, visando a discutir também o próprio conceito do que seja patrimônio cultural, visto na perspectiva de uma universidade pública. Inventariar bens culturais é um trabalho permanente, pois, além da catalogação primeira, são necessárias posteriores revisões e atualizações. Sobretudo, o inventário convida a uma reflexão sobre o conjunto levantado.

O sétimo volume da série, aqui apresentado, objetiva problematizar a constituição da Universidade e, a partir disso, uma série de desafios que foram e são enfrentados pela USP na realização de sua função pública. A USP é compreendida como local, seja físico, seja simbólico. Os *campi* materializam a constituição dos territórios da Universidade e possibilitam pensá-la em sua relação com a cidade, e os edifícios apresentados compõem parte da infra-estrutura necessária para o funcionamento da Universidade, como uma instituição que articula ensino, pesquisa e extensão nas diversas áreas de conhecimento.

O Caderno CPC 2 *"Bens Imóveis Tombados ou em Processo de Tombamento da USP"*, realizou o inventário dos bens imóveis, abordando apenas aqueles já reconhecidos oficialmente como patrimônio cultural. Esse volume amplia o levantamento anterior, pois requalifica a questão das bases construídas e dissocia a questão do patrimônio daqueles do tombamento ou de outra chancela oficial.

O inventário dos *campi* foi baseado em um roteiro comum, que historiou as especificidades de implantação e constituição dos mesmos e a dos seus edifícios principais, as mudanças e intervenções ocorridas e as relações estabelecidas com as cidades onde estão implantados.

As origens dos *campi* são muito diversas. De forma geral, as características fundadoras marcam suas trajetórias. O primeiro *campus* a ser incorporado à Universidade foi o de Piracicaba, em 1934, quando da criação da USP. Era uma fazenda-escola do início do séc. xx, e, como tal, dividia-se em áreas de campo para as aulas práticas e áreas ocupadas pelos edifícios de apoio. Estes foram organizados segundo uma certa hierarquia de funções na fazenda, definindo setores de "serviços" e setores "nobres". Ao desenvolver-se e atualizar suas atividades, o *campus* de Piracicaba vem crescendo respeitando essas diretrizes dadas desde sua origem.

Os *campi* de Ribeirão Preto e Pirassununga também têm origem em escolas agrícolas, ainda que tenham sido criadas com objetivos diversos da escola de Piracicaba. Em estilo neo-colonial, as escolas-agrícolas de Ribeirão Preto e Pirassununga assemelham-se pelo contexto de criação, fazendo parte de um mesmo esforço governamental de implantar o ensino agrícola profissionalizante no Estado nos anos de 1940. Ao serem incorporadas à Universidade e ao se desenvolverem, no entanto, tomaram rumos diversos.

Implantado na região mais rica do interior do estado,

* Equipe do CPC.

o *campus* de Ribeirão Preto, além da base física da escola-agrícola, também herdou edifícios da ocupação anterior, uma fazenda de café do séc. XIX. O curso pioneiro foi o de medicina, e posteriormente recebeu vários outros, fazendo-se necessárias várias intervenções e novas construções ou ampliações. O *campus*, assim, foi muito alterado tendo em vista seu crescimento em área construída e diversificação de uso. Hoje tem um caráter urbano, seja pela intensa utilização do Hospital das Clínicas, seja por estar inserido em área urbanizada.

A conformação física do *campus* de Pirassununga mantém-se até hoje praticamente idêntica à da escola agrícola que lhe deu origem. Apenas nos anos de 1990 recebeu a sede de uma unidade de ensino, sendo que anteriormente funcionava como unidade de apoio a cursos localizados no *campus* da Capital. Pela própria natureza dos cursos e das atividades ali desenvolvidas, voltadas a atividades rurais, o *campus* sofreu poucas reformas ou intervenções de grande porte.

Os *campi* de São Carlos e Bauru, contrariamente, já nascem com caráter urbano, em função do tipo de atividades ali desenvolvidas. O *campus* de Bauru cresceu anexando novas glebas, acompanhando o desenvolvimento da Faculdade de Odontologia e do hospital que abriga. O *campus* de São Carlos agrega unidades de perfil tecnológico e também cresce em determinadas épocas pela agregação de glebas. É o *campus* com maior densidade em termos da relação área construída por área de terreno. Os processos de crescimento destes dois *campi*, Bauru e São Carlos, são diversos, por exemplo, daquele do *campus* da capital, que se desenvolveu praticamente a partir de uma única gleba.

O *campus* da capital é o único que nasceu da idéia de uma cidade universitária, local onde estariam reunidas as diversas instituições que fazem parte da Universidade e as instalações de apoio. Há todo um extenso processo de discussão sobre o modelo de cidade universitária, enfocando, entre outros, a escolha do local adequado e a maneira de ocupá-lo. Nesse caminho, adquiriu-se primeiro a gleba, que é praticamente a mesma até hoje, para posteriormente pensar sobre sua ocupação. Vários projetos foram propostos e, por fim, foi implementado o plano diretor de Hélio Duarte, de 1956, que refletia conceitos do urbanismo moderno, materializados na divisão por setores de áreas afins e em um sistema viário hierarquizado. Estrutura urbanística que se mantém até hoje.

Se nos *campi* procuramos retratar estas diversidades de origem e formação, unificadas sob a égide do pertencimento à USP, e mostrar que a crescente especialização de áreas de conhecimento faz dialogar os desígnios de origem com as perspectivas de futuro, em relação aos edifícios que compõem os diversos *campi* optamos por apresentar um amplo leque dos mesmos, segundo critérios de seleção que procuraram entender a relação entre a complexa dinâmica da USP e sua base física. A seleção final, portanto, é uma amostragem da diversidade da arquitetura dos edifícios da universidade tanto em suas origens e características formais, como em seu uso. Toda essa diversidade, na realidade, também sinaliza momentos da produção de projeto e construção da Universidade.

Os parâmetros de seleção privilegiaram a destinação dos edifícios, seguindo critérios comuns para os diferentes *campi* da USP e definindo assim algumas tipologias: auditórios, bibliotecas, edifícios especializados, edifícios multifuncionais, ginásios, hospitais e moradias. Essas tipologias revelam a universidade materializada no tripé ensino, pesquisa e extensão. E mostram como a produção destes espaços e suas funções é também permanentemente atualizada e transformada, estabelecendo diálogos entre possibilidades construtivas, propostas arquitetônicas, concepções urbanísticas e desafios de uso.

A pesquisa foi pela primeira vez realizada inteiramente pela equipe do CPC e utilizou principalmente os acervos das bibliotecas e arquivos da USP. Foram feitas visitas nos diversos *campi* e também consultados acervos de fora da universidade, como o do Condephaat e o da CPOS. Além da pesquisa bibliográfica e iconográfica, foram feitas entrevistas com os responsáveis pela construção e manutenção dos edifícios, os arquitetos, engenheiros e funcionários da Coordenadoria do Espaço Físico (Coesf) e das prefeituras dos *campi* da USP. Durante o processo de pesquisa pode-se notar a escassez de trabalhos que abordam especificamente esse tema. Grande parte dos edifícios nunca havia sido objeto de estudos. A própria dinâmica da Universidade dificulta registros sistemáticos, uma vez que os prédios vêm sofrendo, ao longo do tempo, adaptações necessárias ao pleno desenvolvimento de suas atividades de ensino, pesquisa e extensão universitária. A seleção dos edifícios obedeceu aos critérios tipológicos estabelecidos, procurando-se registrar, em cada uma das entradas, diversos momentos e técnicas construtivas assim como concepções de arquitetura e suas adequações às necessidades universitárias.

Para cada edifício foi feita uma ficha de identificação, contendo informações tais como nome, autor do projeto, data de referência, material iconográfico e técnica construtiva. Registros como data, por exemplo, variam entre projeto, construção, obra entregue, inauguração ou última intervenção de porte. Registros de autoria, por sua vez, também variam muito, pois às vezes apenas a instituição aparece como autor, outras vezes é reconhecida a autoria de um determinado profissional, ainda que vinculado à Universidade, outras vezes trata-se de profissionais contratados para a execução do projeto.

Houve também uma preocupação quanto à forma de apresentação deste material para a publicação, de modo a evidenciar os critérios adotados e, simultaneamente, torná-los atraentes e compreensíveis para um público mais amplo e diversificado que o de especialistas em arquitetura e urbanismo. Optamos por redesenhar os edifícios para homogeneizar sua representação, dando-lhes maior legibilidade. Quando encontramos as plantas e desenhos originais de edifícios mais antigos, optamos por reproduzi-las. Fotos recentes, encomendadas especialmente pelo CPC, foram utilizadas por acreditarmos que a constituição de um ensaio fotográfico seja outra possibilidade de leitura do inventário. Nos textos sobre os *campi*, privilegiamos fotos de arquivos da USP, para mostrar o processo de construção e seu contexto.

O levantamento produzido, ainda que incompleto (como, aliás, o é todo levantamento), sinaliza um esforço no sentido de organização e disponibilização deste material, e parece-nos propor uma discussão oportuna ao momento histórico de expansão da base física da USP, dada pela implementação dos *campi* da Zona Leste e São Carlos 2 e pela comemoração dos 70 anos da Universidade. O inventário dos *campi* e de seus edifícios, por fim, revela uma seleção que procura relacionar a história com as perspectivas de cada momento, mostrando, no percurso, os desafios de constituição de uma universidade pública.

Ensaio fotográfico

*Angela Garcia**

Fotografar é fundamentalmente um ato de escolha. Enquadramento, posição, ângulo, luz, instante são fatores que definem as opções que o fotógrafo encontra diante do objeto a ser registrado. O ensaio apresentado nos inventários dos edifícios nesta publicação segue a proposição de configurar um personagem diferenciado dentro da Universidade: o edifício. Testemunho silencioso das transformações que ocorrem interna e externamente ao universo acadêmico, o edifício marca, de modo incontestável, períodos diversos de nossa história, através de estilos, materiais empregados em sua construção, técnicas construtivas. Reflete ideologias e ideais em constante mutação e afinadas com seu contexto histórico.

Retratar fotograficamente este personagem que abriga as principais atividades e produções dentro da Universidade é um desafio diante das inúmeras opções que se apresentam. Silencioso por natureza, o edifício se expressa através de suas formas, suas funções, seu funcionamento e ocupação. Em contemplação a esta situação, a escolha fundamental deste ensaio foi valorizar, com detalhes e texturas, as formas dos edifícios, utilizando recursos de enquadramento e iluminação, na intenção de retratar este personagem com toda a sua dignidade e importância.

No período em que as fotografias foram realizadas, houve várias circunstâncias climáticas que interferiram diretamente no resultado final da imagem, e que, por questões logísticas como prazos e agendamento de viagens ao interior paulista, não foi possível responder a uma escolha plena. Utilizou-se então de recursos que respondessem da melhor forma possível às condições do clima e de luz oferecidas pela natureza, nas ocasiões dos registros. Em dias ensolarados, era possível explorar contrastes de luz e sombra de forma a realçar volumes e proporcionar um resultado até dramático. Em dias nublados ou quase chuvosos, a iluminação se torna mais suave, fornecendo um toque de delicadeza até a edifícios de grande dimensão, em princípio, mais imponentes em sua natureza. Ainda assim, um fator comum às imagens é a atenção às particularidades de cada edifício aqui apresentado.

As imagens encontradas nesta publicação funcionam como um convite a todos os participantes (direta ou indiretamente) da história da Universidade, a observar com maior atenção e desvendar a face destes personagens – os edifícios – que abrigam de forma até generosa, atividades de tantos outros personagens que fornecem vitalidade por excelência e dão sentido e importância a estes "testemunhos silenciosos" que marcam a passagem do tempo em suas manifestações mais eminentes: sua forma física e marcas cravadas em sua aparência.

* Fotógrafa e arquiteta pela Faculdade de Arquitetura e Urbanismo da USP.

AUDITÓRIOS

Anfiteatro Camargo Guarnieri • São Paulo

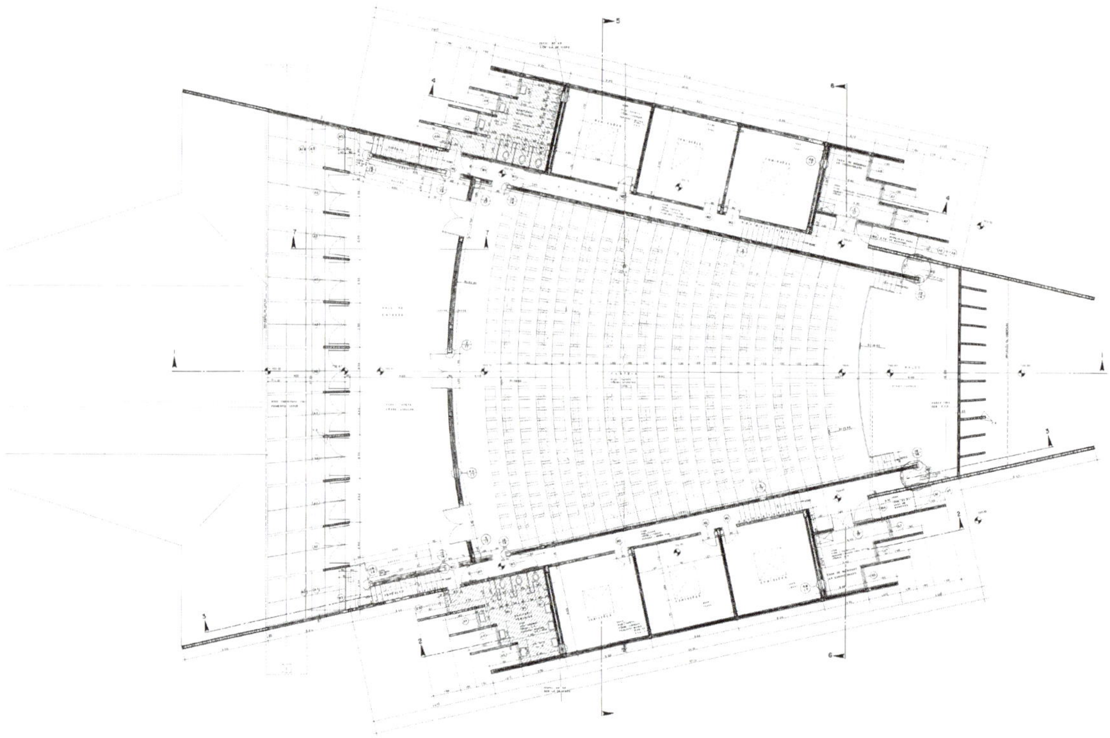

Identificação

Anfiteatro Camargo Guarnieri (Anfiteatro de Convenções).

Endereço

Rua do Anfiteatro, 109, Cidade Universitária, São Paulo, SP.

Unidade

Reitoria da USP (RUSP).

Autor do projeto

Arq. Gabriel Sister.

Data

1973.

Uso

Eventos.

Informações

Este edifício localiza-se junto ao conjunto residencial, entre os blocos A e C, tendo a frente voltada para a Rua do Anfiteatro. Possui eficiente projeto acústico, proporcionado, entre outros, pelo não paralelismo de suas paredes. A fachada frontal é vedada por panos de vidro, em contraposição às laterais e ao fundo, que quase não possuem aberturas. É utilizado para eventos e também para ensaios da Orquestra Sinfônica da Universidade de São Paulo (Osusp).

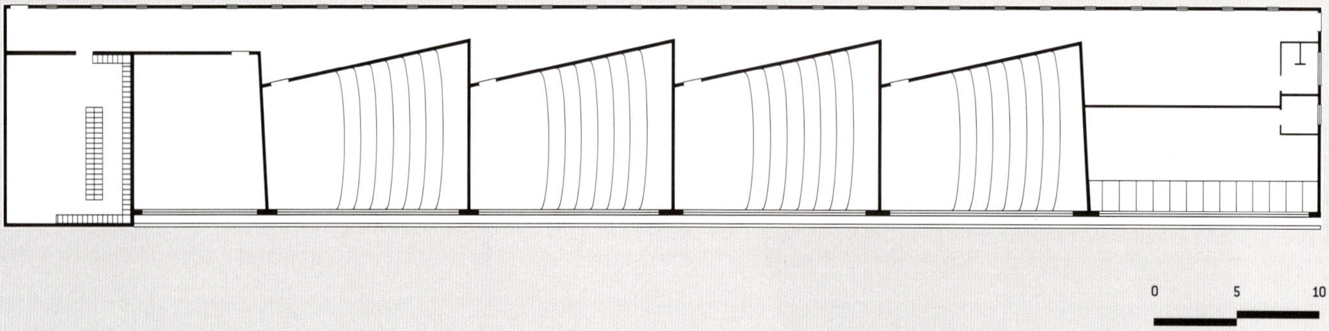

IDENTIFICAÇÃO
Edifício Felix Kurt Rawitscher.

ENDEREÇO
Rua do Matão, 217, Cidade Universitária, São Paulo, SP.

UNIDADE
Instituto de Biociências (IB).

AUTOR DO PROJETO
Arq. Paulo Camargo de Almeida

DATA
1961.

USO
Aulas.

INFORMAÇÕES
Este edifício tem planta retangular, em estrutura de concreto armado e cobertura em laje plana impermeabilizada. Devido à sua forma, foi apelidado de Minas Gerais, em homenagem ao porta-aviões da Marinha Brasileira. Liga-se ao edifício André Dreyfus, do Departamento de Botânica do IB, que se localiza no outro lado da Rua do Matão, através de uma passagem por baixo desta via, aproveitando a declividade do terreno.

Edifício J. O. Monteiro Camargo • São Paulo

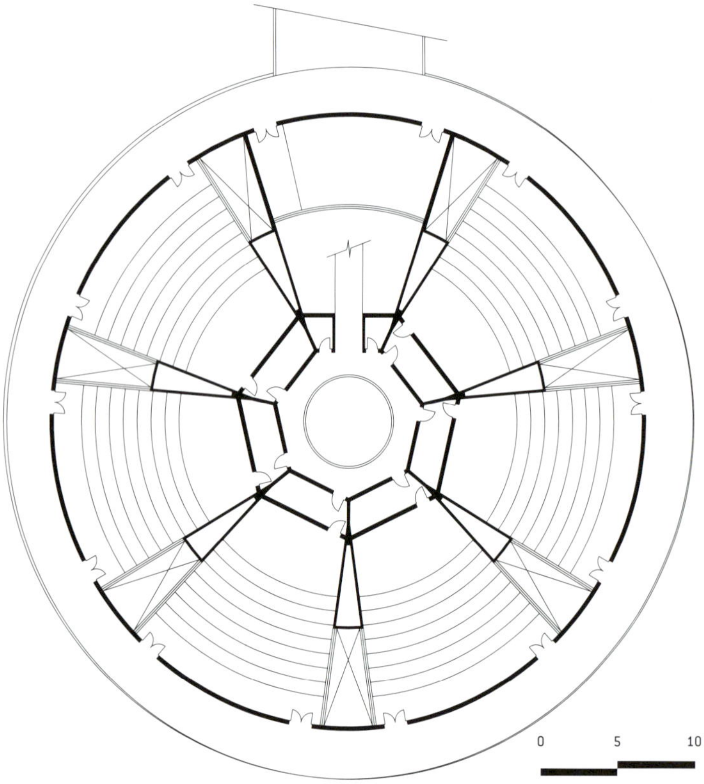

Identificação
Edifício J. O. Monteiro Camargo.

Endereço
Travessa 2, 128, bloco A, Cidade Universitária, São Paulo, SP.

Unidade
Escola Politécnica (EP).

Autor do projeto
Arq. Hélio Duarte – Escritório Técnico da Comissão da Cidade Universitária.

Data
1961-1962.

Uso
Aulas.

Informações
Este é um dos blocos que compõem o Biênio. Com estrutura em concreto protendido e cobertura em laje impermeabilizada, destaca-se por sua forma e sua implantação. Possui uma considerável área livre no térreo, apesar da grande área de projeção, que originalmente era ocupada por um espelho d´água e atualmente é formada por um jardim. A entrada nos seis anfiteatros, acesso dos alunos, dá-se pelos fundos das salas, por um corredor aberto que circunda o edifício e que, por sua vez, se liga ao 1º andar do edifício vizinho por uma passarela. Pelo térreo é possível acessar, no centro do edifício, as diversas salas dos anfiteatros em seu nível mais baixo.

Pavilhão Nicolau Athanassof • Piracicaba

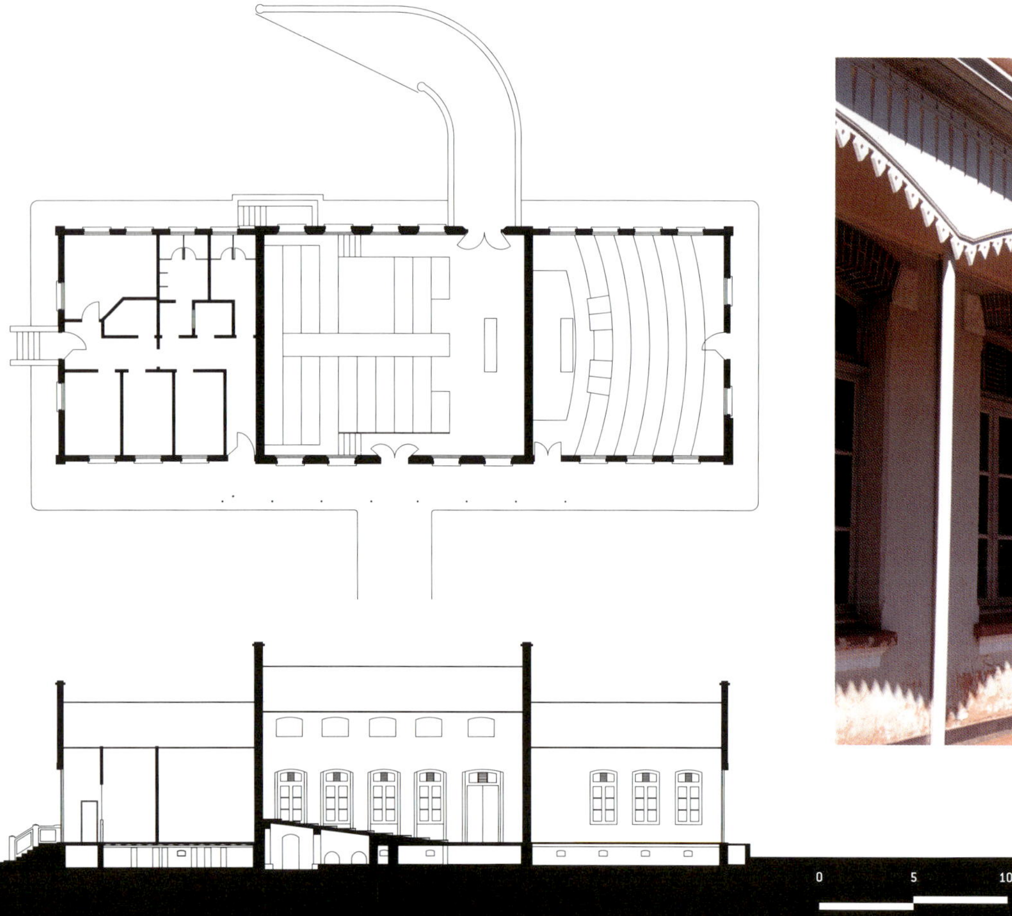

Identificação

Pavilhão Nicolau Athanassof (Departamento de Zootecnia).

Endereço

Avenida Pádua Dias, 11, Vila Independência, Piracicaba, SP.

Unidade

Escola Superior de Agricultura Luiz de Queiroz (Esalq)

Data

Início do século XX.

Uso

Aulas.

Informações

Com estrutura mista de madeira e alvenaria estrutural, foi um dos primeiros edifícios a serem construídos na Esalq. O pavilhão apresenta características originais de fachada e detalhes de ornamentação do início do século XX. O anfiteatro era utilizado para aulas práticas, inclusive com a presença dos animais. Atualmente, encontra-se em reforma para abrigar, além do anfiteatro, sala de aula e salas de apoio do Departamento de Zootecnia.

ZOOTECHNIA

ZOOTECHNIA

Tulha • Ribeirão Preto

Identificação

Tulha (Departamento de Música de Ribeirão Preto).

Endereço

Avenida dos Bandeirantes, 3900, Monte Alegre,
Ribeirão Preto, SP.

Unidade

Escola de Comunicações e Artes (ECA).

Data

Final do século XIX (construção original) / 1997 (reforma).

Uso

Sala de concertos.

Informações

A antiga tulha da Fazenda Monte Alegre foi reformada em 1997 para abrigar uma sala de concertos vinculada ao Departamento de Música de Ribeirão Preto. Grande parte da estrutura do telhado, testemunho de técnicas construtivas do final do século XIX, foi mantida na reforma, com adição de um forro de madeira para satisfazer às exigências acústicas do novo uso. Ao lado da tulha ainda é possível encontrar remanescentes do terreiro de lavagem e secagem dos grãos de café e de um muro de arrimo em pedras, também do século XIX.

Anfiteatro 1 e 2 • São Carlos

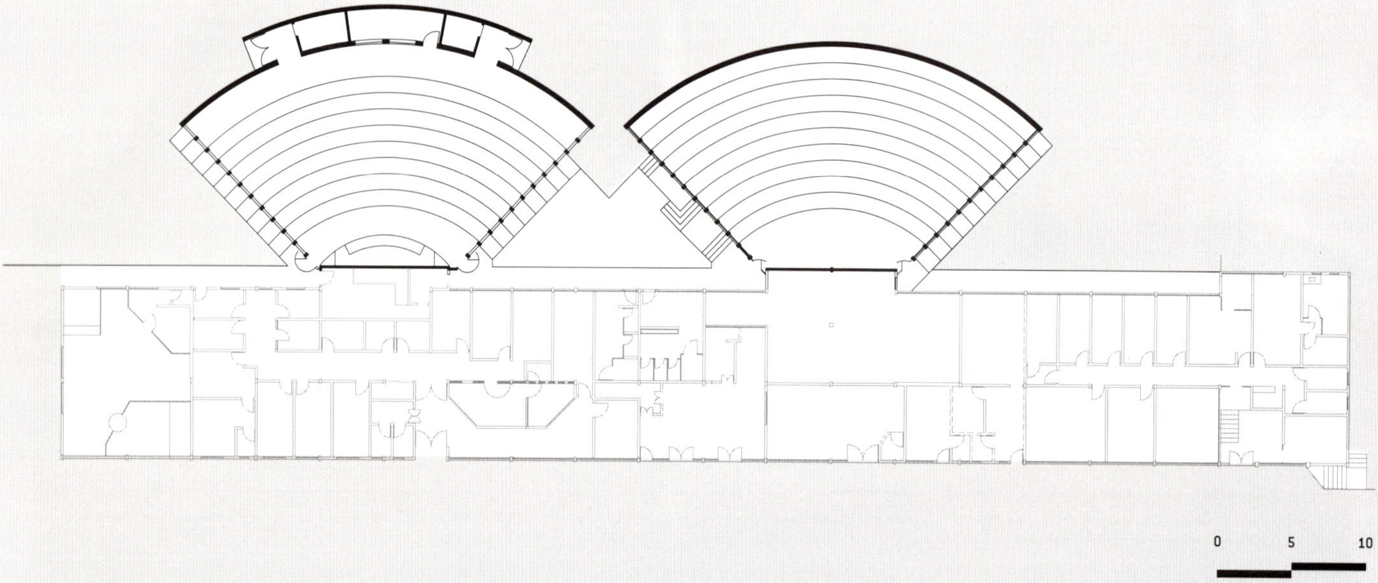

Identificação

Anfiteatro 1 (Convenções Jorge Caron) e Anfiteatro 2.

Endereço

Avenida Trabalhador São Carlense, 400, Centro, São Carlos, SP.

Unidade

Escola de Engenharia de São Carlos (EESC).

Data

1962.

Uso

Eventos.

Informações

Construídos logo após o edifício principal da EESC, o Bloco E1, para servir de apoio à recém-instalada escola, os Anfiteatros 1 e 2 atualmente abrigam grandes eventos, simpósios e palestras no *campus* de São Carlos. Com capacidade de aproximadamente duzentos lugares cada um, localizam-se ao lado da praça principal. Os dois anfiteatros formam dois volumes destacados do corpo de planta retangular, que abriga o centro médico, o posto bancário, a telefonia, a bio-engenharia e uma lanchonete. O conjunto foi implantado acompanhando a inclinação natural do terreno existente, fazendo com que os dois volumes dos anfiteatros se integrem na paisagem.

CLUBE DE CAMPO • PIRASSUNUNGA

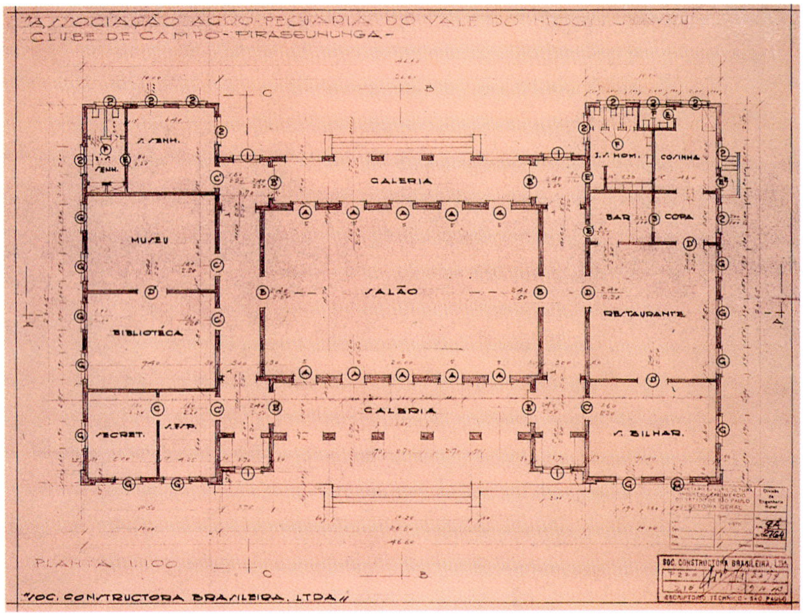

IDENTIFICAÇÃO

Clube de Campo.

ENDEREÇO

Avenida Duque de Caxias Norte, 225, Pirassununga, SP.

UNIDADE

Prefeitura do *Campus* Administrativo de Pirassununga (PCAPS)

AUTOR DO PROJETO

Divisão de Engenharia Rural da Secretaria de Agricultura, Indústria e Comércio do Estado de São Paulo.

DATA

1943-1944.

USO

Aulas e eventos.

INFORMAÇÕES

No início da década de 1940, por iniciativa do interventor Fernando Costa, foi construída, anexa à Escola Prática de Agricultura e em área do atual *campus* de Pirassununga da USP, a sede da Associação Agropecuária do Vale do Mogi-Guaçu. Tratava-se de um clube de campo voltado tanto para a sociabilidade de agricultores e criadores, como para contatos comerciais. O edifício acompanha a mesma composição de caráter neocolonial dos edifícios da antiga escola e praticamente não sofreu alterações ao longo dos anos. Hoje, seus amplos salões abrigam salas de aula.

BIBLIOTECAS

Biblioteca Central da FFLCH • São Paulo

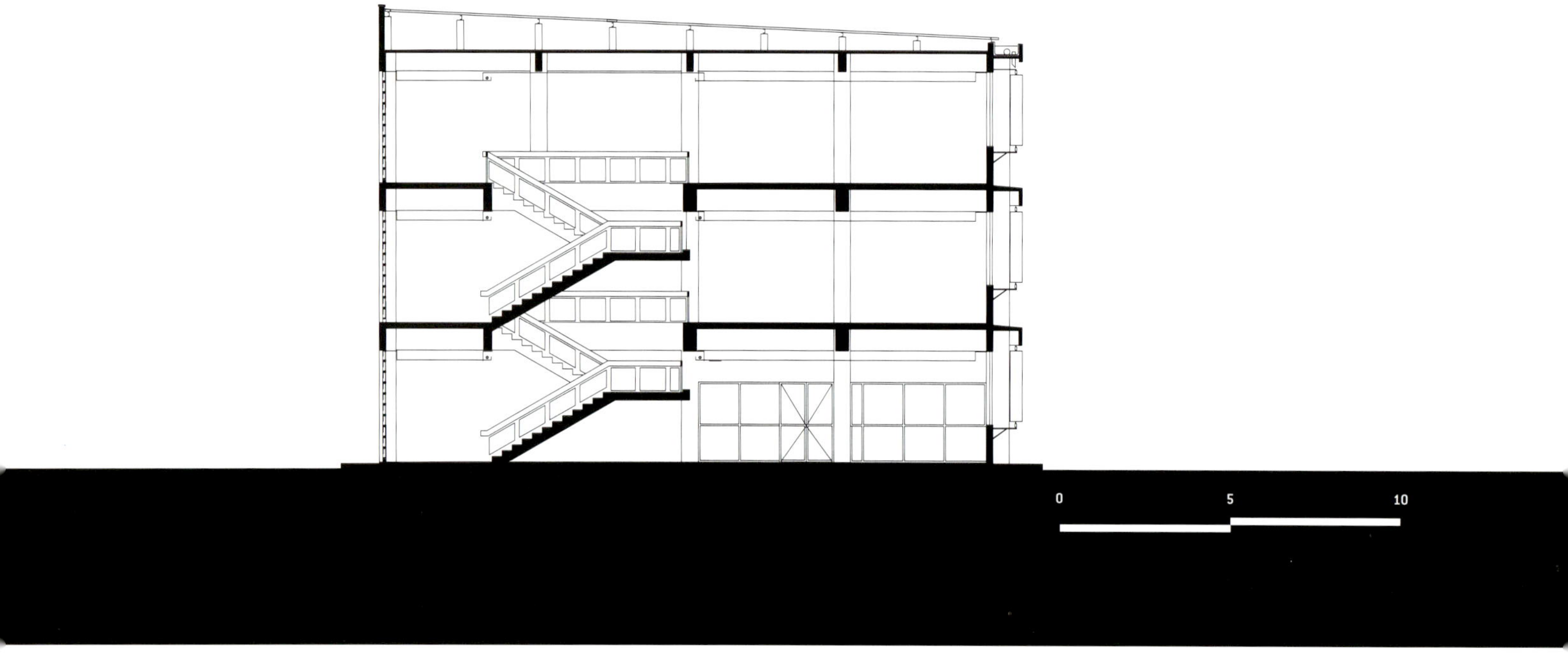

Identificação

Biblioteca Central da FFLCH.

Endereço

Avenida Prof. Lineu Prestes, Travessa 12, 350, Cidade Universitária, São Paulo, SP.

Unidade

Faculdade de Filosofia, Letras e Ciências Humanas (FFLCH).

Autor do projeto

Fundusp.

Data

1991/2000.

Uso

Biblioteca.

Informações

Formada por dois blocos interligados, possui estrutura aparente, vidros espelhados e brises. Construído em duas etapas, o edifício abriga o acervo da unidade, formado, além das aquisições recentes, pelos das antigas cadeiras da Faculdade de Filosofia, Ciências e Letras que não se desmembraram em institutos independentes. A FFLCH possui ainda uma outra biblioteca localizada no prédio dos departamentos de História e Geografia.

Biblioteca do Conjunto das Químicas • São Paulo

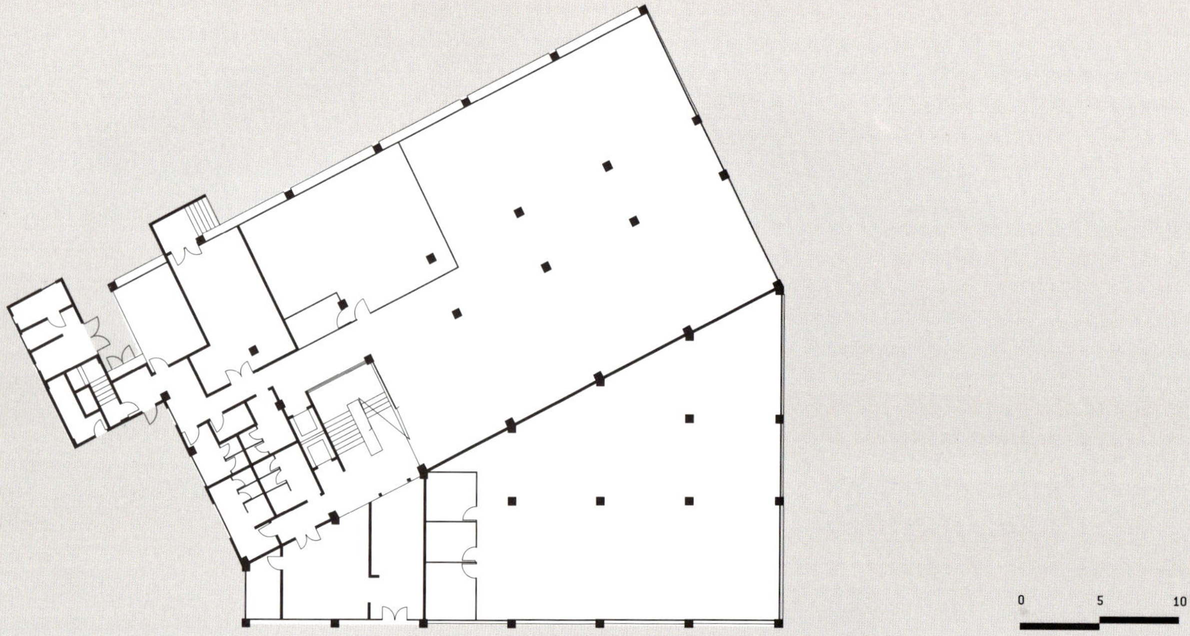

Identificação

Biblioteca do Conjunto das Químicas.

Endereço

Avenida Prof. Lineu Prestes, 950, Cidade Universitária, São Paulo, SP.

Unidade

Faculdade de Ciências Farmacêuticas (FCF) e Instituto de Química (IQ).

Data

1991.

Uso

Biblioteca.

Informações

A Biblioteca do Conjunto das Químicas instalou-se nesse edifício com cerca de 2 500 m², e estrutura em blocos de concreto aparente, em 1991. Até então esteve instalada no Bloco 6 do conjunto das Químicas. É composta pelos acervos dos antigos departamentos e cadeiras de Química e Bioquímica da Escola Politécnica, Faculdade de Medicina Veterinária, Faculdade de Odontologia, Faculdade de Farmácia e Bioquímica e Faculdade de Filosofia, Ciências e Letras.

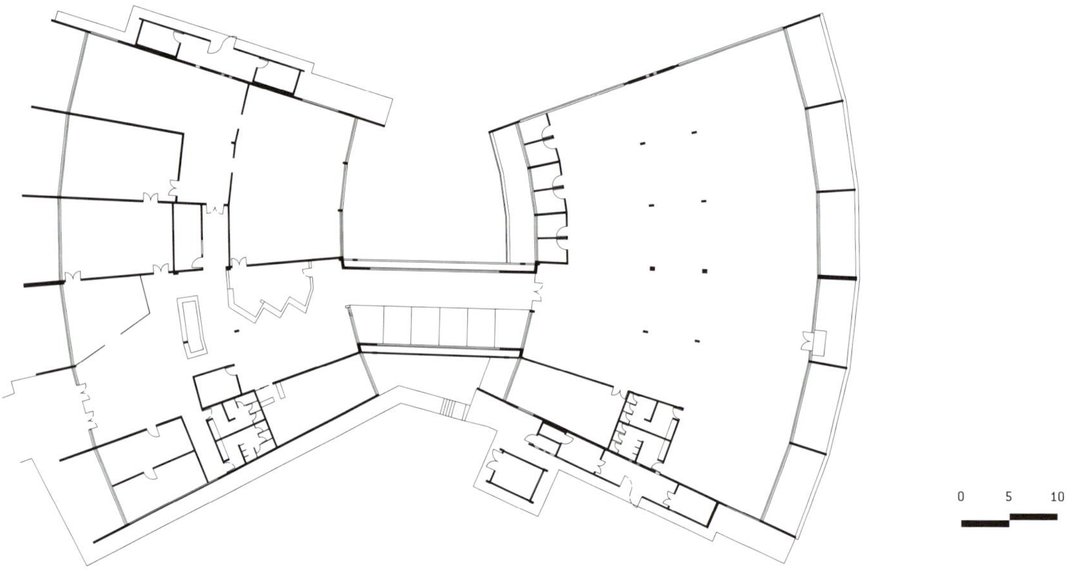

Identificação

Biblioteca Central.

Endereço

Avenida Pádua Dias, 11, Vila Independência, Piracicaba, SP.

Unidade

Escola Superior de Agricultura Luiz de Queiroz (Esalq).

Autor do projeto

Fundusp.

Data

1986/1990.

Uso

Biblioteca.

Informações

Desde a criação da Escola Prática de Agricultura encontram-se referências sobre a criação de uma biblioteca. Ao longo do tempo, desenvolveram-se as bibliotecas setoriais e, em 1984, todas as bibliotecas do *campus* foram incorporadas à Divisão de Biblioteca e Documentação (DIBD). Abriga hoje um dos maiores acervos em ciências agrárias da América Latina. Em 1986, para abrigar a DIBD, construiu-se a primeira fase do edifício da Biblioteca Central, e em 1990 a segunda. O projeto desse edifício, com estrutura em concreto armado, é organizado em dois blocos (acervo e administração) interligados por um largo corredor. Consta no projeto original a possibilidade de ampliações. Hoje na Esalq, além da Biblioteca Central, existem mais três bibliotecas setoriais: de Agroindústria, Alimentos e Nutrição; de Genética; e de Economia, Administração e Sociologia. Além disso, o *campus* conta com a biblioteca do CENA.

BIBLIOTECA
CENTRAL

Biblioteca Central • Ribeirão Preto

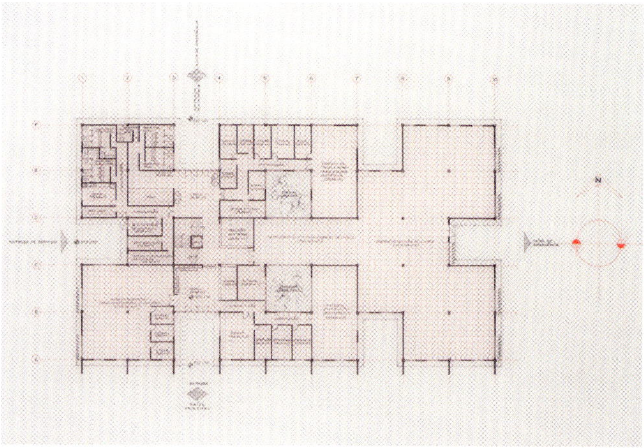

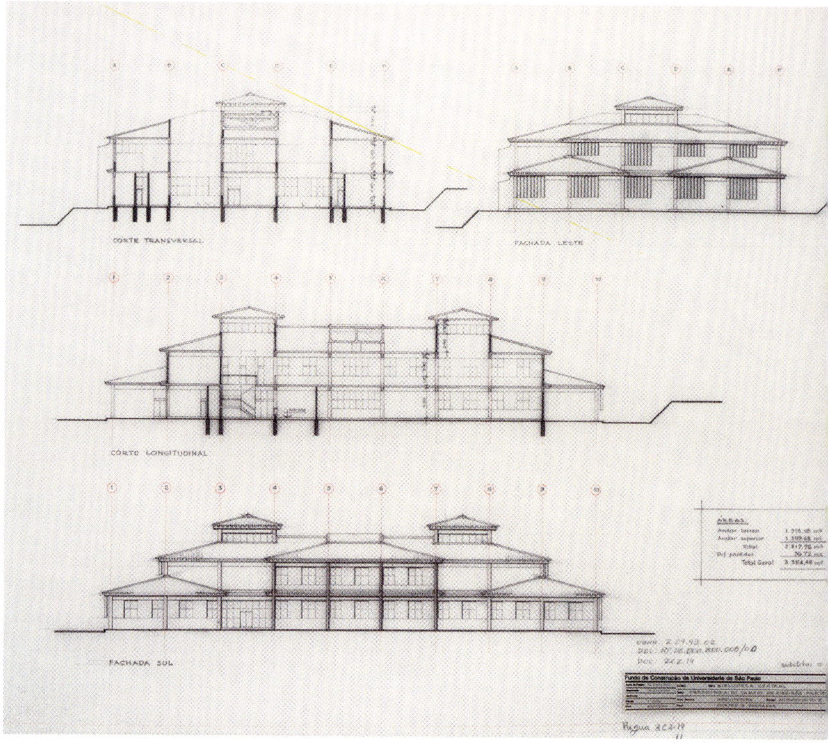

Identificação

Biblioteca Central.

Endereço

Avenida dos Bandeirantes, 3900, Monte Alegre, Ribeirão Preto, SP.

Unidade

Prefeitura do *Campus* Administrativo de Ribeirão Preto (PCARP).

Autor do projeto

Fundusp.

Data

1991.

Uso

Biblioteca.

Informações

Inicialmente constituída pela Biblioteca da Faculdade de Medicina de Ribeirão Preto, a Biblioteca Central do *campus* de Ribeirão Preto acompanhou o crescimento das áreas de conhecimento instaladas no *campus*, gradualmente anexando novas coleções com o passar dos anos, até alcançar seu acervo atual, de cerca de 83 mil livros e 4 915 títulos de periódicos nacionais e estrangeiros. Tendo em vista o seu crescimento progressivo, a biblioteca – que antes ocupava o atual edifício sede da Faculdade de Economia, Administração e Contabilidade de Ribeirão Preto – recebeu esse novo edifício com cerca de 3 500 m² para abrigá-la.

Biblioteca Central da EESC • São Carlos

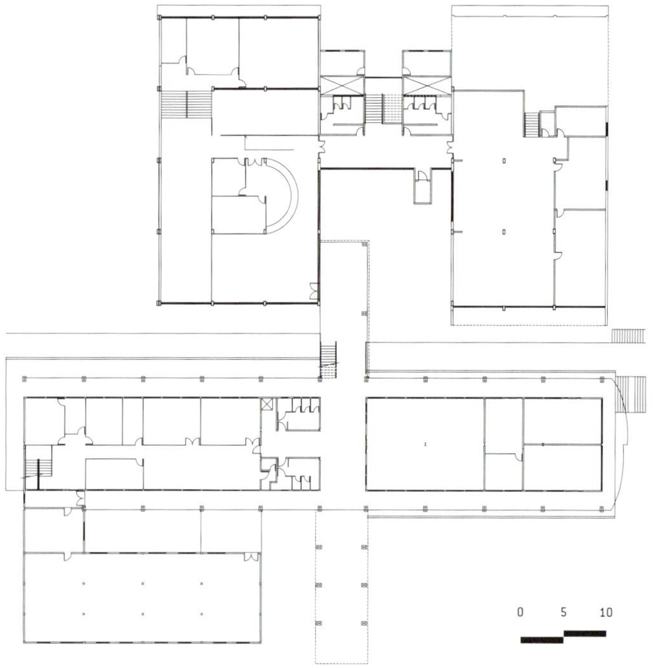

Identificação

Biblioteca Central da EESC.

Endereço

Avenida Trabalhador São Carlense, 400, Centro, São Carlos, SP.

Unidade

Escola de Engenharia de São Carlos (EESC).

Autor do projeto

Fundusp.

Data

1974/1999.

Uso

Biblioteca.

Informações

A Biblioteca Central da EESC é composta por dois edifícios interligados por uma passarela. O mais recente deles, em estrutura metálica, é uma ampliação da biblioteca original, este em estrutura de concreto armado. Além desta biblioteca, o *campus* de São Carlos possui outras três ligadas diretamente às unidades de ensino, além da biblioteca do CDCC. Há ainda a biblioteca ramal da EESC, junto ao CRHEA, no Broa.

Biblioteca Prof. Johannes Rüdiger Lechat • São Carlos

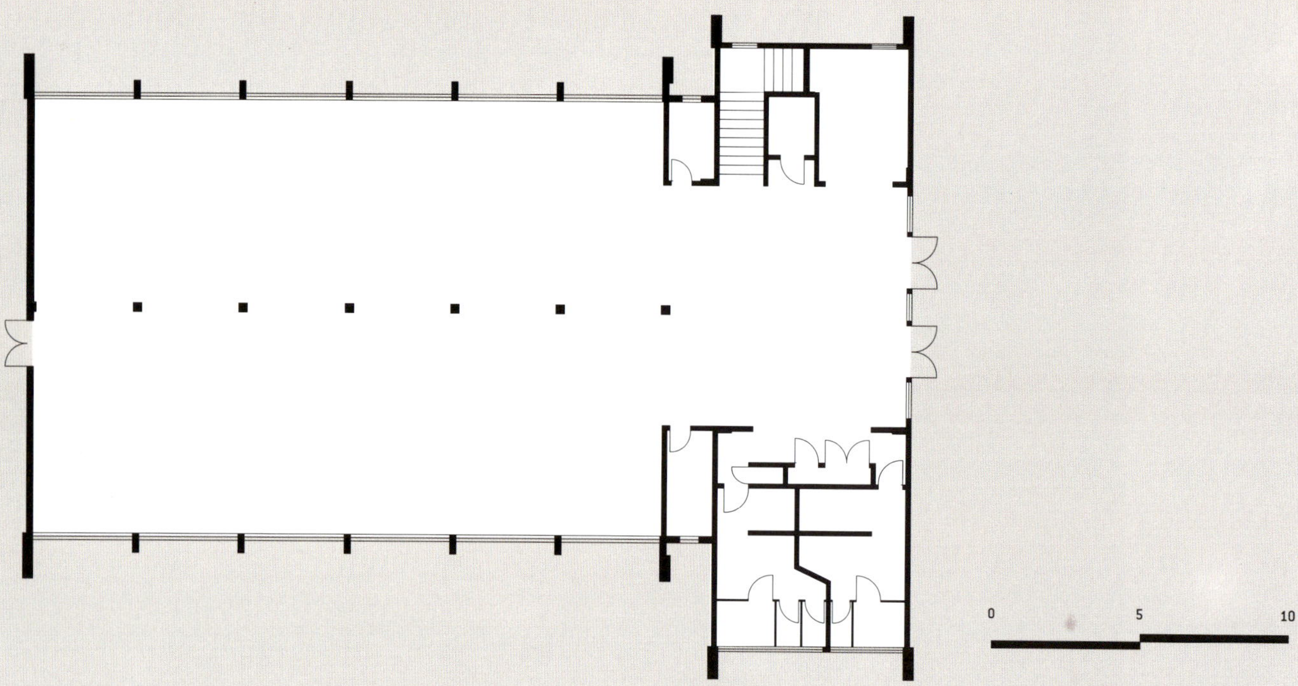

Identificação

Biblioteca Prof. Johannes Rüdiger Lechat.

Endereço

Avenida Trabalhador São Carlense, 400, Centro, São Carlos, SP.

Unidade

Instituto de Química de São Carlos (IQSC).

Autor do projeto

Fundusp.

Data

1997.

Uso

Biblioteca.

Informações

A biblioteca do IQSC, uma das bibliotecas setoriais do *campus*, possui um acervo amplo e diversificado que atende toda a região de São Carlos. O edifício que abriga hoje a biblioteca foi projetado pelo Fundusp, utilizando-se dos padrões recentes de construção dados pela combinação entre torre fria e planta livre.

Biblioteca Prof. Dr. Antônio Gabriel Atta • Bauru

Identificação

Biblioteca Prof. Dr. Antônio Gabriel Atta.

Endereço

Alameda Dr. Octávio Pinheiro Brisolla, 9-75, Bauru, SP.

Unidade

Faculdade de Odontologia de Bauru (FOB).

Data

1977.

Uso

Biblioteca.

Informações

O edifício da biblioteca possui estrutura em concreto armado, vedação em blocos de concreto e cobertura em estrutura metálica e telhas de fibrocimento. Seu acervo conta com aproximadamente 78 400 volumes nas áreas da Odontologia, Fonoaudiologia e Ciências Básicas, como livros, teses, periódicos, entre outros.

BIBLIOTECA DA FZEA • PIRASSUNUNGA

IDENTIFICAÇÃO

Biblioteca da Faculdade de Zootecnia e Engenharia e Alimentos (FZEA).

ENDEREÇO

Avenida Duque de Caxias Norte, 225, Pirassununga, SP.

UNIDADE

Faculdade de Zootecnia e Engenharia e Alimentos (FZEA).

DATA

1997 (adaptação).

USO

Biblioteca.

INFORMAÇÕES

Criada em 1992, a Biblioteca da Faculdade de Zootecnia e Engenharia de Alimentos veio substituir a Biblioteca-ramal do Departamento de Medicina Veterinária e Zootecnia existente anteriormente no *campus* de Pirassununga, recebendo a maior parte de seu acervo. Em 1997, um antigo galpão para bois, utilizado como apoio do setor de exposições agrícolas, foi reformado e adaptado para biblioteca, com financiamento da Fapesp. O prédio onde atualmente a biblioteca se encontra tem cerca de 700 m^2. A biblioteca da FZEA não só atende à comunidade do *campus*, mas tornou-se referência em toda a região, sendo procurada por alunos e pesquisadores de entidades diversas, a exemplo do Cepta/Ibama e da Academia da Força Aérea, localizados próximo ao *campus*.

Edifícios especializados

Centro de Estudos do Genoma Humano • São Paulo

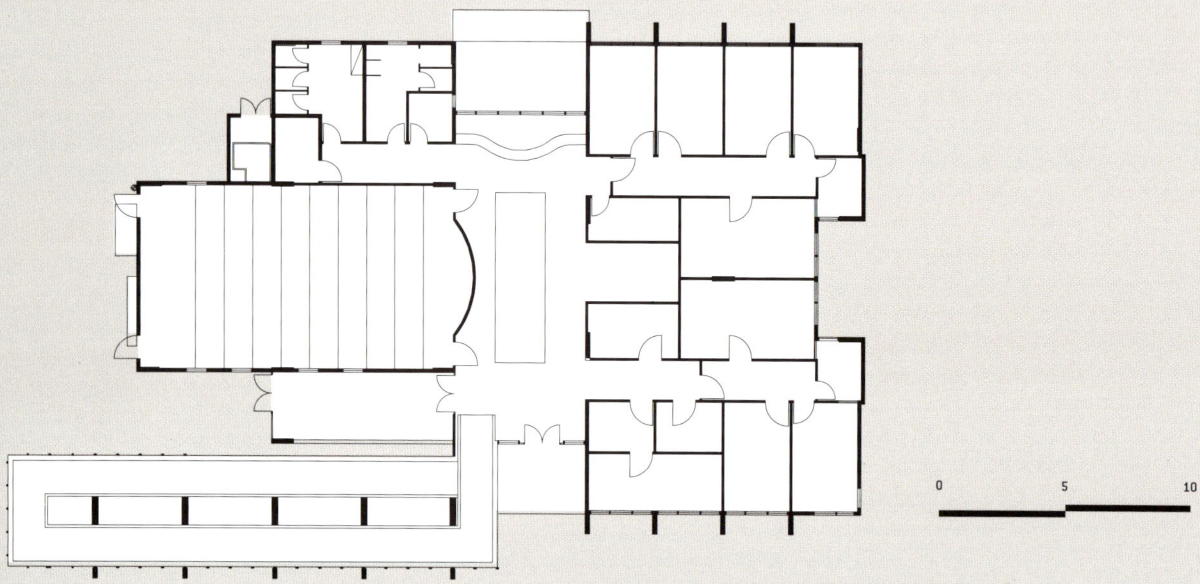

Identificação

Centro de Estudos do Genoma Humano.

Endereço

Rua do Matão, Travessa 13, 106, Cidade Universitária, São Paulo, SP.

Unidade

Instituto de Biologia (IB).

Data

2000.

Uso

Pesquisas em genética.

Informações

Seu edifício ocupa uma área de aproximadamente 1 200 m^2 e possui salas de atendimento, laboratórios e anfiteatros. Diferencia-se dos demais edifícios do *campus* por sua forma e seus materiais de acabamento, como o fechamento da rampa em vidro. Neste local são desenvolvidos estudos do genoma humano, pesquisa e atividades ligadas à educação e à transferência de tecnologia, assistência a pacientes com doenças genéticas, serviço de análise de microssatélite e serviços de seqüenciamento de DNA. Seus custos financeiros são divididos pela USP e pela Fapesp.

Edifício Pelletron • São Paulo

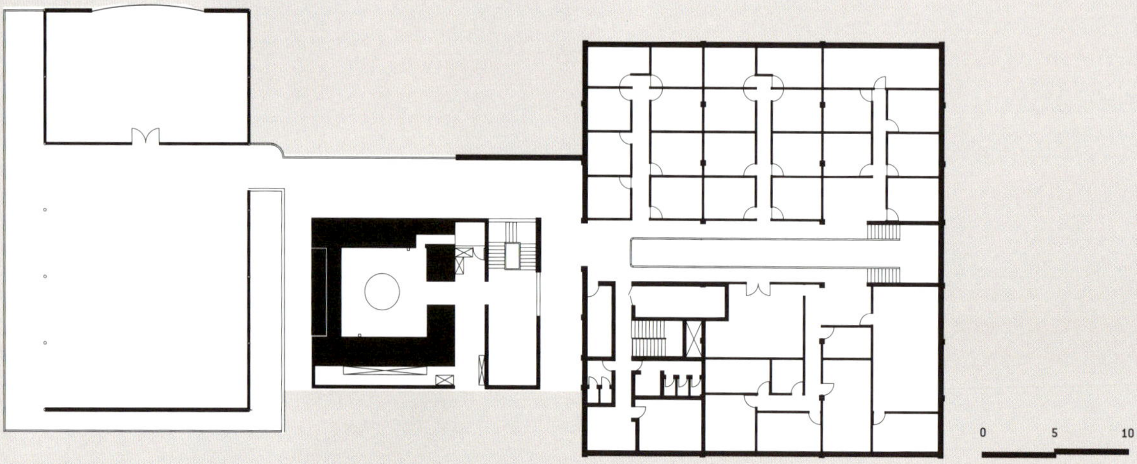

Identificação

Edifício Pelletron.

Endereço

Travessa R, 279, Cidade Universitária, São Paulo, SP.

Unidade

Instituto de Física (IF).

Autor do projeto

Arq. Américo Amato.

Data

1973.

Uso

Pesquisas em física nuclear utilizando o acelerador de partículas Pelletron.

Informações

No final da década de 1960, a cátedra de Física Nuclear do Instituto de Física comprou um novo acelerador de partículas com capacidade de fornecer feixes com maior energia – o Pelletron. Considerado como um dos primeiros Pelletron construídos no mundo, começou a operar em 1972. O edifício que o abriga, devido a suas funções específicas, desenvolve-se em dois blocos: uma torre elevada e outra em subsolo, para abrigar o acelerador. Possui estruturas em concreto que chegam a até 2 m de espessura para conter as radiações; revestimento em concreto pintado, piso de alta resistência e cobertura em laje plana impermeabilizada. Na área horizontal localizam-se os laboratórios de apoio.

Identificação

Pavilhão de Alta-tensão.

Endereço

Avenida Professor Luciano Gualberto, 1289,
Cidade Universitária, São Paulo, SP.

Unidade

Instituto de Eletrotécnica e Energia (IEE)

Autor do projeto

Arq. Dyjalma Lepage – Escritório técnico da Comissão da Cidade Universitária.

Data

1951.

Uso

Pesquisas e testes no setor de alta-tensão da eletricidade.

Informações

Este é o mais antigo edifício construído pelo escritório técnico da CCU no *campus* do Butantã. Sua planta é retangular e as fachadas, quase sem aberturas, são marcadas pela estrutura em pilares aparentes. Sua forma é resultado de seu grande pé-direito, necessário para o desenvolvimento das atividades e para o abrigo de pontes rolantes para o transporte de equipamentos pesados.

Semi-industrial • São Paulo

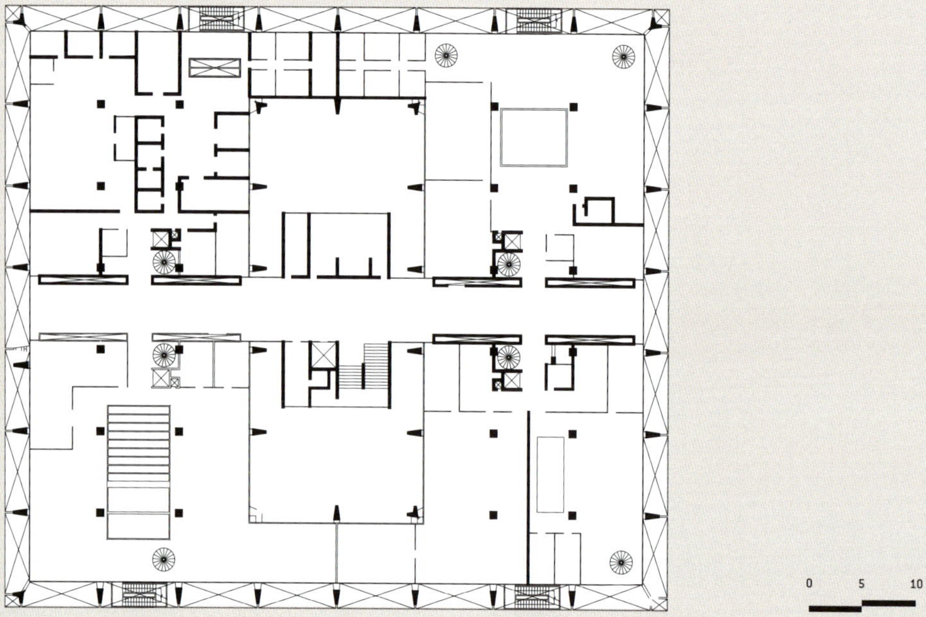

Identificação

Semi-industrial.

Endereço

Rua do Lago, 250, Cidade Universitária, São Paulo, SP.

Unidade

Escola Politécnica/Instituto de Química (IQ).

Autor do projeto

Arq. João Roberto Leme Simões.

Data

1976.

Uso

Pesquisas nas áreas de engenharia química, farmácia e planejamento de indústrias químicas.

Informações

Edifício projetado em módulos de 0,86 x 0,86m, seguindo referência de Le Corbusier. Sua planta livre (laje nervurada) e o uso de divisórias leves permitem maior flexibilidade dos espaços. Há instalação de trilhos e monovias para transporte de cargas. A vedação, em tijolos e grandes panos de vidro, é independente da grande estrutura externa aparente.

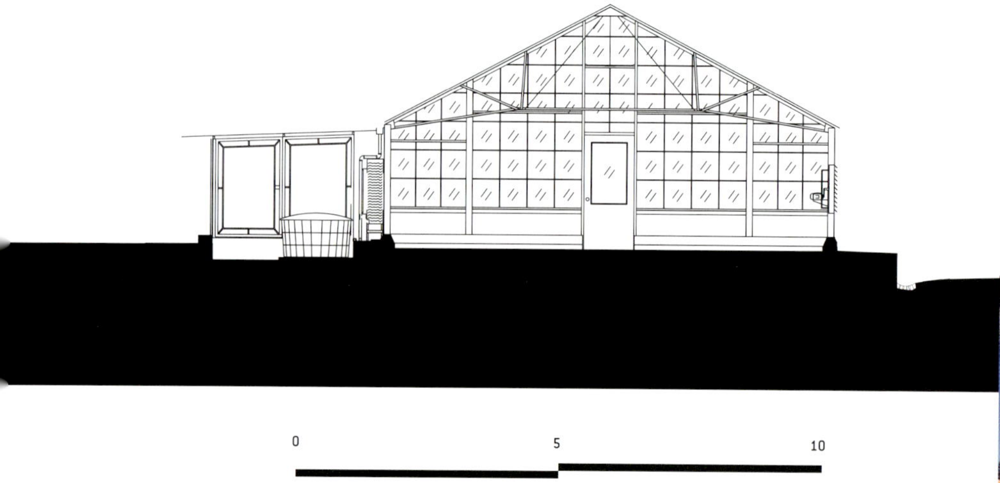

Identificação

Casa de Vegetação do Departamento de Genética.

Endereço

Avenida Pádua Dias, 11, Vila Independência, Piracicaba, SP.

Unidade

Escola Superior de Agricultura Luiz de Queiroz (Esalq).

Uso

Casa de Vegetação.

Informações

Encontram-se na Esalq diversas dessas casas de vegetação, de estrutura metálica e fechamento em vidro, que, em geral, são projetadas por empresas especializadas, com algumas variações estruturais e de equipamentos entre elas. É comum nas casas de vegetação o desenvolvimento de experimentos diversos, como por exemplo o estudo de transgênicos, desenvolvimento de mudas e condução de experimentos controlados. Para a realização de pesquisas, além das casas de vegetação, encontram-se também no *campus* diversas estufas, laboratórios e campos experimentais.

Laboratório de Biologia Celular e Molecular (Certificação de Alimentos) • Piracicaba

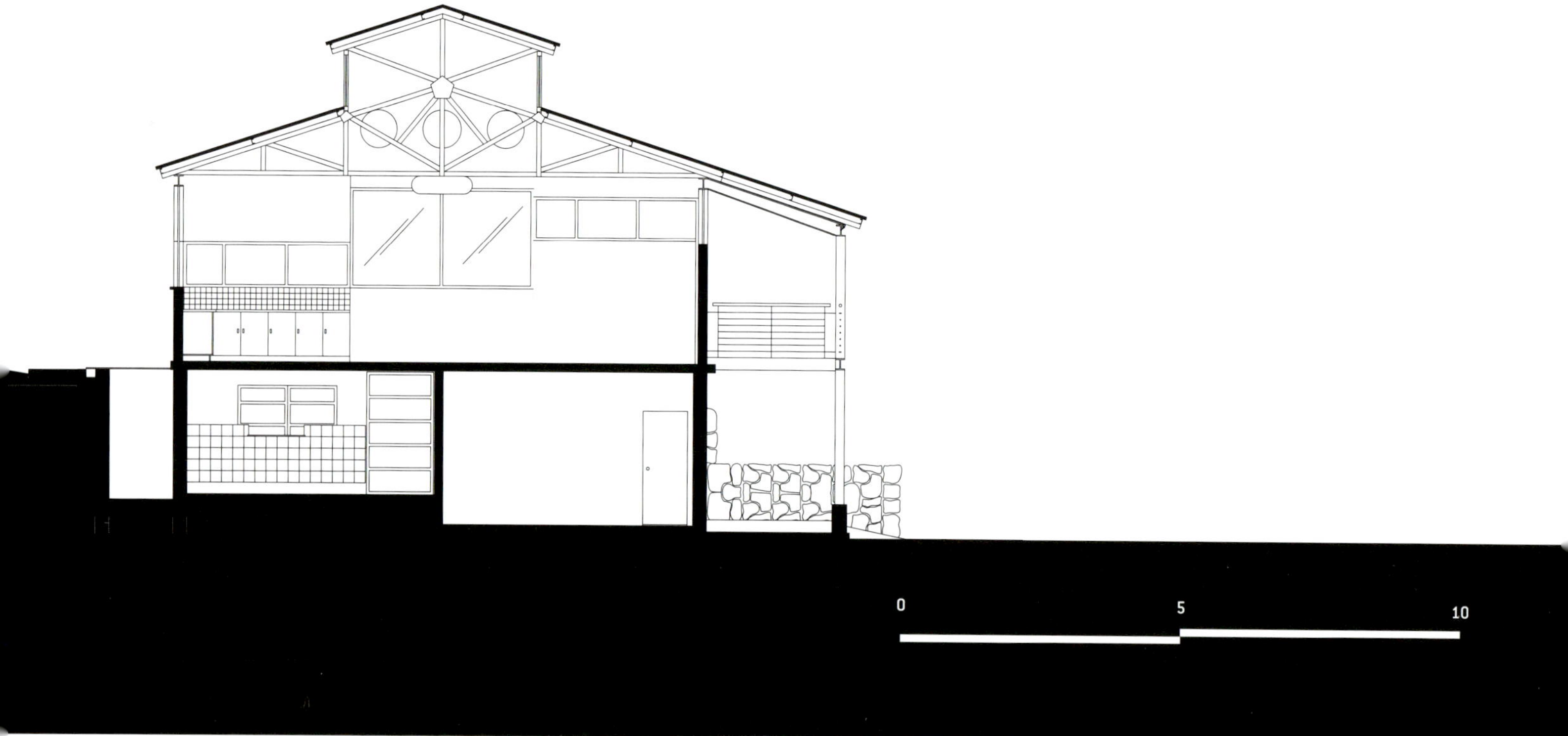

Identificação

Laboratório de Biologia Celular e Molecular (Certificação de Alimentos).

Endereço

Avenida Centenário, 303, São Dimas, Piracicaba, SP.

Unidade

Centro de Energia Nuclear na Agricultura (Cena).

Autor do projeto

Arq. Celso Laetano.

Data

2001.

Uso

Pesquisas na área de biologia celular e molecular.

Informações

Um dos edifícios mais recentes do *campus*, esse laboratório caracteriza-se pela leveza construtiva do conjunto de estrutura metálica, alvenaria de tijolo de barro e grandes caixilhos de vidro. O lanternim ao longo do edifício é responsável pela iluminação zenital em todo o laboratório do pavimento superior. Apesar de integrar o Cena, suas características construtivas, em função das atividades que nele são desenvolvidas, destacam-no dos edifícios anteriormente construídos.

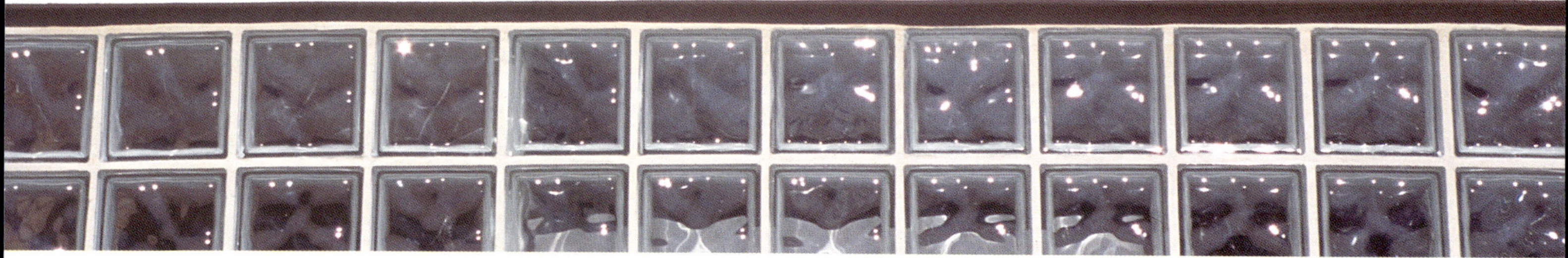

Outras instalações do Cena.

Departamento de Estruturas • São Carlos

Identificação

Departamento de Estruturas (SET).

Endereço

Avenida Trabalhador São Carlense, 400, Centro, São Carlos, SP.

Unidade

Escola de Engenharia de São Carlos (EESC).

Data

1976.

Uso

Pesquisas em ensaios de estruturas.

Informações

No anos 1970 apenas a estrutura do edifício foi executada. Posteriormente, o edifício foi concluído de forma a atender plenamente sua função de suportar ensaios de estruturas. Para isso construiu-se uma laje de reação no térreo, feita de estrutura de concreto armado, com aproximadamente 1,5 m de espessura, em toda a área do edifício. Atualmente tem cerca de 3 500 m² de área e dois pavimentos. Em alguns locais o pé-direito é duplo para abrigar grandes equipamentos.

IDENTIFICAÇÃO

Laboratório de Pesquisa do Grupo de Habitação – blocos G e G1.

ENDEREÇO

Avenida Trabalhador São Carlense, 400, Centro, São Carlos, SP.

UNIDADE

Escola de Engenharia de São Carlos (EESC).

AUTORA DO PROJETO

Arq. Akemi Ino.

DATA

1999.

USO

Pesquisas sobre habitação e técnicas construtivas em madeira.

INFORMAÇÕES

O Grupo de Habitação (Ghab) pertence ao Departamento de Arquitetura e Urbanismo da EESC. Através do estudo de técnicas construtivas diversificadas e ecologicamente corretas, como a utilização da madeira de reflorestamento, o grupo procura compreender as novas necessidades do homem em relação à moradia, reavaliando suas atividades, sua necessidade de flexibilidade de espaço e baixo custo das construções. Os próprios edifícios que abrigam o Ghab no *campus*, o bloco G e o bloco G1, são exemplos de seus experimentos com madeira.

Observatório Astronômico • São Carlos

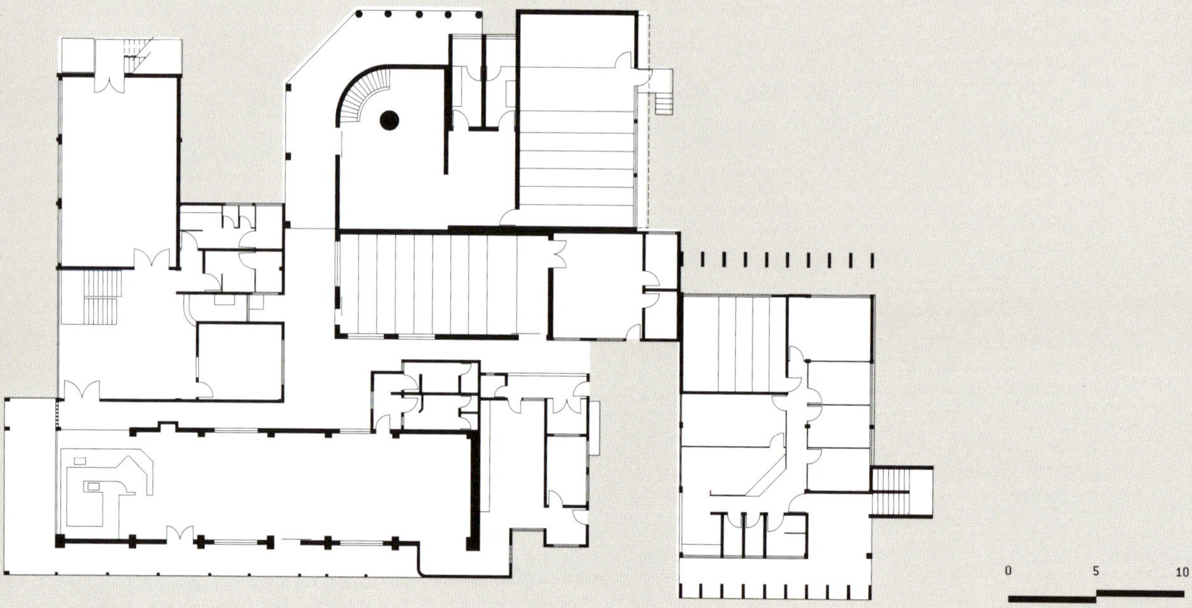

Identificação

Observatório Astronômico.

Endereço

Avenida Trabalhador São Carlense, 400, Centro, São Carlos, SP.

Unidade

Centro de Divulgação Científica e Cultural (CDCC).

Autor do projeto

Arq. Gelson de Almeida Pinto.

Data

1985/2002.

Uso

Observatório.

Informações

Instalado no ponto mais elevado do *campus*, o Observatório Astronômico faz parte do Centro de Divulgação da Astronomia (CDA), que se destina à divulgação da astronomia para a comunidade em geral, promovendo palestras e visitas ao local. Seu principal equipamento é um Telescópio Refrator Grubb 204/3000, da década de 1920, doado pelo Instituto de Astronomia, Geofísica e Ciências Atmosféricas da USP. Reforma recente, realizada em 2002, ampliou seus espaços e possibilitou a expansão de suas atividades com um novo anfiteatro, pátio de observação e sala de estudo.

Fábrica de Ração • Pirassununga

Identificação

Fábrica de Ração.

Endereço

Avenida Duque de Caxias Norte, 225, Pirassununga, SP.

Unidade

Prefeitura do *Campus* Administrativo de Pirassununga (PCAPS).

Autor do projeto

Divisão de Engenharia Rural da Secretaria de Agricultura, Indústria e Comércio do Estado de São Paulo.

Data

1943-1944.

Uso

Pesquisas e produção de ração.

Informações

Em 1997, com a crescente exigência por novas tecnologias para a realização dos experimentos de professores e alunos de pós-graduação atuantes no *campus* de Pirassununga, a antiga fábrica de ração, existente desde a época de funcionamento da Escola Prática de Agricultura, foi desativada para a inauguração de outra, mais moderna e inteiramente informatizada, em novas instalações (galpão e silos metálicos), localizado ao fundo da antiga fábrica de ração. Composta de equipamentos de ponta, a nova fábrica, além de permitir a realização de pesquisas inovadoras sobre questões que envolvem a qualidade do solo para a plantação, o processamento da ração e a saúde do animal, tem uma capacidade de produção de quatro toneladas por hora, abastecendo não só o *campus* de Pirassununga como outros *campi* da USP.

Usina de Laticínios • Pirassununga

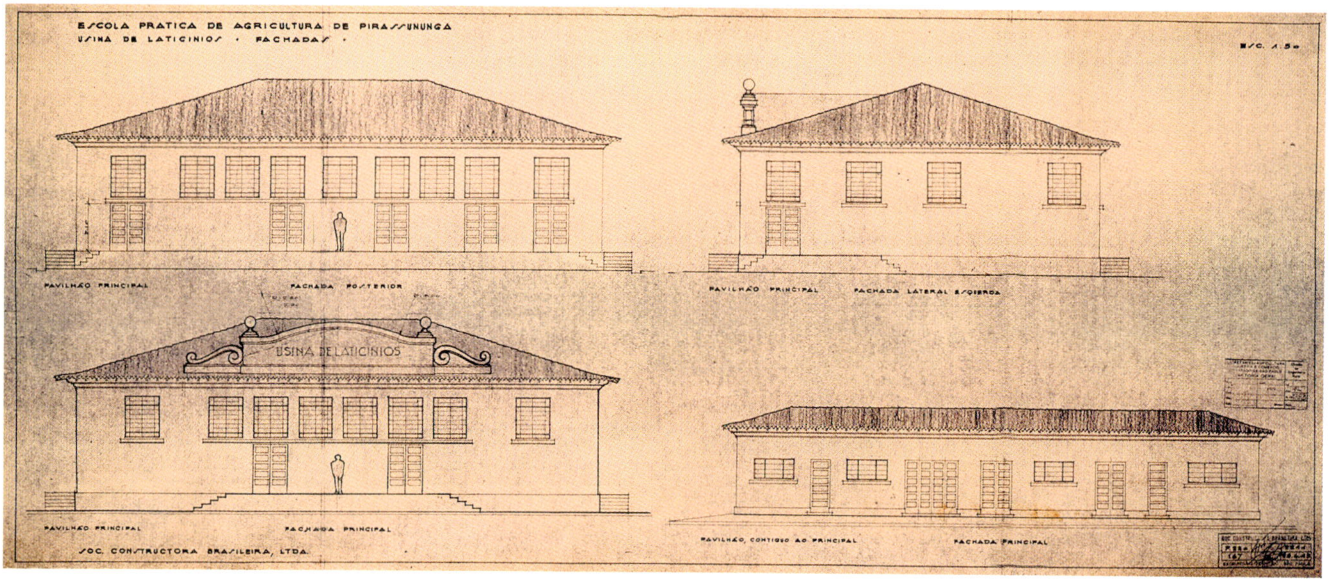

Identificação

Usina de Laticínios.

Endereço

Avenida Duque de Caxias Norte, 225, Pirassununga, SP.

Unidade

Prefeitura do *Campus* Administrativo de Pirassununga (PCAPS).

Autor do projeto

Divisão de Engenharia Rural da Secretaria de Agricultura, Indústria e Comércio do Estado de São Paulo.

Data

1943-1944.

Uso

Instalações para tratamento e processamento do leite.

Informações

Esse edifício mantém o mesmo uso previsto para a Escola Prática de Agricultura Fernando Costa, localizando-se junto aos demais edifícios voltados para a produção, como a seção de gado leiteiro. A produção é hoje totalmente modernizada, contando com uma mini-usina para pasteurização, ensacamento e processamento do leite. Quanto às construções, chama a atenção a feição neocolonial de prédios de função estritamente produtiva.

Seção de Gado Leiteiro

Ao lado, Usina de Laticínios, com algumas alterações em relação ao projeto original.

Embaixo, à esquerda, Seção de Gado Leiteiro.

EDIFÍCIOS MULTIFUNCIONAIS

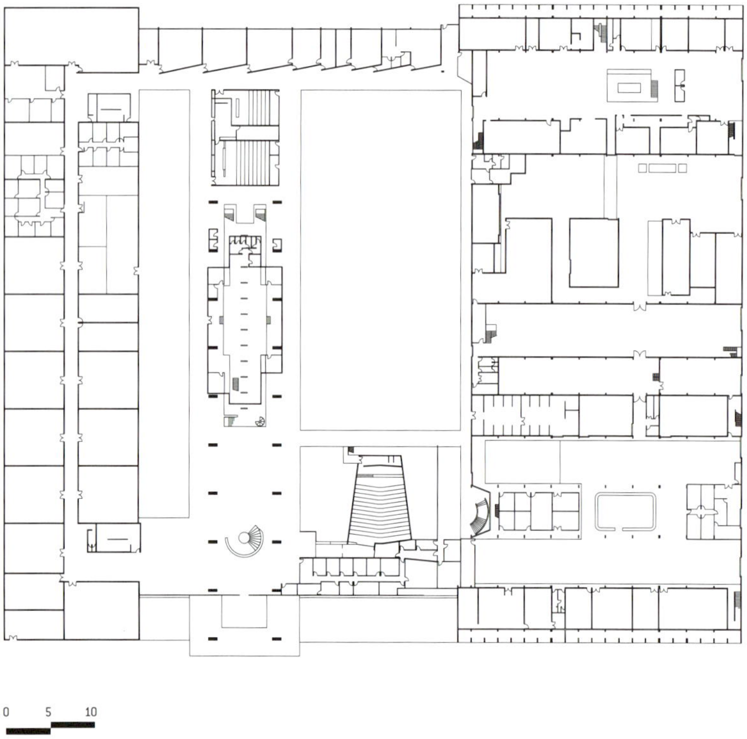

IDENTIFICAÇÃO
Departamento de Engenharia Mecânica e Naval.

ENDEREÇO
Avenida Mello Moraes, 231, Cidade Universitária, São Paulo, SP.

UNIDADE
Escola Politécnica (EP).

AUTORES DO PROJETO
Eng. Roberto C. Mange e Arq. Luiz Camargo (adaptação).

DATA
1965.

USO
Ensino, pesquisa e extensão universitária.

INFORMAÇÕES
Exemplo dos projetos modernos da década de 1960, este edifício é composto por alguns blocos que se ligam entre si, formando pátios internos e áreas de jardim, que funcionam como convivência deste conjunto. O edifício conta com salas de aula e laboratórios com pé-direito duplo. Na parte central localizam-se a biblioteca, o anfiteatro e a administração.

Departamento de História e Geografia • São Paulo

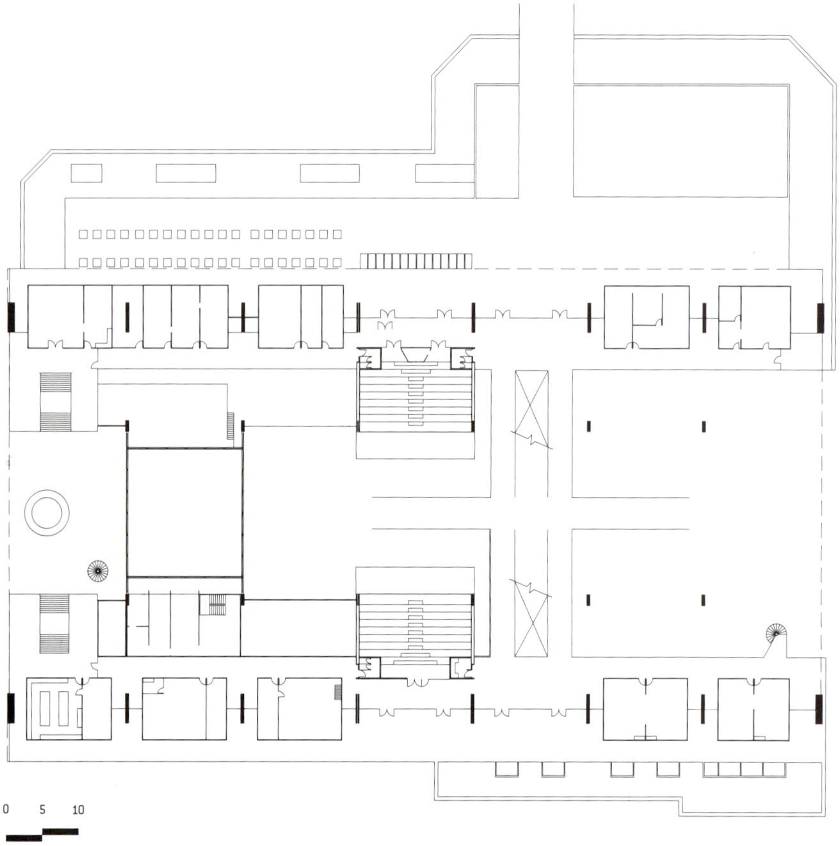

Identificação

Departamento de História e Geografia da USP.

Endereço

Avenida Prof. Lineu Prestes, 338, Cidade Universitária, São Paulo, SP.

Unidade

Faculdade de Filosofia, Letras e Ciências Humanas (FFLCH).

Autor do projeto

Arq. Eduardo Corona.

Data

1961 (projeto) / 1966 (inauguração).

Uso

Ensino, pesquisa e extensão universitária.

Informações

Este edifício localiza-se num dos extremos do "corredor das humanas". Com estrutura em concreto armado e cobertura em laje plana impermeabilizada, seu partido de projeto é semelhante ao da Faculdade de Arquitetura e Urbanismo (FAU), por ter seus espaços internos organizados em torno de um grande vão e pelo uso de iluminação zenital. Seus caixilhos, que abrem toda a extensão da fachada, e empenas cegas conferem ao edifício a forma de um único e grande bloco, cuja horizontalidade é marcada, tanto pelo tratamento de suas fachadas quanto por sua planta retangular.

Escola de Enfermagem • São Paulo

Identificação

Escola de Enfermagem.

Endereço

Av. Dr. Enéas de Carvalho Aguiar, 419, Jd. América, São Paulo, SP.

Unidade

Escola de Enfermagem (EE).

Autor do projeto

Arq. Peter Pfisterer.

Data

1947.

Uso

Ensino, pesquisa e extensão universitária.

Informações

A Escola, que faz parte do Complexo das Clínicas, foi criada em 1942, funcionando no início em uma ala do Hospital das Clínicas, em sua fase final de construção. A primeira turma formou-se em 1947, ano de inauguração do novo edifício, de características modernistas, como estrutura independente e uso de pilotis.

Instituto Oceanográfico • São Paulo

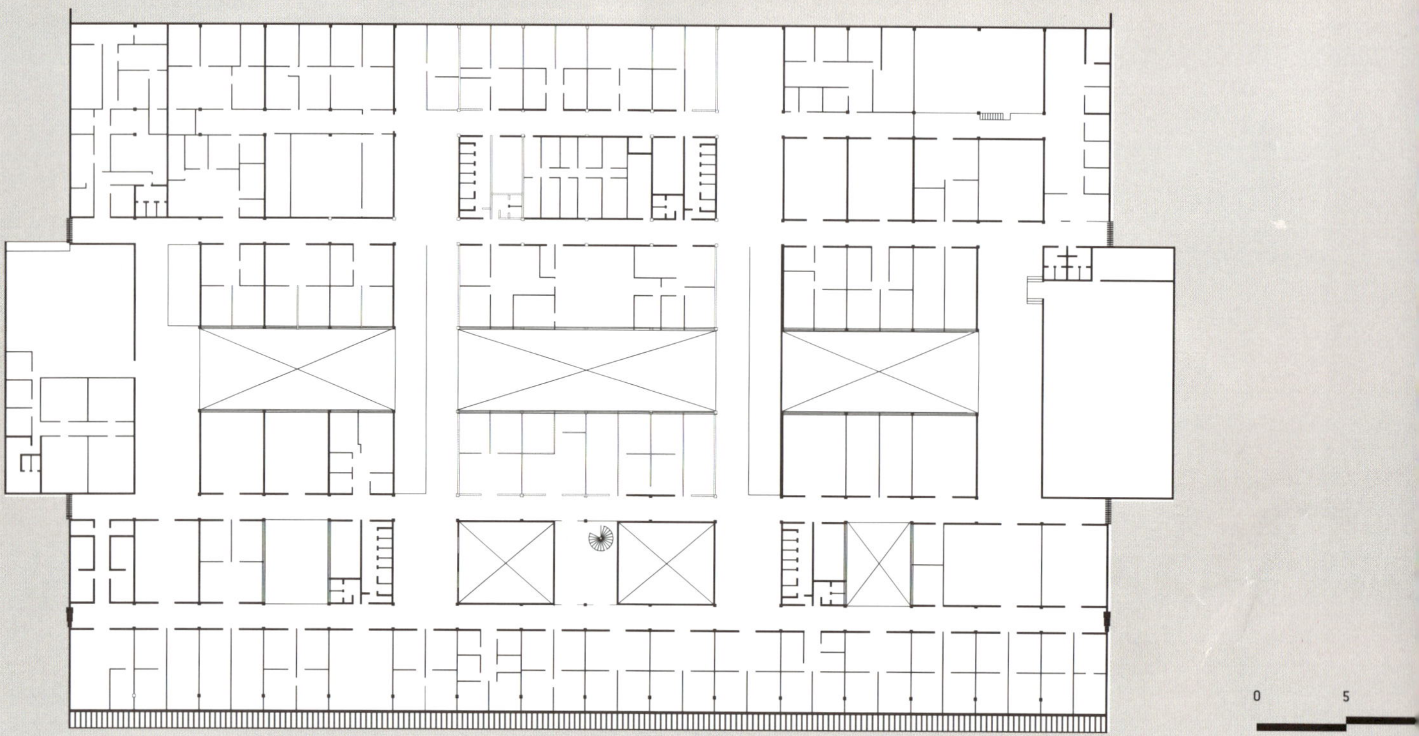

Identificação

Instituto Oceanográfico.

Endereço

Praça do Oceanográfico, 191, Cidade Universitária, São Paulo, SP.

Unidade

Instituto Oceanográfico (IO).

Autor do projeto

Arq. Dirceu Lauretti.

Data

1972.

Uso

Ensino, pesquisa e extensão universitária.

Informações

O edifício é caracterizado pela sua horizontalidade e grandes dimensões, fazendo uso de pátios internos. Sua estrutura em concreto aparente compõe empenas cegas e pórticos que possibilitam a abertura da fachada principal, composta por vidros e painéis modulares. O Museu Oceanográfico também funciona nesse prédio.

Departamento de Entomologia • Piracicaba

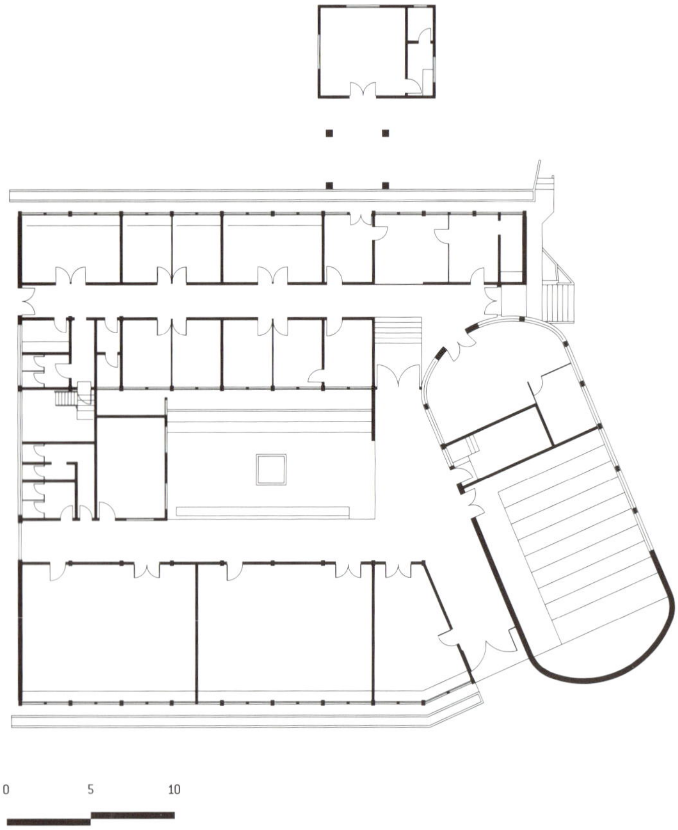

Identificação

Departamento de Entomologia (edifício principal).

Endereço

Avenida Pádua Dias, 11, Vila Independência, Piracicaba, SP.

Unidade

Escola Superior de Agricultura Luiz de Queiroz (Esalq).

Autor do projeto

Fundusp.

Data

1973.

Uso

Ensino, pesquisa e extensão universitária.

Informações

O Departamento de Entomologia tem área com cerca de 930 m², onde funcionam administração, museu, biblioteca, laboratórios, salas de aula e anfiteatro para cem pessoas. Um dos primeiros edifícios propostos pelo Fundusp no *campus*, utiliza o sistema modular de construção. É formado por um extenso pavilhão retangular e um volume arredondado que abriga o anfiteatro.

Edifício Professor Friedrich Gustav Brieger • Piracicaba

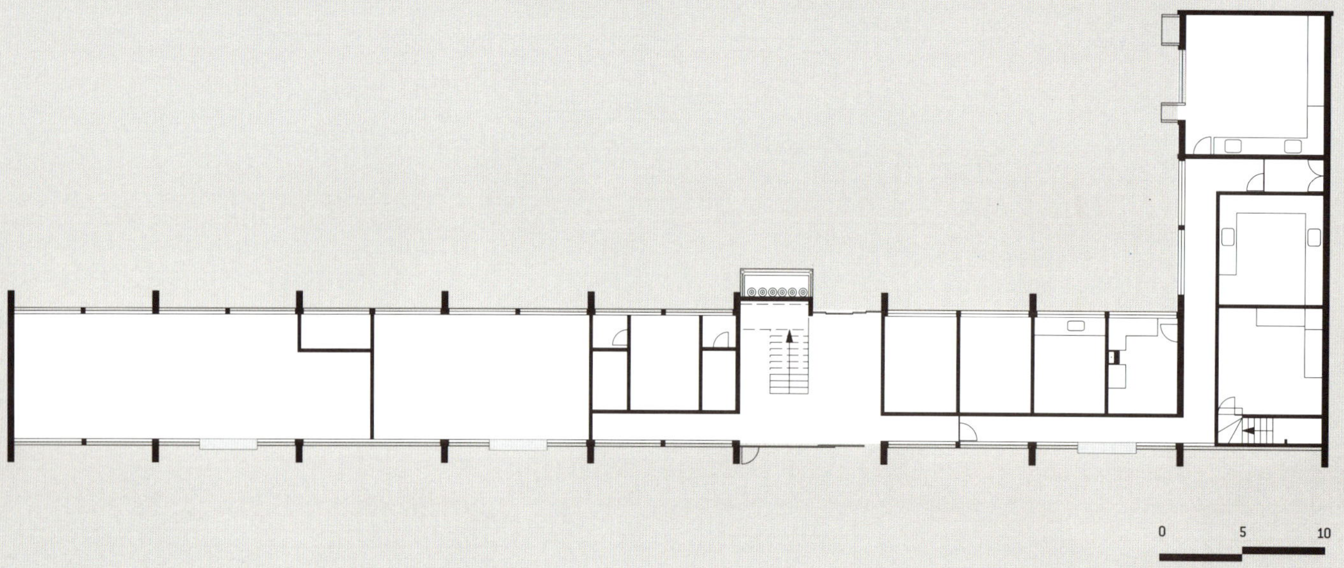

Identificação

Edifício Prof. Friedrich Gustav Brieger.

Endereço

Avenida Pádua Dias, 11, Vila Independência, Piracicaba, SP.

Unidade

Escola Superior de Agricultura Luiz de Queiroz (Esalq).

Data

1962.

Uso

Ensino, pesquisa e extensão universitária.

Informações

O Ministério da Educação e Cultura, em 1958, sugeriu à USP a instalação do Instituto de Genética, pela Comissão Supervisora dos Planos dos Institutos – Cosupi. Incorporado à USP em 1964, atualmente é denominado Departamento de Genética Prof. Friedrich Gustav Brieger. Este edifício possui estrutura em concreto armado e vedação em elemento vazado de concreto. Hoje abriga salas de aula, laboratórios de pesquisa, setor administrativo e biblioteca especializada. O Departamento de Genética também inclui estufas, áreas experimentais para estudos de plantas, galpões e incubatório para melhoramento genético de aves, unidade de beneficiamento de sementes e orquidário.

Pavilhão de Engenharia Rural • Piracicaba

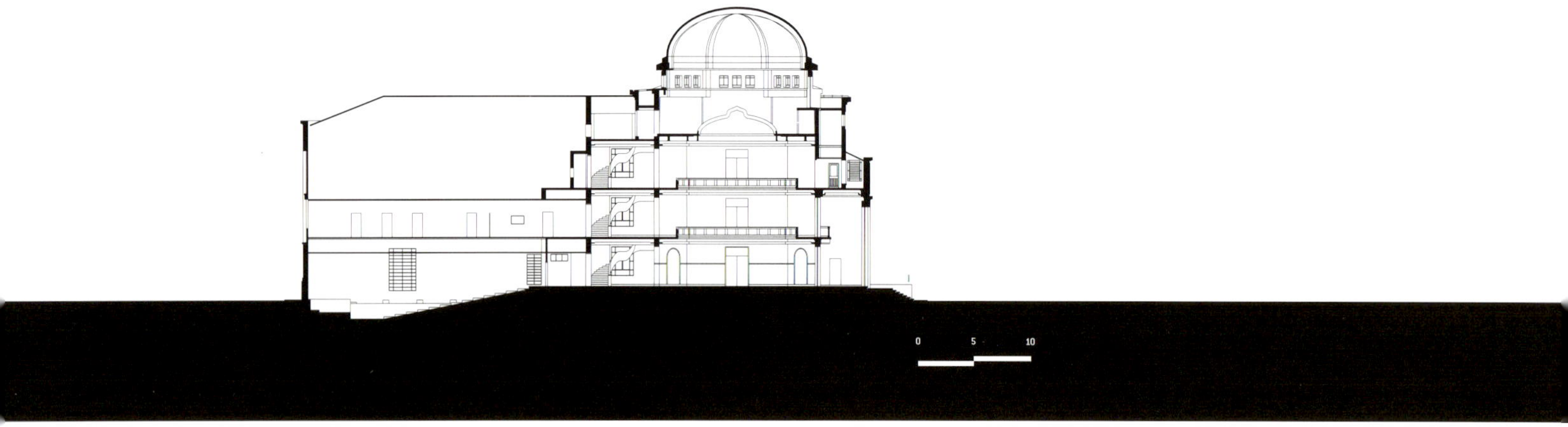

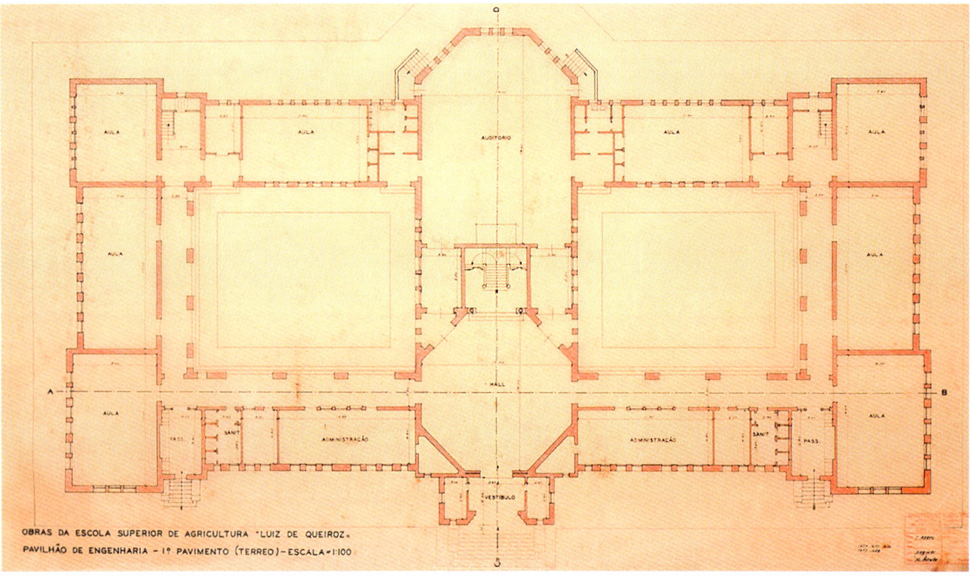

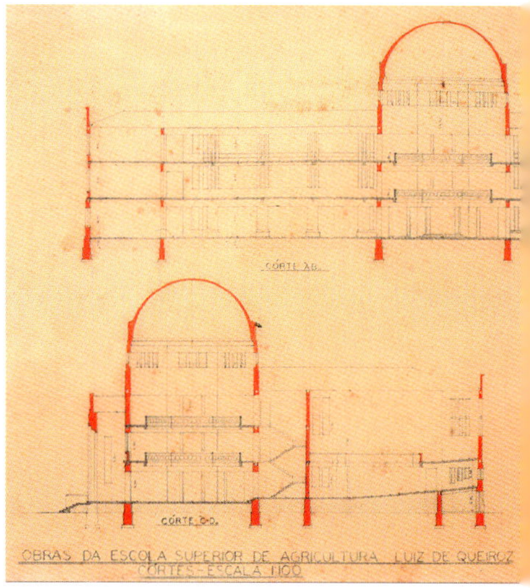

Identificação

Pavilhão de Engenharia Rural.

Endereço

Av. Pádua Dias, 11, Vila Independência, Piracicaba, SP.

Unidade

Escola Superior de Agricultura Luiz de Queiroz (Esalq).

Autor do projeto

Divisão de Engenharia Rural da Secretaria de Agricultura, Indústria e Comércio do Estado de São Paulo.

Data

1945.

Uso

Ensino, pesquisa e extensão universitária.

Informações

O Pavilhão da Engenharia é um dos edifícios monumentais na paisagem do *campus* de Piracicaba. Possui três pavimentos e sua planta desenvolve-se em torno de pátios. Assim como o Pavilhão de Horticultura, projetado na mesma época, o Pavilhão da Engenharia mantém características originais do projeto, marcando a arquitetura do *campus*. Hoje abriga vários departamentos voltados às ciências básicas, engenharia e economia.

DE ENGENHARIA

Pavilhão de Química • Piracicaba

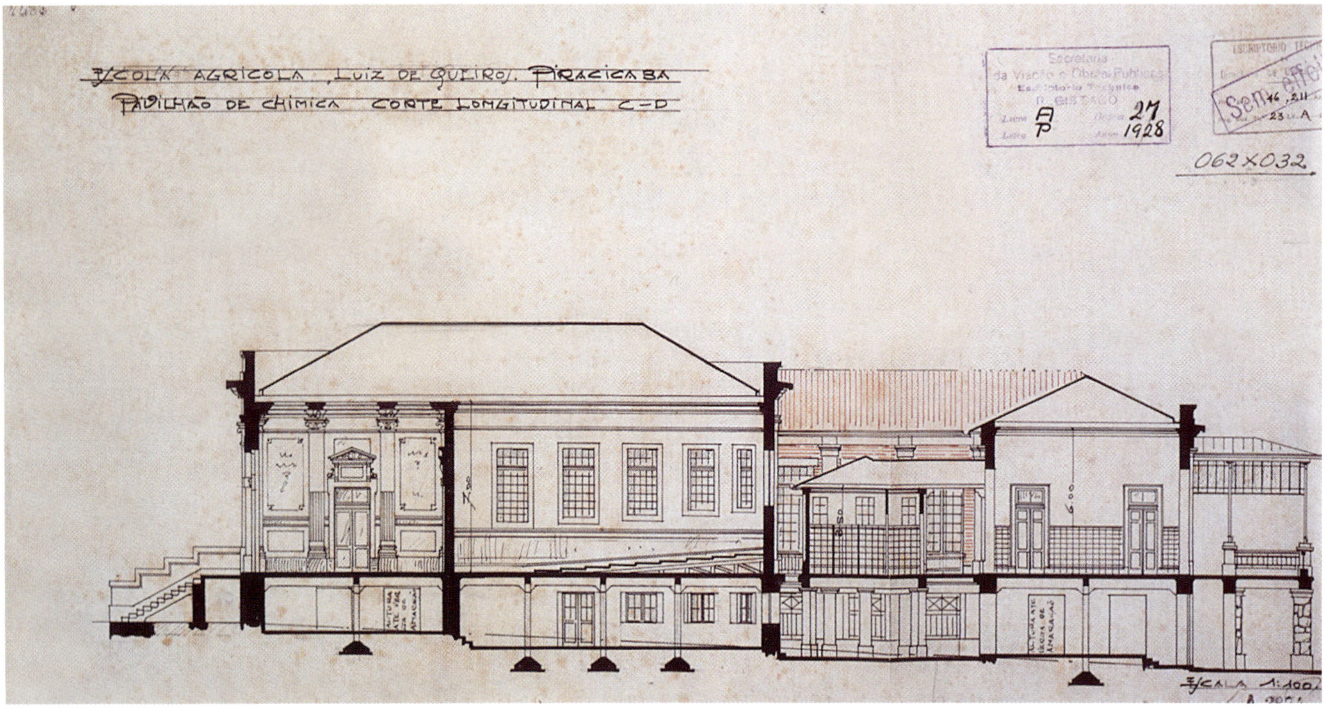

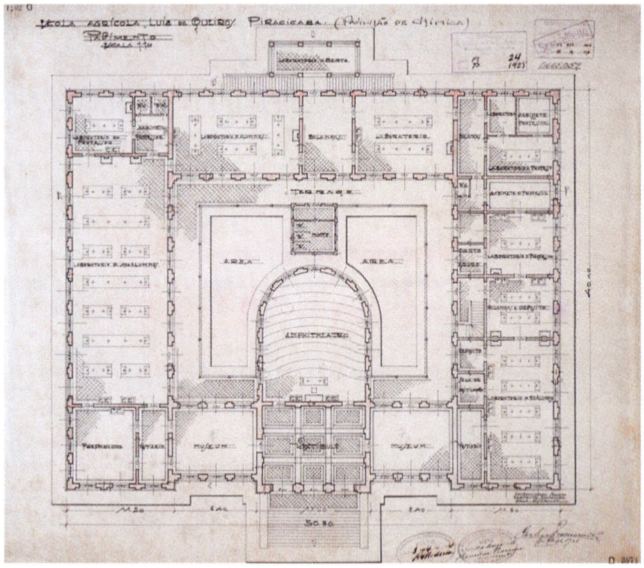

Identificação

Pavilhão de Química (Pavilhão José de Mello Morais).

Endereço

Av. Pádua Dias, 11, Vila Independência, Piracicaba, SP.

Unidade

Escola Superior de Agricultura Luiz de Queiroz (Esalq).

Autor do projeto

Secretaria de Viação e Obras Públicas.

Data

1928.

Uso

Ensino, pesquisa e extensão universitária.

Informações

Edifício térreo sobre porão habitável, o Pavilhão de Química possui características neoclássicas comuns às construções oficiais do início do século. Localizado próximo ao edifício principal, é um dos edifícios mais antigos do *campus* e destaca-se por sua riqueza de detalhes e por manter suas características originais.

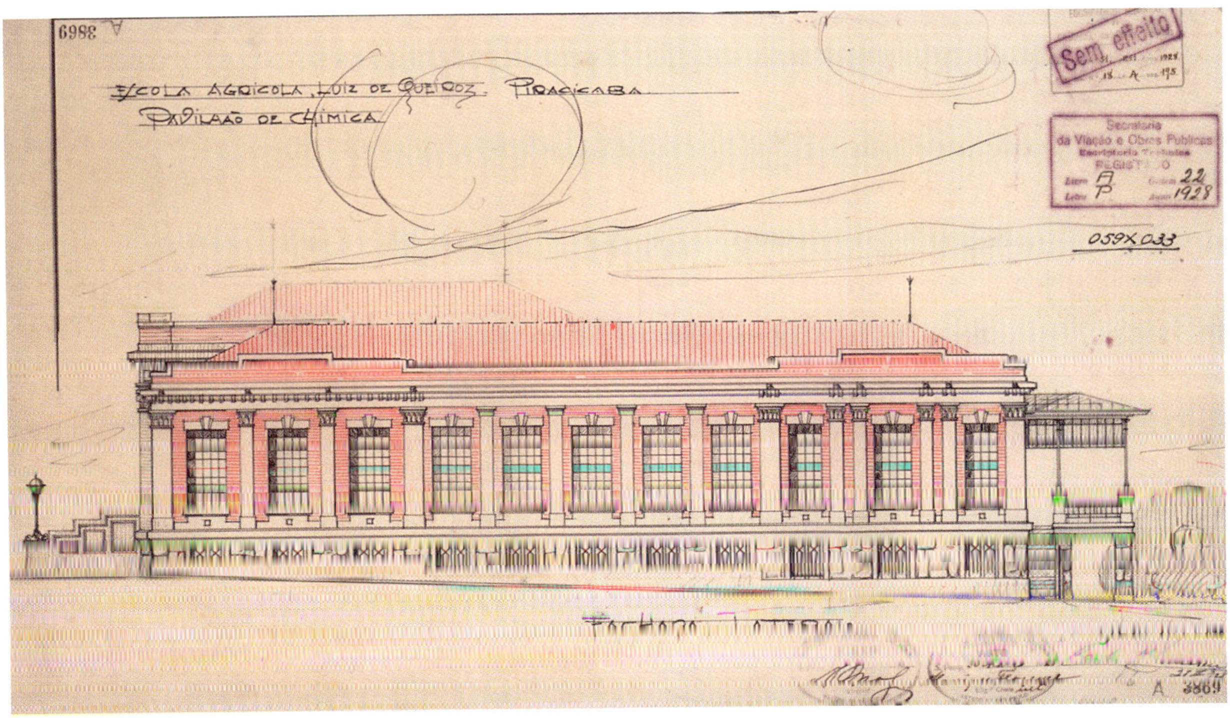
ESCOLA AGRICOLA LUIZ DE QUEIROZ. PIRACICABA
PAVILHÃO DE CHIMICA
Sem effeito
Secretaria
da Viação e Obras Publicas
REGISTADO
A
P
22
1928
059X033
A 3869

Pavilhão de Zoologia • Piracicaba

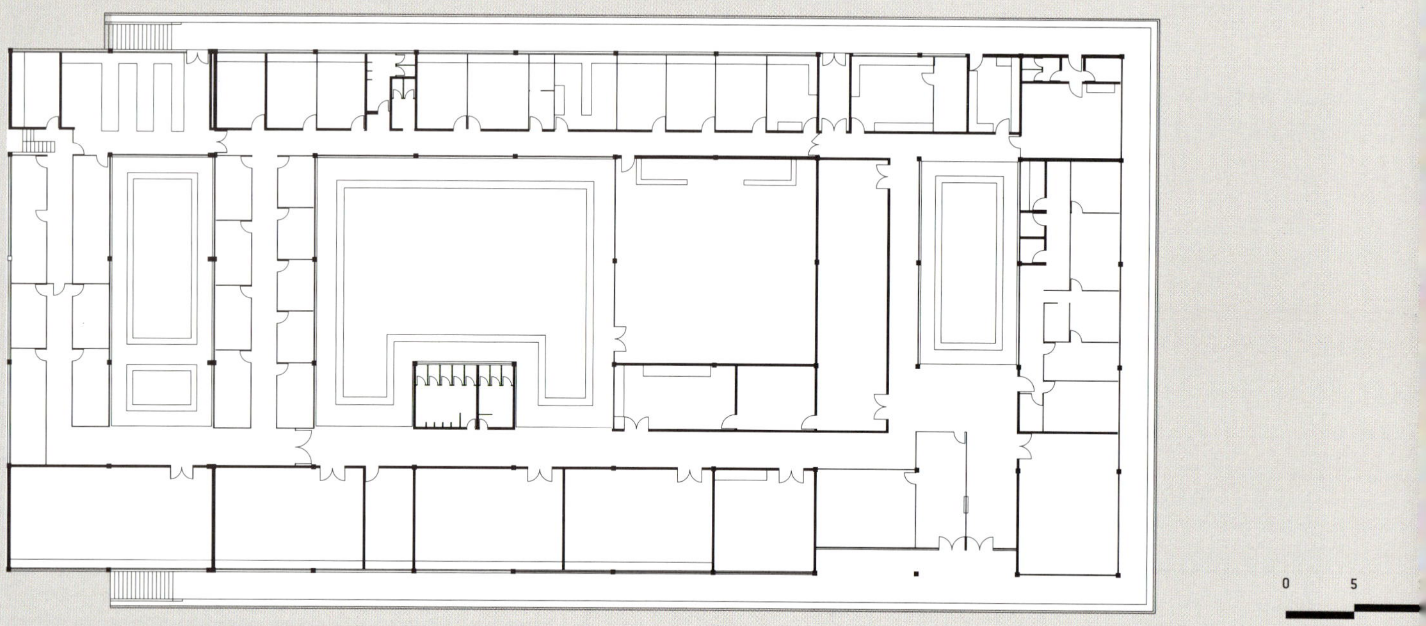

Identificação

Pavilhão de Zoologia.

Endereço

Av. Pádua Dias, 11, Vila Independência, Piracicaba, SP.

Unidade

Escola Superior de Agricultura Luiz de Queiroz (Esalq).

Data

1977.

Uso

Ensino, pesquisa e extensão universitária.

Informações

Este edifício segue o padrão do Fundusp: construções modulares, que visavam a uma maior flexibilidade, custos e tempo de execução menores. O mesmo padrão pode ser observado nos edifícios dos Departamentos de Filosofia e Ciências Sociais e Geociências, em São Paulo.

Nesta página,
Departamento de Filosofia e Ciências Sociais, São Paulo.

Na página ao lado,
Instituto de Geociências, São Paulo.

Instituto de Geociências
Museu de Geociências
CPGeo-Centro de Pesquisas Geocronologicas

Faculdade de Odontologia • Ribeirão Preto

Identificação

Faculdade de Odontologia de Ribeirão Preto (Forp).

Endereço

Avenida do Café, s/n, Monte Alegre, Ribeirão Preto, SP.

Unidade

Faculdade de Odontologia de Ribeirão Preto (Forp).

Data

1971.

Uso

Ensino, pesquisa e extensão universitária.

Informações

Construído em 1971 para abrigar o curso de Odontologia da Faculdade de Farmácia e Odontologia de Ribeirão Preto, o grande edifício de feições modernistas divide-se em alas setorizadas e conectadas entre si, dentre as quais se encontra uma grande edificação circular que em planta se assemelha a uma gigantesca engrenagem e abriga o setor de clínicas odontológicas. Seguindo os preceitos modernistas, o edifício adota tal conformação para melhor se adaptar ao programa, ou função proposta, facilitando a circulação e criando ao mesmo tempo amplas condições para a iluminação natural, por meio de uma espécie de pátio interno que se conforma. Os anfiteatros encontram-se soltos entre si e em relação ao resto do edifício, apenas ligados por uma passarela que se ilumina e permite um vislumbre da paisagem exterior através de cobogós. Livres, os anfiteatros respeitam o preceito de que a forma segue a função e adotam a conformação formal mais adequada aos seus requisitos acústicos e de visibilidade.

DE ODONTOLOGIA
DE RIBEIRAO PRETO
UNIVERSIDADE DE SAO PAULO

Bloco E1 • São Carlos

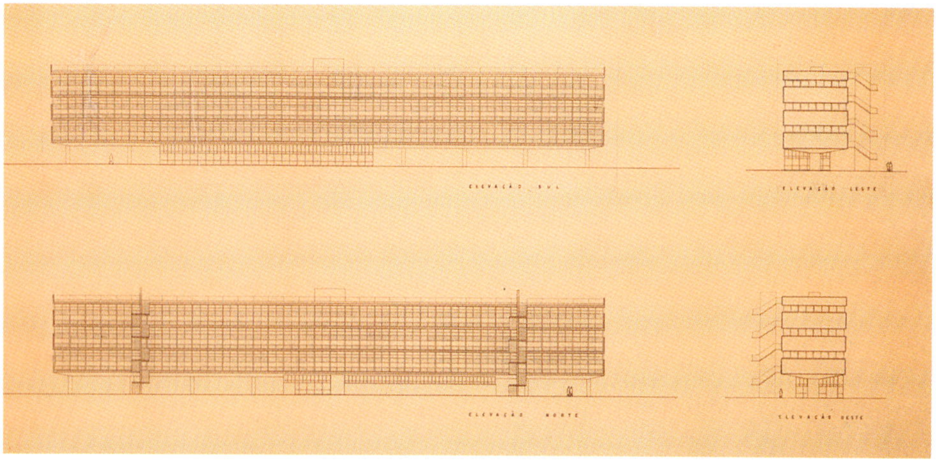

Identificação

Bloco E1.

Endereço

Avenida Trabalhador São Carlense, 400, Centro, São Carlos, SP.

Unidade

Escola de Engenharia de São Carlos (EESC).

Autores do projeto

Arq. Hélio de Queiroz Duarte e
Eng. Ernest Robert Carvalho Mange.

Data

1957.

Uso

Administrativo.

Informações

O Bloco E1, primeiro edifício a ser construído no *campus* de São Carlos pela USP, é um marco na arquitetura e engenharia da cidade e do interior paulista. Projetado pelo arquiteto Hélio Duarte e pelo engenheiro Ernest Mange, o edifício é marcado pela simetria; seus quatro pavimentos sobre pilotis liberam uma área livre de 1 870 m^2 no piso térreo, promovendo a integração dos espaços à sua volta. O uso do concreto armado, aço e vidro revelam um conjunto leve, de linhas simples, e a estrutura centralizada possibilita espaços flexíveis. Sua laje, tipo caixão perdido, serve de *shaft* horizontal para passagem de tubulação e seus caixilhos têm um desenho que permite a abertura quando chove. Faz parte do principal local de convivência do *campus* e está localizado entre a praça das décadas e a praça central.

Engenharia Ambiental • São Carlos

Identificação

Engenharia Ambiental

Endereço

USP *Campus* 2 – Av. João Dagnone, 1100, São Carlos.

Unidade

Escola de Engenharia de São Carlos (EESC).

Autor do projeto

Arq. Gelson de Almeida Pinto
(Coordenador da Equipe de Projeto Campus 2)

Data

2003.

Uso

Ensino, pesquisa e extensão universitária.

Informações

Edifício composto por 4 blocos, com 2 pavimentos cada, distribuídos ao longo de um eixo de circulação implantado paralelo à área de preservação permanente existente no *Campus* 2. O edifício é construído em bloco cerâmico estrutural aparente e o eixo de circulação envidraçado garante a relação visual do edifício com a paisagem do entorno.

Laboratórios e Salas de Professores do IQSC • São Carlos

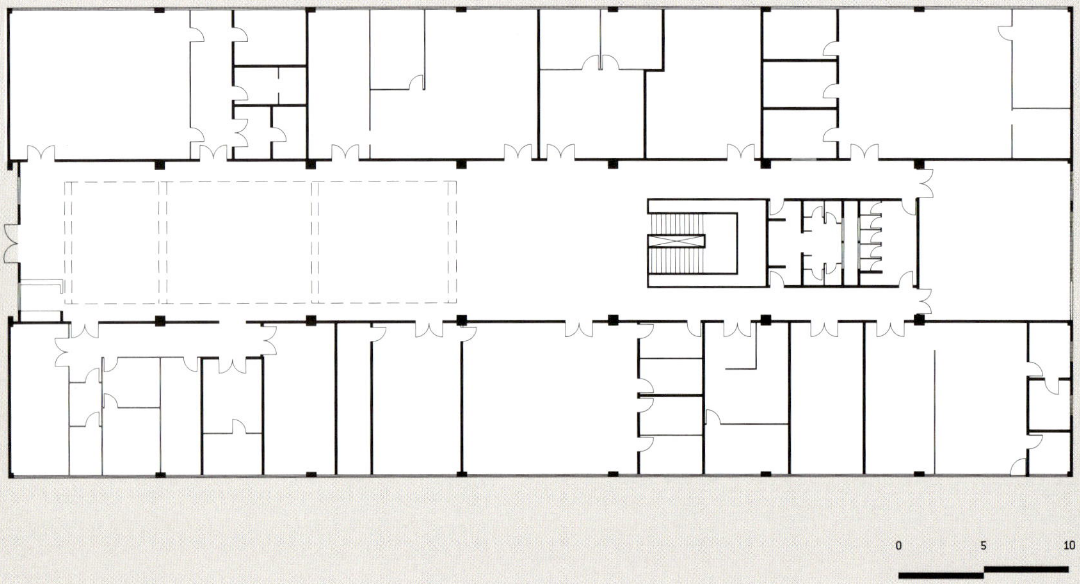

Identificação

Laboratórios e Salas de Professores do IQSC.

Endereço

Avenida Trabalhador São Carlense, 400, Centro, São Carlos, SP.

Unidade

Instituto de Química de São Carlos (IQSC).

Autor do projeto

Arq. Zelko Ungar – Fundusp.

Data

1977.

Uso

Ensino, pesquisa e extensão universitária.

Informações

O edifício do Instituto de Química, assim como o edifício do Instituto de Ciências Matemáticas e Computação, foi construído pelo Fundusp num momento em que, na Universidade, optou-se pela rapidez na construção e, para isso, utilizou-se a estrutura pré-moldada, com exceção das lajes nervuradas, moldadas *in loco*. Baseado em modulação de 0,9 m, inicialmente foram construídos apenas os dois primeiros pavimentos. A ampliação do terceiro ocorreu na década de 1980, financiada pelo plano do Banco Internacional de Desenvolvimento (BID).

Instituto de Ciências da Matemática e de Computação, edifício construído nos mesmos moldes do IQSC.

Sala de Aula ICMC • São Carlos

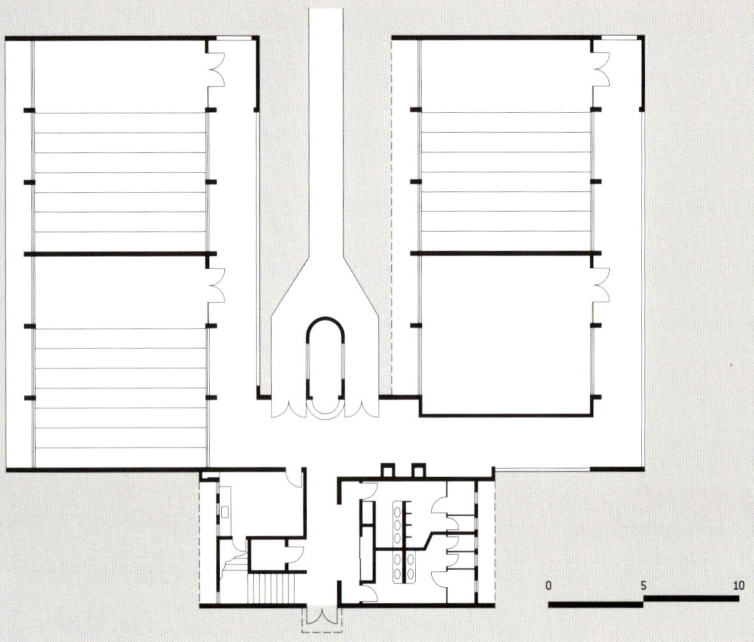

Identificação

Sala de Aula do ICMC.

Endereço

Avenida Trabalhador São Carlense, 400, Centro, São Carlos, SP.

Unidade

Instituto de Ciências Matemáticas e Computação (ICMC).

Autor do projeto

Arq. Rogério Bessa Gonçalves – Fundusp.

Data

1999.

Uso

Ensino, pesquisa e extensão universitária.

Informações

O edifício de dois pavimentos divide-se em dois blocos maiores, compostos por salas de aulas orientadas para o sul e corredores orientados para o norte, unidos por uma torre fria que abriga a circulação vertical, sanitários e copa. Nos corredores de circulação das salas de aula, foram utilizados elementos vazados de concreto, que garantem iluminação natural, ventilação cruzada e contribuem para uma acústica apropriada. Esse edifício é um exemplar do modelo padrão de construções da Coesf adaptado para salas de aula. Foram utilizados sensores fotoelétricos para economia de energia.

Acima, Bloco D de salas de aula da Escola de Engenharia de São Carlos.

Ao lado, Faculdade de Economia, Administração e Contabilidade de Ribeirão Preto.

Na página ao lado, planta e detalhes de salas de aula do Instituto de Química de São Carlos.

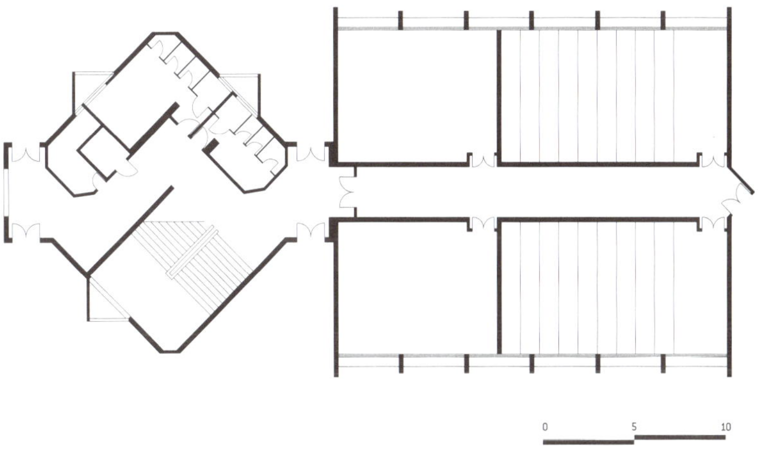
0
5
10

Administração da FOB • Bauru

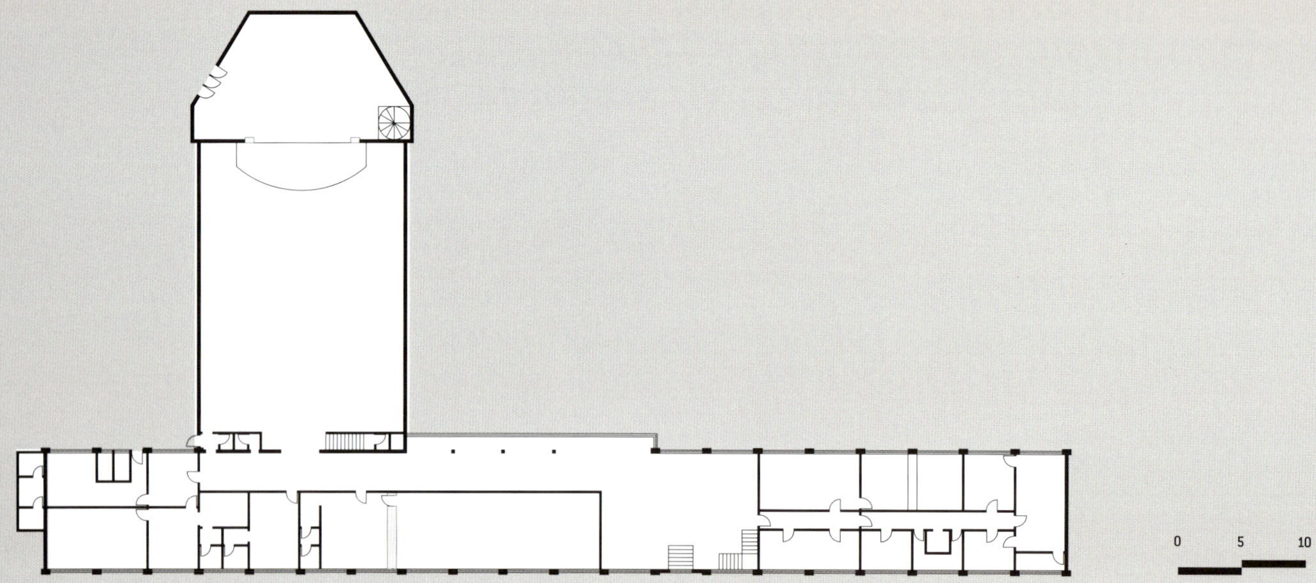

Identificação

Prédio da Administração da FOB.

Endereço

Alameda Dr. Octávio Pinheiro Brisolla, 9-75, Bauru, SP.

Unidade

Faculdade de Odontologia de Bauru (FOB).

Data

1968.

Uso

Administrativo.

Informações

Este edifício abriga, entre outros, o Salão Nobre da FOB, onde acontecem os principais eventos do *campus* de Bauru. Na sua frente localiza-se a torre do sino. Sua estrutura é em concreto armado e a vedação, em alvenaria de tijolos de barro.

Edifício Central • Pirassununga

Identificação

Edifício Central.

Endereço

Avenida Duque de Caxias Norte, 225, Pirassununga, SP.

Unidade

Prefeitura do *Campus* Administrativo de Pirassununga (PCAPS).

Autor do projeto

Divisão de Engenharia Rural da Secretaria de Agricultura, Indústria e Comércio do Estado de São Paulo.

Data

1943-1944.

Uso

Administrativo e moradia para alunos.

Informações

Construído no início da década de 1940 para abrigar a Escola Prática de Agricultura Fernando Costa, o edifício principal do *campus* de Pirassununga mantém em grande parte sua configuração original. Já em seu plano inicial estavam previstas não somente áreas administrativas e salas de aula, mas também instalações de serviços que garantiriam o funcionamento da escola e a assistência necessária aos alunos, em sua maioria internos. Exemplos disso são a cozinha – bastante moderna para a época, com grandes panelas de aquecimento a vapor – e os alojamentos para estudantes, situados no segundo piso das alas que compõem o prédio em sua parte posterior, ambos ainda utilizados até os dias atuais.

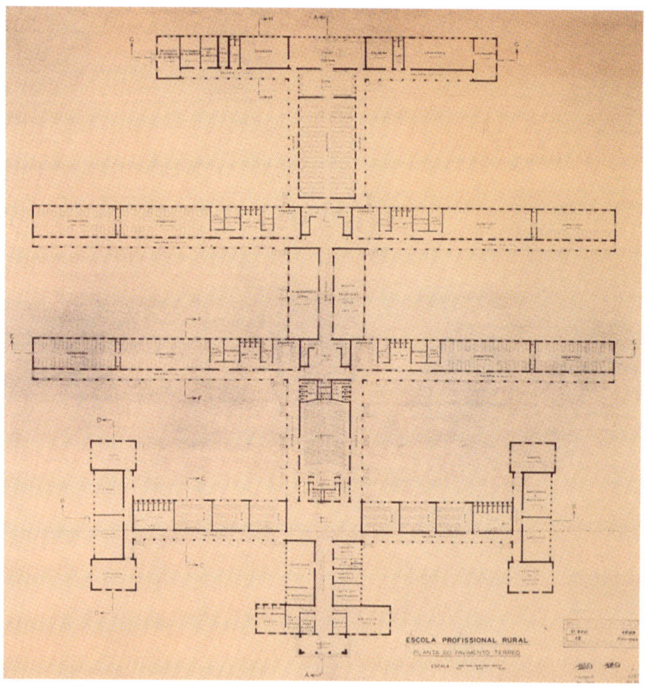

USP-FACULDADE DE ZOOTECNIA E ENG. DE ALIMENTOS

LDADE DE Z

Ginásios e estádios

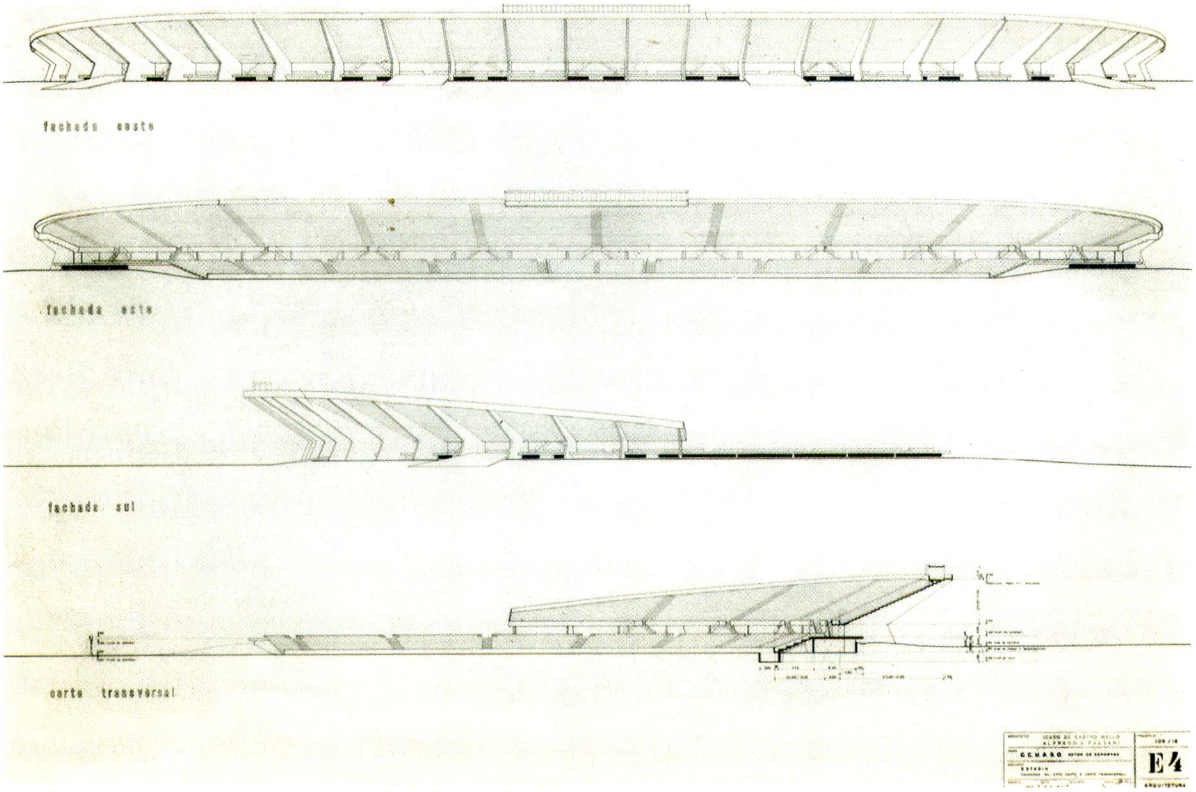

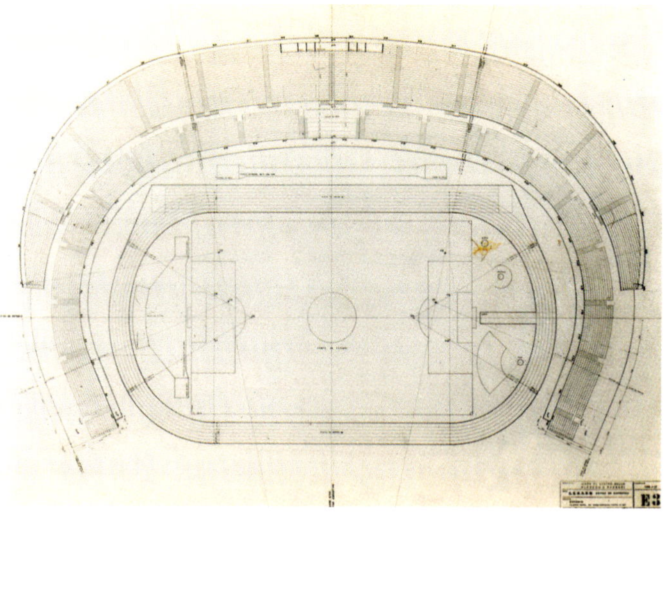

Identificação

Estádio Olímpico da USP.

Endereço

Praça 2, Prof. Rubião Meira, 61, Cidade Universitária, São Paulo, SP.

Unidade

Centro de Práticas Esportivas da Universidade de São Paulo (Cepeusp).

Autores do projeto

Arq. Ícaro de Castro Mello e Arq. Hélio Pasta.

Data

1976.

Uso

Práticas esportivas.

Informações

Esta grande estrutura em concreto marca a paisagem do Setor de Esportes e da Cidade Universitária. A implantação da arquibancada se dá em forma de meia-lua, sendo suas extremidades mais baixas e sua parte central externa mais alta. A sucessão de pilares e vigas dão ritmo à estrutura. O conjunto foi moldado *in loco* pelo acoplamento sucessivo de módulos estruturais. A arquibancada tem capacidade para cerca de 30 mil pessoas sentadas.

Ginásio de Esportes • Piracicaba

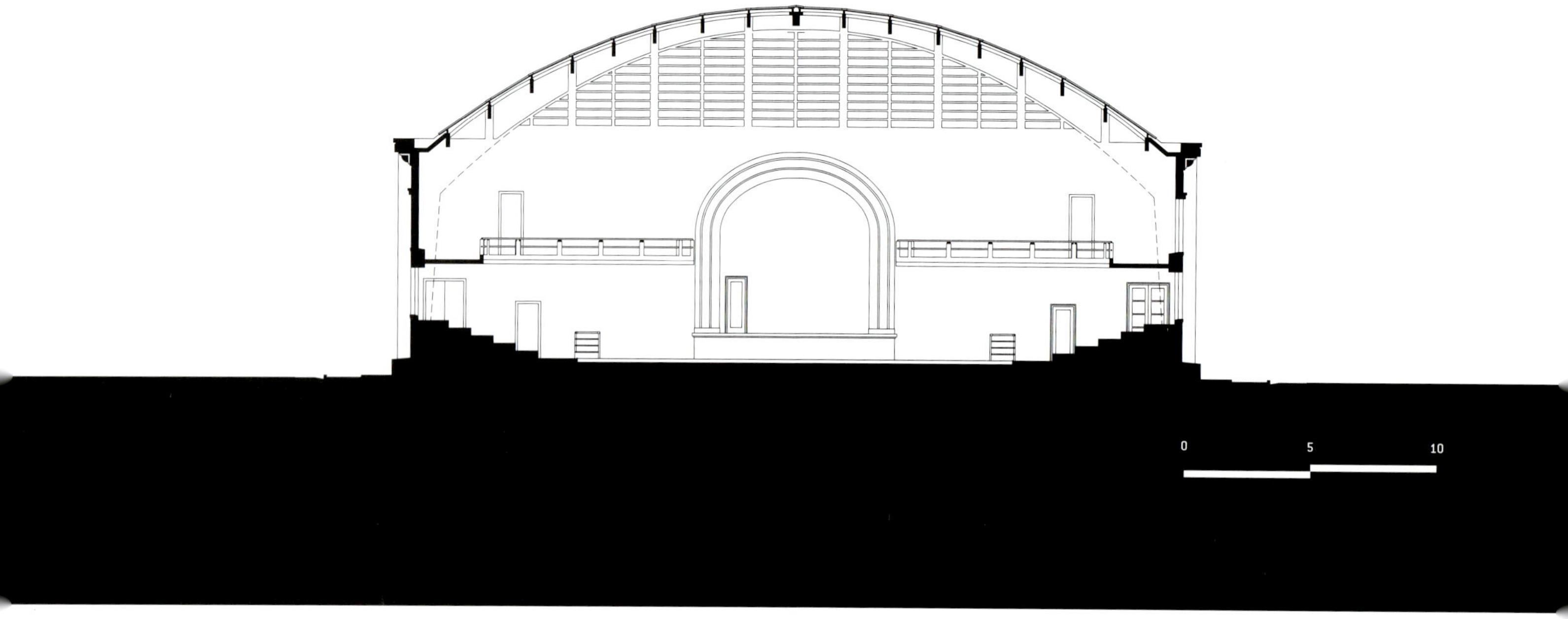

Identificação

Ginásio de Esportes.

Endereço

Avenida Pádua Dias, 11, Vila Independência, Piracicaba, SP.

Unidade

Prefeitura do *Campus* Luiz de Queiroz (PCLQ).

Data

1953.

Uso

Práticas esportivas e projetos de cultura e extensão universitária.

Informações

O Ginásio de Esportes abriga hoje, além das atividades esportivas em geral, o Projeto Pequeno Cidadão, que conta com biblioteca e sala de aula, e o Programa Universidade Aberta à Terceira Idade. Está localizado no Centro de Educação Física, Esportes e Recreação, junto a piscina, quadras externas, campos de futebol, campo de beisebol e quadra de tênis. Sua construção, com estrutura em arcos e vigas de travamento em concreto, foi iniciada durante a reforma da Esalq nos anos de 1943 a 1945, porém só terminada em 1953. Recentemente teve sua fachada reformada.

Ginásio de Esportes • Ribeirão Preto

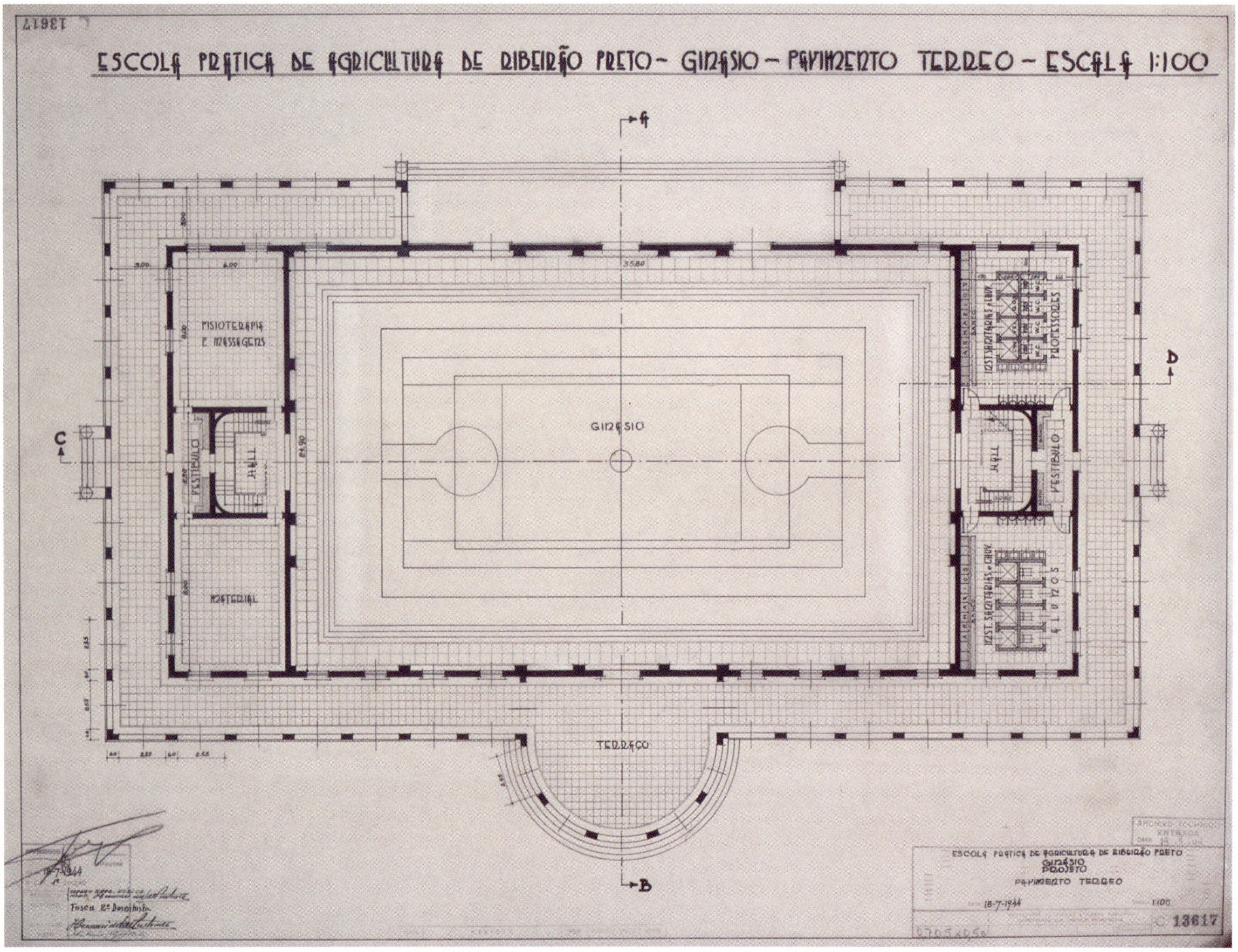

Identificação

Ginásio de Esportes.

Endereço

Avenida dos Bandeirantes, 3900, Monte Alegre, Ribeirão Preto, SP.

Unidade

Prefeitura do *Campus* Administrativo de Ribeirão Preto (PCARP).

Autor do projeto

Arq. Hernani do Val Penteado – Departamento de Obras Públicas do Estado de São Paulo (DOP).

Data

1943 -1944.

Uso

Práticas esportivas.

Informações

Construído na década de 1940, como parte do programa previsto para a escola agrícola, o Ginásio de Esportes segue o estilo neocolonial e a monumentalidade do antigo edifício principal. Tal monumentalidade, que foi reforçada por sua implantação dentro do plano paisagístico geral da escola, surpreende em vista do programa da construção, pois reflete conceitos de sua época quanto à experimentação de linguagens arquitetônicas para novos programas.

B 13631
ARCHIVO TECHNICO
ENTRADA
ESCOLA PRATICA DE AGRIC. RIB. PRETO
CENTRO DE EDUCAÇÃO FISICA
FACHADA PRINCIPAL
PROJETO
14-7-944
1:100
B 13621

Ginásio de Esportes • São Carlos

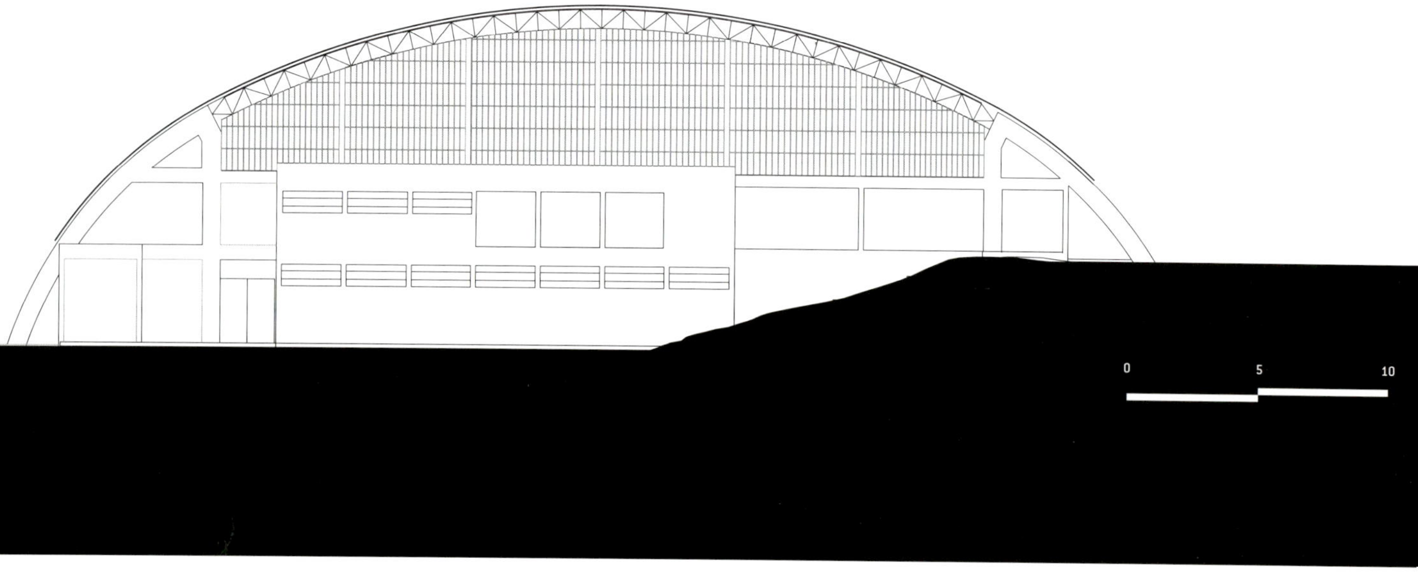

Identificação

Ginásio de Esportes.

Endereço

Avenida Trabalhador São Carlense, 400, Centro,
São Carlos, SP.

Unidade

Prefeitura do *Campus* Administrativo de São Carlos (PCASC).

Autores do projeto

Arq. Jorge Osvaldo Caron e
Arq. Sonia Lucia Medeiros da Silva Costardi.

Data

1998.

Uso

Práticas esportivas.

Informações

O Ginásio, em estrutura mista de concreto armado e treliças metálicas, resultou do reaproveitamento da estrutura de um antigo hangar abandonado no Broa, anteriormente utilizado para estudos relacionados a aeronaves. Os arcos metálicos foram transportados até São Carlos e reutilizados no *campus* para a construção do novo edifício.

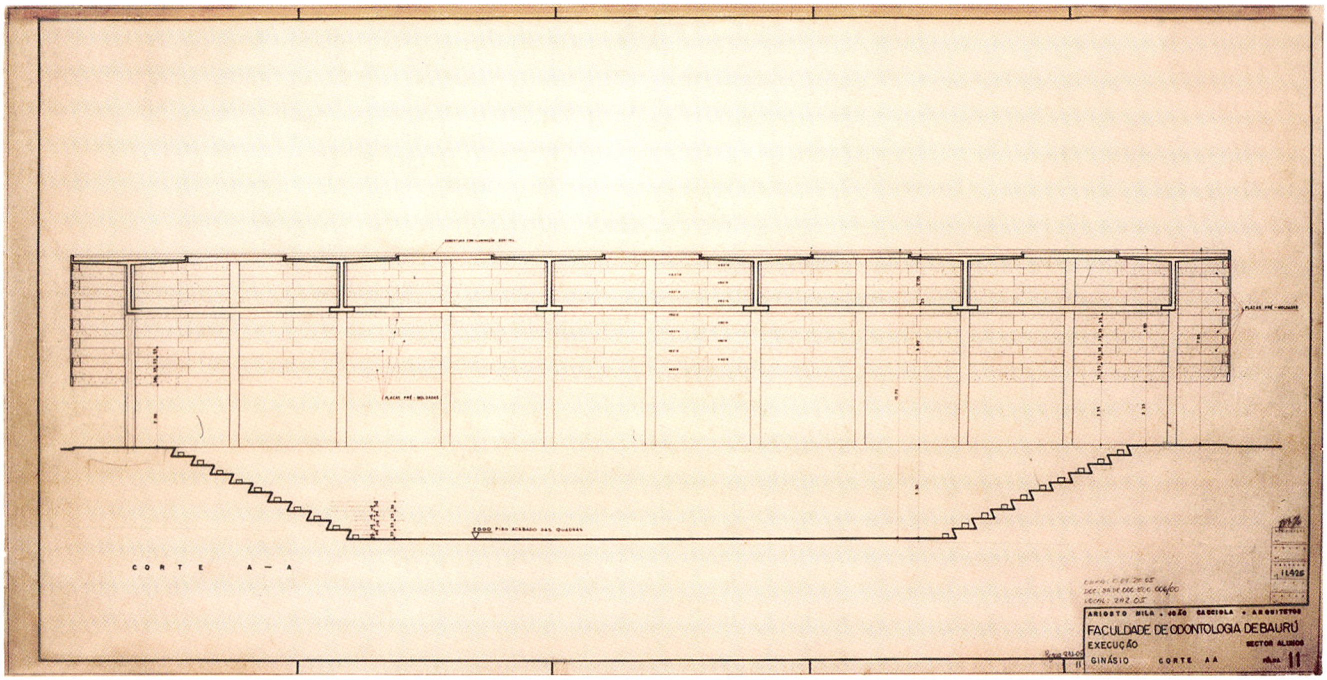

IDENTIFICAÇÃO

Ginásio de Esportes.

ENDEREÇO

Alameda Dr. Octávio Pinheiro Brisolla, 9-75, Bauru, SP.

UNIDADE

Prefeitura do *Campus* Administrativo de Bauru (PCAB).

AUTOR DO PROJETO

Arq. Ariosto Mila.

DATA

1973.

USO

Práticas esportivas.

INFORMAÇÕES

A estrutura, em concreto armado, faz parte do projeto inicial elaborado pelo arquiteto Ariosto Mila. Durante a construção deste ginásio houve contratempos, fazendo com que o edifício fosse finalizado apenas em 1984, pelos próprios funcionários da FOB. A estrutura foi aproveitada da já existente e o fechamento, em blocos de concreto, não seguiu o projeto original. Há uma placa na entrada do ginásio em agradecimento aos esforços dos funcionários na finalização da obra.

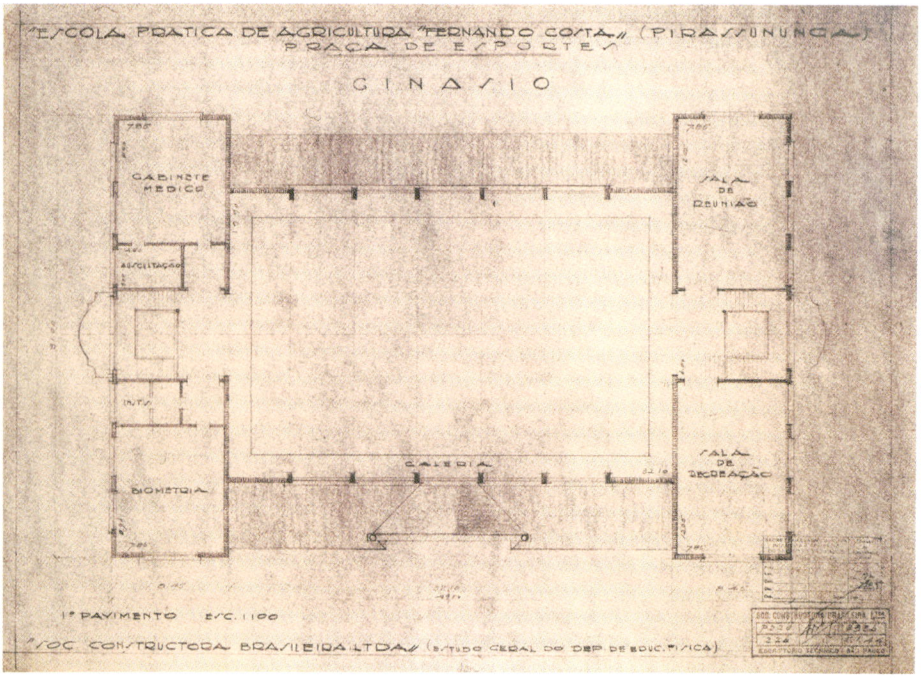

IDENTIFICAÇÃO

Ginásio de Esportes.

ENDEREÇO

Avenida Duque de Caxias, norte 225, Pirassununga, SP.

UNIDADE

Prefeitura do *Campus* Administrativo de Pirassununga (PCAPS).

AUTOR DO PROJETO

Divisão de Engenharia Rural da Secretaria de Agricultura, Indústria e Comércio do Estado de São Paulo.

DATA

1943-1944.

USO

Desativado.

INFORMAÇÕES

Como parte integrante do projeto, todas as escolas práticas de agricultura propostas por Fernando Costa deveriam ter, além dos edifícios destinados ao ensino, à produção e ao alojamento dos alunos internos, um amplo ginásio esportivo. Assim, em Pirassununga foi construído esse ginásio, atualmente desativado. Mesmo estando hoje localizado muito próximo à Via Anhangüera, nota-se ainda sua monumentalidade, sugerida por suas dimensões, sua composição simétrica e sua implantação.

Praça de Esportes • Pirassununga

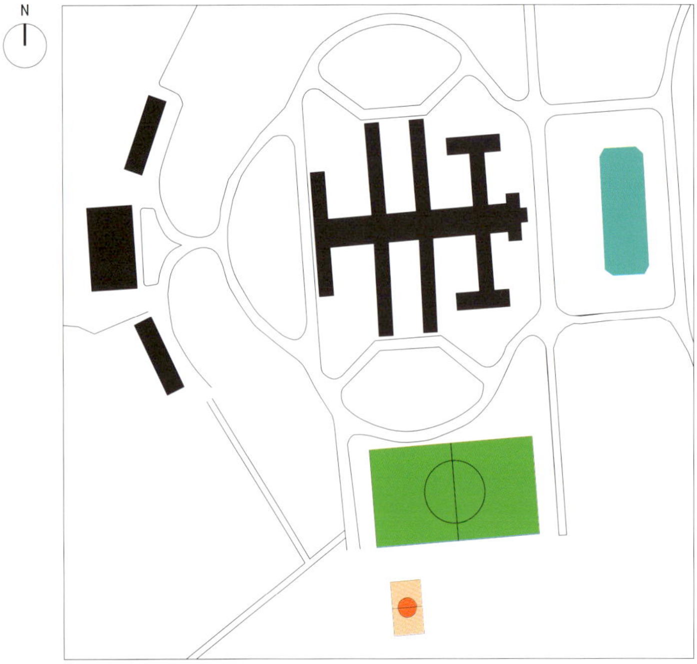

Identificação

Praça de Esportes.

Endereço

Avenida Duque de Caxias, norte 225, Pirassununga, SP.

Unidade

Prefeitura do *Campus* Administrativo de Pirassununga (PCAPS).

Uso

Práticas esportivas.

Informações

Essa praça de esportes, que hoje desempenha as funções antes exercidas pelo ginásio, localiza-se ao lado do edifício principal do *campus*. É formada por um campo de futebol e uma quadra coberta. Trata-se não apenas do local onde alunos, professores e funcionários praticam esportes, mas também de um local de sociabilidade do *campus*.

HOSPITAL UNIVERSITÁRIO

Hospitais e clínicas

Hospital Universitário • São Paulo

Identificação
Hospital Universitário.

Endereço
Avenida Prof. Lineu Prestes, 2565, Cidade Universitária, São Paulo, SP.

Unidade
Hospital Universitário (HU).

Autor do projeto
Arq. Osmar A. Manmini e Fundusp.

Uso
Hospital.

Informações
A construção do edifício, em concreto armado, com vedação em painéis leves, foi iniciada em 1969. As atividades do Hospital Universitário foram iniciadas em 6.8.1981, com apenas 26 leitos ativados, atendendo apenas pacientes pediátricos. As demais clínicas e os leitos foram sendo paulatinamente ativados ao longo dos últimos anos. Atualmente o HU dá assistência médica nas áreas de Clínica Médica e Cirúrgica, Pediatria e Obstetrícia à comunidade universitária da USP e aos moradores do Butantã, servindo de apoio a dezoito Unidades Básicas de Saúde da região. Abriga a parte prático-assistencial das Faculdades de Medicina, Saúde Pública, Enfermagem, Farmácia e Odontologia. Ocupa uma área de 36 mil m^2 e conta com 308 leitos.

Hospital Veterinário • São Paulo

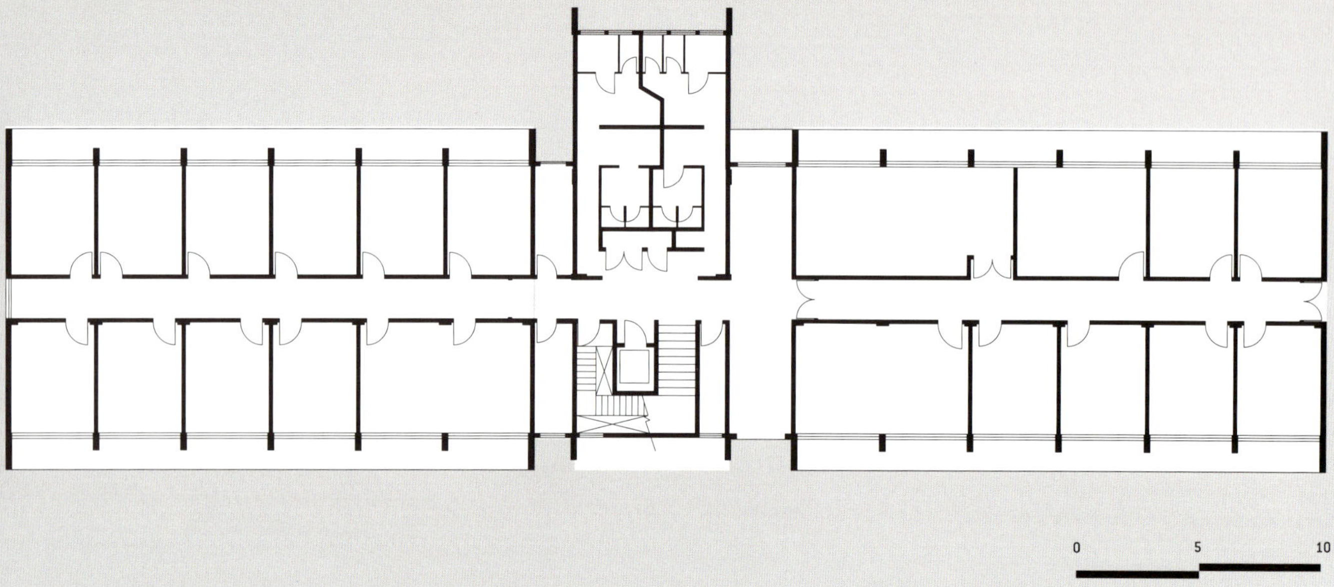

Identificação

Hospital Veterinário (Hovet).

Endereço

Avenida Prof. Dr. Orlando Marques de Paiva, 87,
Cidade Universitária, São Paulo, SP.

Unidade

Faculdade de Medicina Veterinária e Zootecnia (FMVZ).

Autor do projeto

Fundusp

Data

1998.

Uso

Hospital veterinário.

Informações

O Hovet é um órgão anexo da FMVZ. São realizados serviços de extensão prestados à comunidade pelos departamentos da FMVZ, como atendimento a aves, pequenos e grandes animais. O quadro do HOVET compõe-se de médicos veterinários contratados e residentes. O edifício do hospital, com estrutura em concreto armado e vedação em blocos de concreto, caracteriza-se pela construção em módulos, divido em dois blocos ligados por uma torre fria de circulação e áreas molhadas. Sua composição é fruto dos padrões construtivos adotados pela Coesf.

RODIZIO

Clínica Odontológica para Pacientes Especiais • Ribeirão Preto

Identificação

Clínica Odontológica para Pacientes Especiais.

Endereço

Avenida do Café, s/n, Monte Alegre, Ribeirão Preto, SP.

Unidade

Faculdade de Odontologia de Ribeirão Preto (FORP).

Autor do projeto

Fundusp.

Data

1998.

Uso

Clínica Odontológica.

Informações

O edifício, projetado pelo Fundusp para abrigar uma nova clínica odontológica, veio não só oferecer a possibilidade de atender um número maior de pacientes, mas também o atendimento daqueles com necessidades especiais. Nota-se ainda que o edifício, construído em anos recentes, figura como parte de experiências de modulação realizadas pelo Fundusp, que se encontram presentes no *campus* de Ribeirão Preto em outros edifícios – a exemplo do novo prédio da Faculdade de Economia, Administração e Contabilidade de Ribeirão Preto (FEARP) – e também em outros *campi* da USP.

FACULDADE DE ODONTOLOGIA DE RIB
Clínica de Pacientes Espec

Hospital das Clínicas • Ribeirão Preto

Identificação

Hospital das Clínicas da Faculdade de Medicina de Ribeirão Preto (HCFMRP).

Endereço

Avenida dos Bandeirantes, 3900, Monte Alegre,
Ribeirão Preto, SP.

Unidade

Faculdade de Medicina de Ribeirão Preto (FMRP).

Uso

Hospital.

Informações

O edifício de doze pavimentos, que hoje abriga a sede do Hospital das Clínicas da Faculdade de Medicina de Ribeirão Preto, passou longos anos em construção, tendo sido inaugurado apenas em 1979, deixando para trás a antiga sede que hoje ainda funciona como Unidade de Emergência localizada em área central da cidade. Integrado ao Sistema Único de Saúde, o hospital vincula-se ao ensino e pesquisa desenvolvidos na Faculdade, oferecendo à população serviços com tecnologia de ponta, como fertilizações assistidas ou cirurgias de epilepsia.

HOSPITAL DAS CLÍNICAS - F. M. R. P. - USP
GREVE

HOSPITAL DAS CLÍNICAS - F. M. R. P. - USP

IDENTIFICAÇÃO
Hospital de Reabilitação de Anomalias Craniofaciais (HRAC) – Centrinho.

ENDEREÇO
Rua Silvio Marchione, 3-20, Bauru, SP.

UNIDADE
Hospital de Reabilitação de Anomalias Craniofaciais (HRAC).

USO
Hospital.

INFORMAÇÕES
O Centro de Pesquisa e Reabilitação de Lesões Lábio-Palatais começou a funcionar em 1967, nas dependências da FOB. Após ser transformado em unidade hospitalar autônoma, na década de 1970, firmou convênio com o Inamps e com a Funcraf. Em 1998, devido à ampliação do seu campo de atividade, o "Centrinho" passou a chamar-se Hospital de Reabilitação de Anomalias Craniofaciais – HRAC. Hoje, o Hospital tem mais de 56 mil pacientes matriculados e presta atendimento a pessoas de vários lugares do Brasil e do Exterior. Dividido em diversos setores interdisciplinares e unidades de serviço, ocupa, ao todo, cerca de 20 mil m² de área construída.

Serviço de Urgêncica Odontológica • Bauru

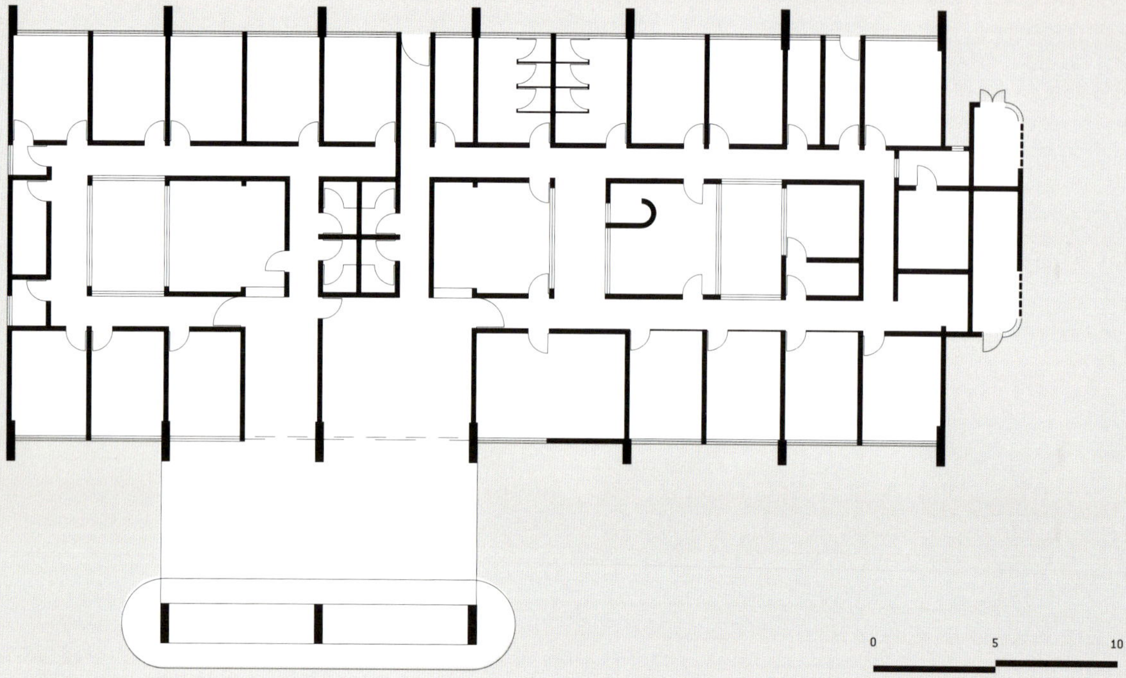

Identificação

Serviço de Urgência Odontológica (SUO) e Unidade Básica de Atendimento à Saúde (Ubas).

Endereço

Alameda Dr. Octávio Pinheiro Brisolla, 9-75, Bauru, SP.

Unidade

Faculdade de Odontologia de Bauru (FOB).

Autor do projeto

Arq. Jurandyr Bueno Filho.

Data

1990.

Uso

Atendimento à comunidade.

Informações

Em estrutura de concreto armado e vedação em alvenaria de tijolos de barro o SUO conta com uma estrutura de sete consultórios odontológicos e realiza cerca de 4500 atendimentos por ano. Presta serviços de urgência odontológica à comunidade em plantões dados por alunos da FOB.

Hospital Veterinário • Pirassununga

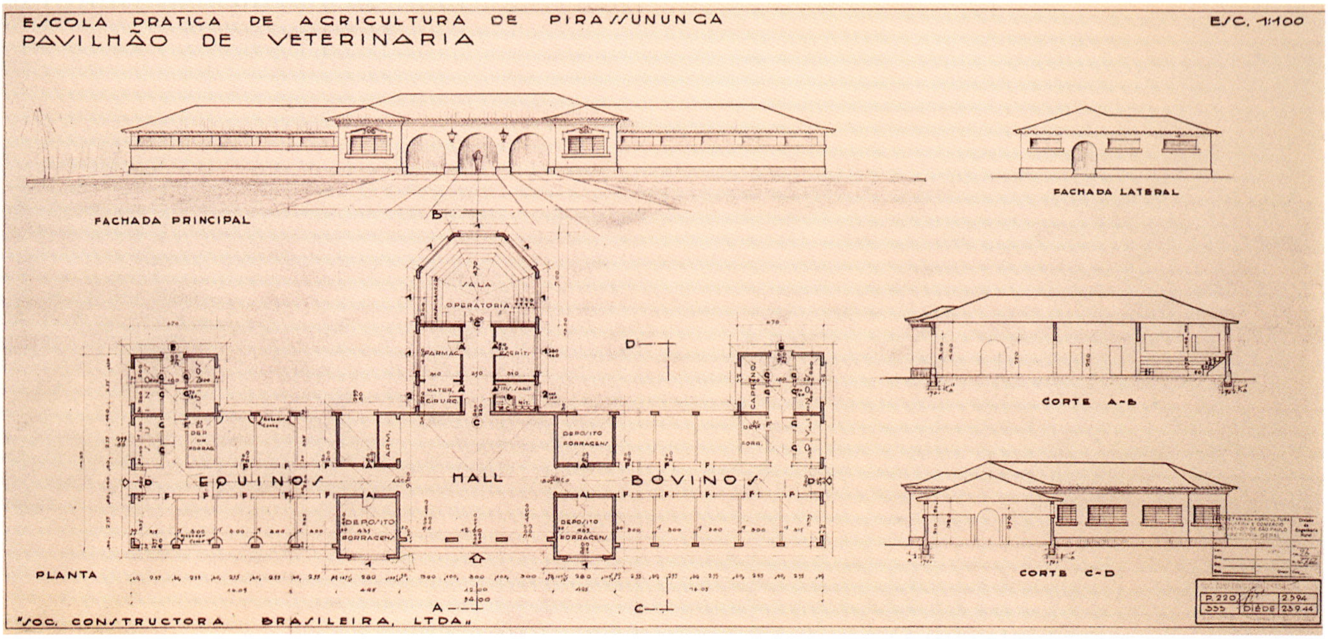

Identificação

Hospital Veterinário.

Endereço

Avenida Duque de Caxias Norte, 225, Pirassununga, SP.

Unidade

Faculdade de Medicina Veterinária e Zootecnia (FMVZ).

Autor do projeto

Divisão de Engenharia Rural da Secretaria de Agricultura, Indústria e Comércio do Estado de São Paulo (projeto original) e Fundusp (modificações posteriores).

Data

1943 -1944.

Uso

Hospital veterinário.

Informações

O edifício, que já abrigou um grupo escolar e o antigo Pavilhão de Veterinária da Escola Prática de Agricultura, hoje faz parte das instalações da Faculdade de Medicina Veterinária e Zootecnia em Pirassununga, como Unidade de Atendimento do Hospital Veterinário. Com sede em São Paulo, o Hospital Veterinário da FMVZ é o maior do gênero na América Latina. A Unidade de Atendimento de Pirassununga exerce funções bastante similares às do Hospital Veterinário da Capital, prestando atendimento ambulatorial, clínico-cirúrgico e hospitalar a animais de pequeno e grande porte, e dando suporte às atividades de ensino e pesquisa.

Moradias

Conjunto Residencial da USP • São Paulo

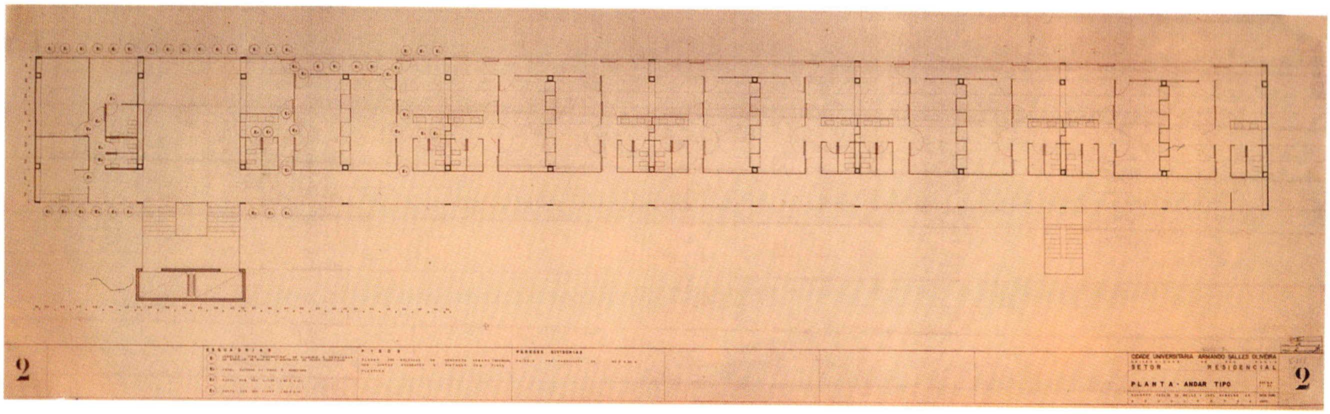

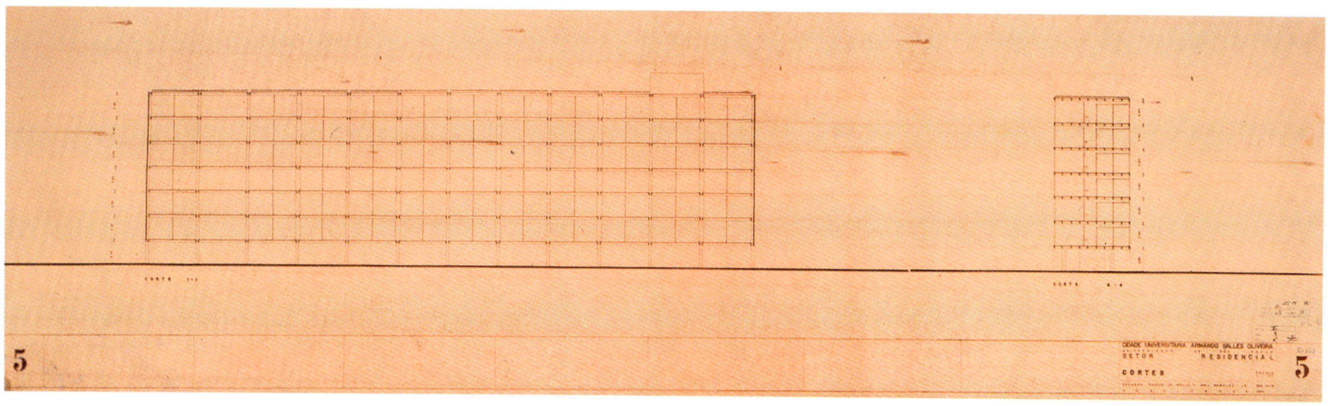

Identificação

Conjunto Residencial da USP (Crusp).

Endereço

Rua do Anfiteatro, blocos A, B, C, D, E, F e G, Cidade Universitária, São Paulo, SP.

Unidade

Coordenadoria de Assistência Social (Coseas).

Autores do projeto

Arq. Eduardo Kneese de Mello, Arq. Joel Ramalho Jr. e Arq. Sidney de Oliveira.

Data

1963.

Uso

Moradia para alunos.

Informações

O projeto original, de 1961, previa a construção de doze blocos destinados a moradias estudantis. Com estrutura em concreto armado moldada *in loco* e pré-fabricada, vedação em painéis pré-fabricados e cobertura em laje plana impermeabilizada, os seis primeiros blocos foram inaugurados em 1963 e abrigaram os atletas dos IV Jogos Panamericanos em São Paulo. Os edifícios são estruturados em lâminas com circulação vertical destacada do volume principal. As fachadas são simétricas e ritmadas, marcadas pela estrutura aparente. A implantação dos edifícios em paralelo, dispostos em duas colunas, permite no térreo uma circulaçao central ligando todos os blocos. O conjunto foi reformado nos anos de 1990, substituindo-se os painéis de vedação por alvenaria e caixilharia convencionais.

CRUSP

Casa do estudante universitário • Piracicaba

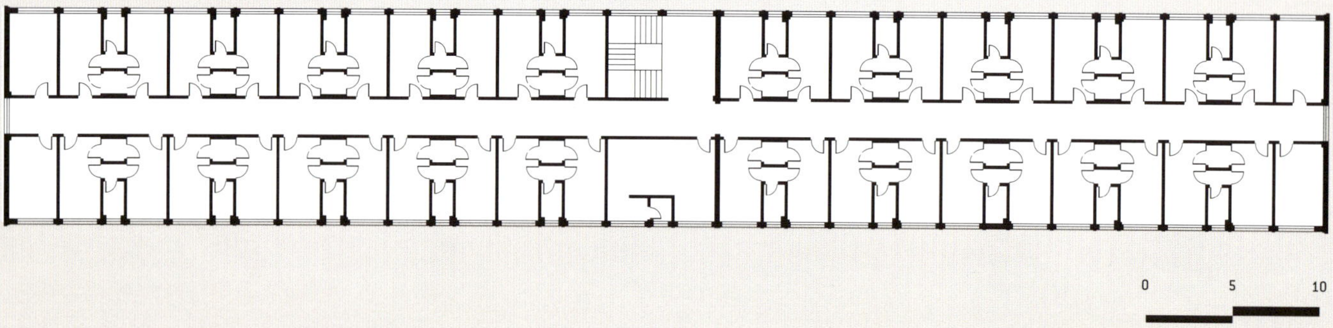

Identificação

Casa do Estudante Universitário Professor José Benedito de Camargo (CEU).

Endereço

Avenida Pádua Dias, s/n, Vila Independência, Piracicaba, SP.

Unidade

Prefeitura do *Campus* Luiz de Queiroz (PCLQ).

Autor do projeto

Flávio Pecorari.

Data

1960.

Uso

Moradia para alunos.

Informações

A Casa do Estudante Universitário, antiga Casa do Estudante de Agronomia, completou quarenta anos de existência em 2002. Possui algumas vagas para hóspedes e 124 quartos tipo apartamento (com um banheiro para cada dois quartos). Além disso, o CEU possui lavanderia, cozinha comunitária, salão de jogos, sala de reunião, sala de televisão, almoxarifado, secretaria e dois banheiros de uso comum no térreo.

PORTAL
ENTULHO
3426.0808

Conjunto residencial dos estudantes da USP • Ribeirão Preto

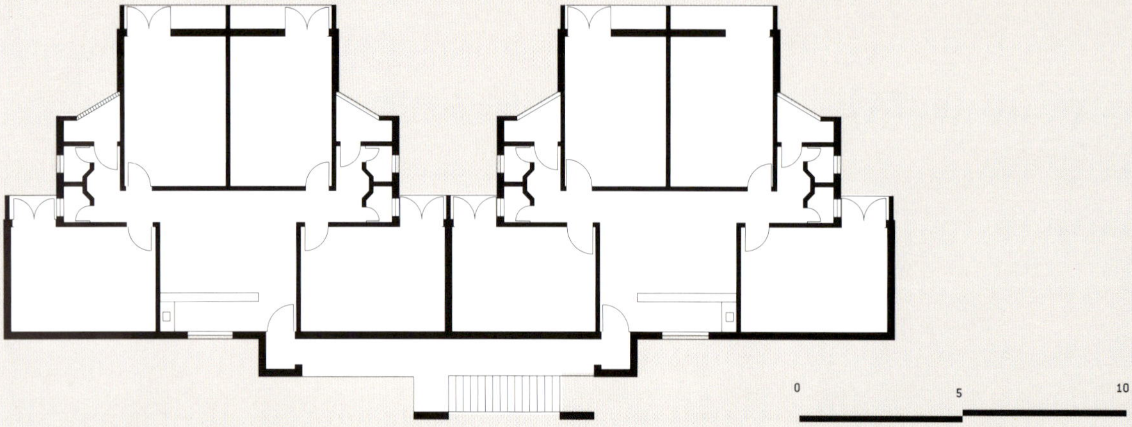

Identificação

Conjunto Residencial dos Estudantes da USP (CREU).

Endereço

Avenida dos Bandeirantes, 3900, Monte Alegre, Ribeirão Preto, SP.

Unidade

Prefeitura do *Campus* Administrativo de Ribeirão Preto (PCARP).

Autor do projeto

Arq. Gelson de Almeida Pinto e Arq. Renato Anelli.

Data

1987 (Blocos A, B e C) / 1991 (Bloco D) / 2000-2001 (Bloco E).

Uso

Moradia para alunos.

Informações

O Conjunto Residencial dos Estudantes da USP (CREU) em Ribeirão Preto é formado por 5 blocos, em tijolo de barro aparente. Cada bloco possui 2 pavimentos e 16 quartos, totalizando cerca de 585 m^2 de área útil. Internamente funcionam como apartamentos: divididos em alas, cada uma possui dois banheiros com lavanderias, uma cozinha e quatro quartos. O quinto bloco tem a peculiaridade de ter sido adaptado para receber moradores portadores de deficiência física (com rampa, adaptação de sanitário e mobiliário confeccionado pela marcenaria da prefeitura do *campus*), como resultado de uma reivindicação feita pela Comissão de Moradia. O novo bloco somou 32 novas vagas às 220 já existentes no conjunto, que segue o mesmo modelo de projeto que foi utilizado originalmente no Conjunto Residencial dos Estudantes do *campus* de São Carlos (blocos B e C).

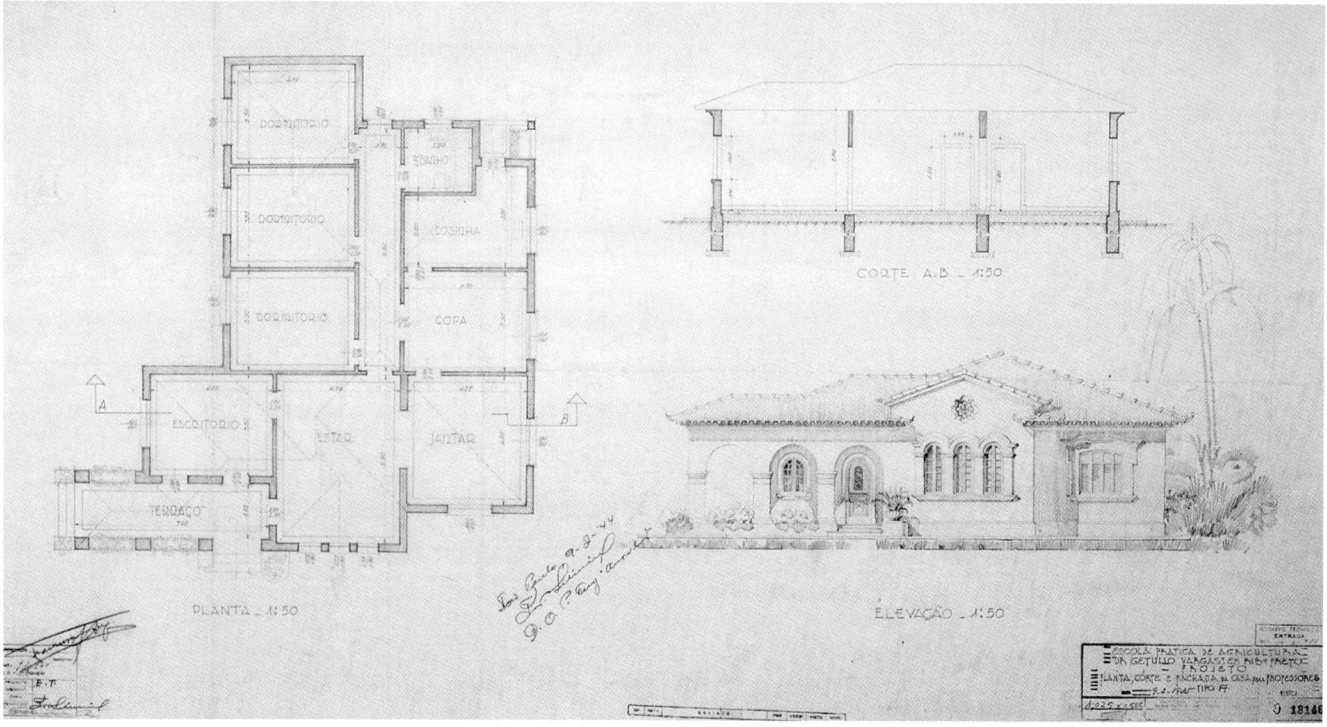

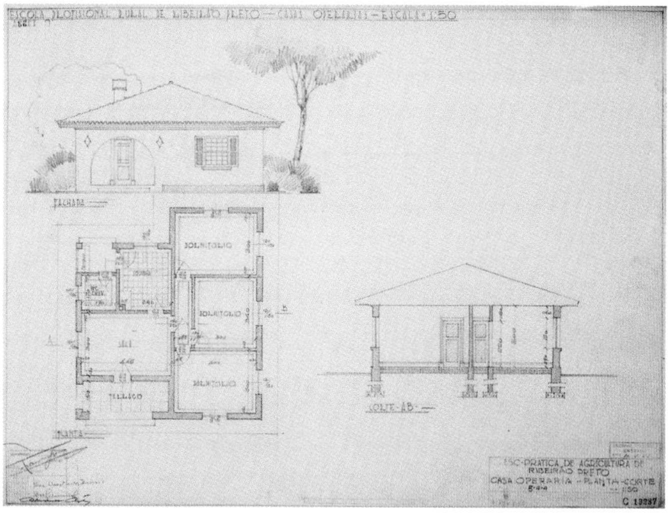

IDENTIFICAÇÃO

Residências.

ENDEREÇO

Avenida dos Bandeirantes, 3900, Monte Alegre, Ribeirão Preto, SP.

UNIDADE

Prefeitura do *Campus* Administrativo de Ribeirão Preto (PCARP).

AUTOR DO PROJETO

Arq. Hernani do Val Penteado – Departamento de Obras Públicas do Estado de São Paulo (DOP).

DATA

1943 -1944.

USO

Moradia para professores e funcionários, e casa de hóspedes.

INFORMAÇÕES

As diversas casas, construídas para abrigar professores e funcionários que trabalhassem na estrutura produtiva da antiga Escola Prática de Agricultura Getúlio Vargas, foram reformadas pela prefeitura do *campus* de Ribeirão Preto e algumas ainda são oferecidas como moradia para professores, funcionários do *campus* e eventuais hóspedes. As casas, que se repetem segundo modelos de maior ou menor ornamentação – em função da posição hierárquica que seu morador ocuparia na estrutura da antiga escola –, têm em sua composição uma versão híbrida de um neocolonial simplificado misturado a alguns elementos do "estilo missões".

Exemplos de algumas das diversas casas do campus.

Moradia estudantil – Bloco A • São Carlos

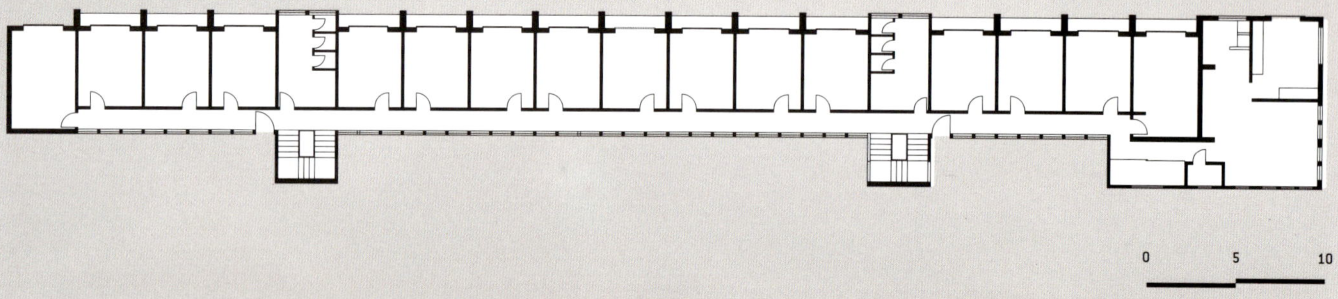

Identificação

Moradia Estudantil – bloco A.

Endereço

Avenida Trabalhador São Carlense, 400, Centro,
São Carlos, SP.

Unidade

Prefeitura do *Campus* Administrativo de São Carlos (PCASC).

Autor do projeto

Miguel Estamato.

Data

1963.

Uso

Moradia para alunos.

Informações

O *campus* de São Carlos possui quatro blocos de alojamento (A, B, C e D), disponibilizando 194 vagas para estudantes. O bloco A, de dois pavimentos e tijolo de barro aparente, dispõe de setenta vagas distribuídas em 32 quartos com sacada, quatro banheiros, uma cozinha comunitária, área de serviço, área de convivência, depósito e bicicletário, totalizando 895 m² de área útil. É o alojamento mais antigo do *campus*, implantado na sua principal área de convivência, junto à praça e restaurante central.

Moradia estudantil – Bloco D • São Carlos

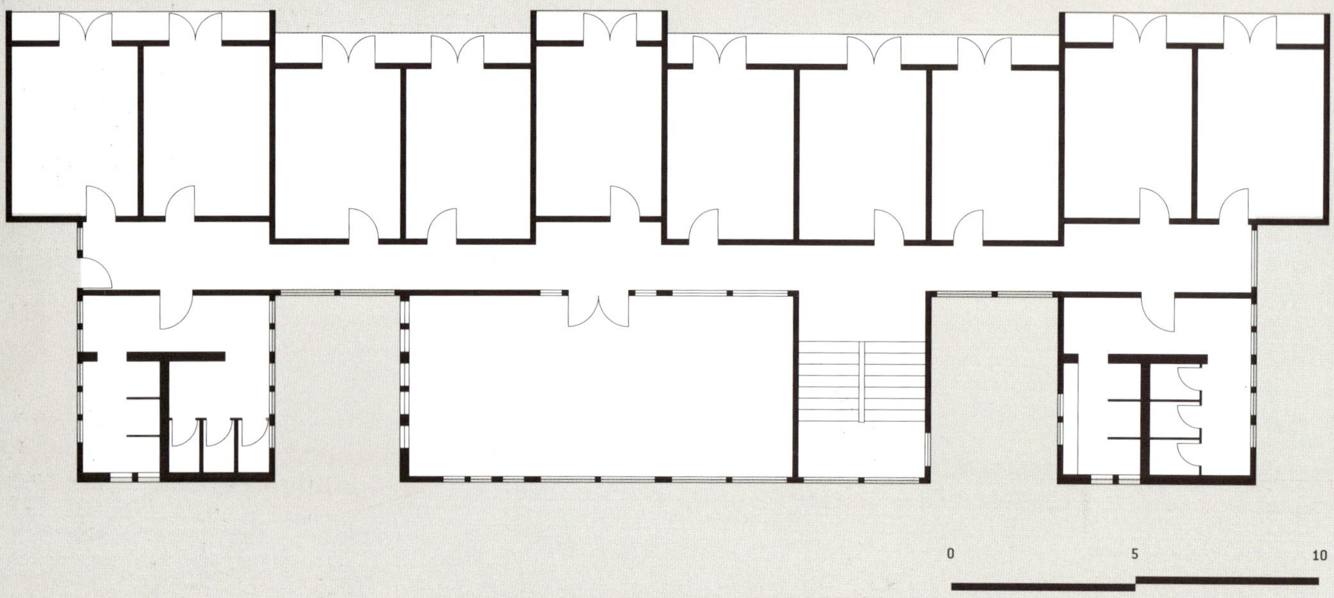

Identificação

Moradia Estudantil – bloco D.

Endereço

Avenida Trabalhador São Carlense, 400, Centro,
São Carlos, SP.

Unidade

Prefeitura do *Campus* Administrativo de São Carlos (PCASC).

Autor do projeto

Arq. Sonia Lucia Medeiros da Silva Costardi.

Data

1995.

Uso

Moradia para alunos.

Informações

O bloco D, de três pavimentos, foi projetado para abrigar sessenta estudantes. Com estrutura em concreto aparente, vedação em tijolo de barro aparente e área útil de cerca de 1 150 m^2, possui trinta quartos com varanda, seis banheiros, sala de estudos, cozinha, área de serviço, área de convivência e solário. É o alojamento mais recente do *campus*, apelidado de "novíssimo". Está implantado na área norte do *campus*, junto aos blocos de moradia estudantil B e C, próximo ao campo de futebol.

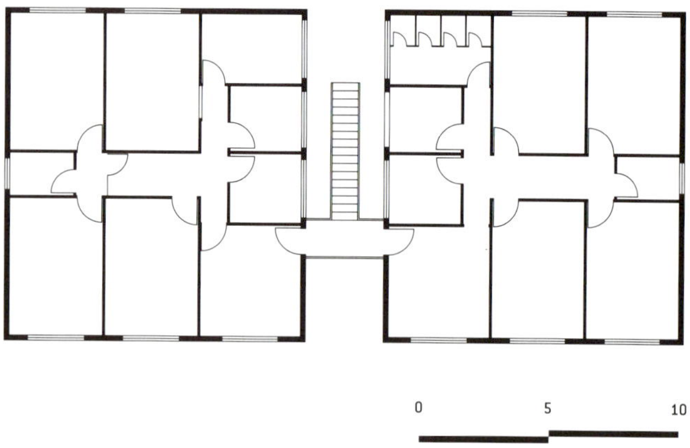

Identificação

Conjunto Residencial Estudantil da PCAB.

Endereço

Alameda Dr. Octávio Pinheiro Brisolla, 9-75, Bauru, SP.

Unidade

Prefeitura do *Campus* Administrativo de Bauru (PCAB).

Autor do projeto

Eng. Nivaldo Pregnolato Pinto Nogueira.

Data

1988.

Uso

Moradia para alunos.

Informações

Com estrutura em concreto armado, vedação em alvenaria de tijolos e cobertura de telhas de barro, o Conjunto Residencial da USP em Bauru é composto por dois blocos de alojamentos de dois pavimentos, com 24 quartos, que abrigam 72 estudantes.

Residências • Pirassununga

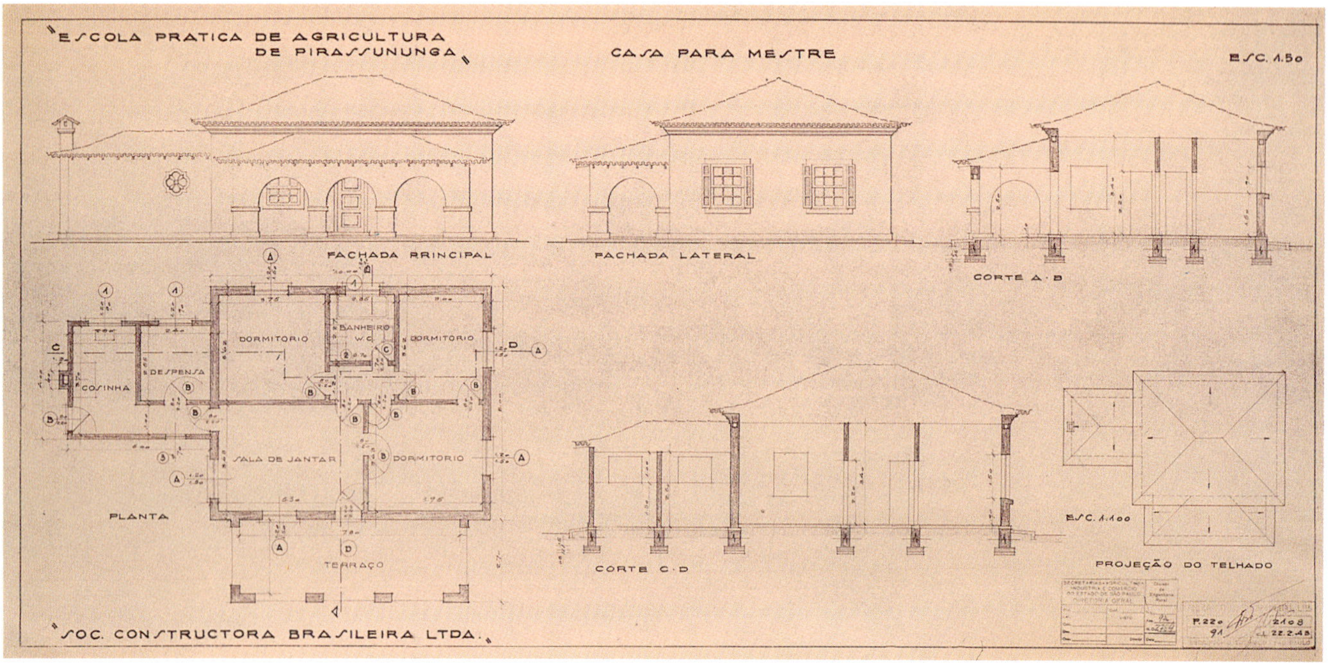

Identificação

Residências.

Endereço

Avenida Duque de Caxias Norte, 225, Pirassununga, SP.

Unidade

Prefeitura do *Campus* Administrativo de Pirassununga (PCAPS).

Autor do projeto

Divisão de Engenharia Rural da Secretaria de Agricultura, Indústria e Comércio do Estado de São Paulo.

Data

1943-1944.

Uso

Moradia para professores, funcionários, prefeito do *campus*, alunos e residentes, e casa de hóspedes.

Informações

Diversas casas foram construídas para abrigar professores e funcionários que trabalhassem na estrutura produtiva da fazenda da antiga Escola Prática de Agricultura Fernando Costa. Hoje, sob a coordenação da prefeitura do *campus* de Pirassununga, elas abrigam professores e funcionários do *campus*, estudantes de pós-graduação, residentes do Hospital Veterinário, pesquisadores e hóspedes eventuais. Quanto aos aspectos arquitetônicos, as casas foram reproduzidas a partir de padrões definidos, mantendo uma certa hierarquia, que muitas vezes se manifesta na ornamentação das fachadas. Nesse sentido, a antiga residência do diretor da escola, hoje residência do prefeito, talvez seja o único modelo que não se repita.

Exemplos de algumas das diversas casas do campus.

"ESCOLA PRATICA DE AGRICULTURA DE PIRASSUNUNGA"
RESIDENCIA DO DIRETOR – FACHADA PRINCIPAL
ESCALA: 1:20
"SOC. CONSTRUCTORA BRASILEIRA LTDA"

Referências Bibliográficas

Arruda, Maria Arminda do Nascimento. *Metrópole e Cultura: São Paulo no Meio Século XX*. Bauru, Edusc, 2001.

Campos, Ernesto de Souza. *Cidade Universitária da Universidade de São Paulo: Aspectos Gerais do Planejamento e Execução*. São Paulo, Comissão da Cidade Universitária da Universidade de São Paulo, 1954.

_____. *História da Universidade de São Paulo*. São Paulo, Saraiva, 1954.

Centrinho / USP Especial. Bauru, 2002.

Condephaat. Processo n. 23055/84. São Paulo (Tombamento do *campus* Luiz de Queiroz).

Condephaat. Processo n. 24699/86. São Paulo, 1986 (Tombamento do *campus* da USP em Ribeirão Preto).

Coordenadoria do Espaço Físico da USP (Coesf). *Relatório Técnico do Plano Diretor Físico da CUASO – 2001*. São Paulo, 2001.

Duarte, Hélio. *Roteiro de Replanejamento da Cidade Universitária Armando de Salles Oliveira*. São Paulo, 1956.

"Escola Prática de Agricultura Dr. Paulo de Lima Corrêa, Guaratinguetá". *Acrópole*, n. 85, pp. 1-7, maio 1945.

"Escola Prática de Agricultura Fernando Costa". *Acrópole*, n. 80, pp. 245-52, dez. 1944.

"Escola Prática de Agricultura Fernando Costa, Pirassununga". *Acrópole*, n. 75, p. 91, jul. 1944.

"Escola Prática de Agricultura Getulio Vargas em Ribeirão Preto". *Acrópole*, n. 70, pp. 288-291, fev. 1944.

Foreti, Eugênio. "50 Anos de EESC". *Jornal da USP*, ano XVIII, n. 642, 19 a 25 de maio de 2003.

Fundo de Construção da Universidade de São Paulo (Fundusp). *Sistemas Coordenados para Projeto e Construção Universitária*. São Paulo, 1977.

Governo do Estado de São Paulo, Secretaria de Agricultura e Abastecimento. *Centenário da Escola Superior de Agricultura Luiz de Queiroz – ESALQ – USP*. São Paulo, 2001.

Katinsky, Julio Roberto. *Relatório Elaborado para a Comissão de Patrimônio Cultural sobre Visita ao* Campus *de Ribeirão Preto*. São Paulo, 2003.

Lanna, Ana Lucia Duarte (coord.). *Meio Ambiente: Patrimônio Cultural da USP*. São Paulo, Edusp/Imesp/CPC, 2003.

Leão, Izabel. "A Pedagogia dos Bichos". *Jornal da USP*, ano xvii, n. 590, 25 a 31 de março de 2002.

_____. "Bom para quem trabalha no campo". *Jornal da USP*, ano xvii, n. 593, 15 a 21 de abril de 2002.

_____. "Sobra espaço para expansão". *Jornal da USP*, ano xvii, n. 588, 11 a 17 de março de 2002.

Lourenço, Maria Cecília França *et al*. *Bens Imóveis Tombados ou em Processo de Tombamento da USP*. São Paulo, Edusp/Imesp, 1999.

Macedo, Adilson C. *Idéias Preliminares para o Projeto Urbano da Cidade Universitária Armando de Salles Oliveira*. São Paulo, FAU-USP, 1987 (tese de doutoramento).

Mattos, Maria Regina Pontim de. *Monografia sobre a Antiga Sede da Fazenda Monte Alegre em Ribeirão Preto*. São Paulo, FAU-USP, 1981.

Moraes, Maria Augusta de Sant'Ana. "História da Faculdade de Medicina de Ribeirão Preto". http://www.fmrp.usp.br.

Prefeitura do *Campus* Administrativo de São Carlos. Divisão de Obras e Infra-estrutura. *Levantamento das Áreas Físicas dos Edifícios*. São Carlos, 2003.

Pró-reitoria de Cultura e Extensão Universitária. *CDCC USP*. São Carlos, 2002.

Rajczuk, Leandra. "Os Segredos Escondidos na Célula". *Jornal da USP*, ano xv, n. 533, 4 a 10 de dezembro de 2000.

"Realizações da Divisão de Engenharia Rural da Secretaria de Agricultura de São Paulo". *Acrópole*, n. 73, pp. 6-8, maio 1944.

Ribeiro, Luís e Talamone, Rosemeire. "Novo Curso de Música Abre Horizontes". *Jornal da USP*, ano xvi, n. 562, 13 a 19 de agosto de 2001.

Ritter, Marcelino. *Fernando Costa na Interventoria do Estado de São Paulo*. São Paulo, Tipografia das Flores, 1943.

Rodrigues, Luiz Augusto Fernandes. *Universidade e Fantasia Moderna: A Falácia de um Modelo Espacial Único*. Niterói, Editora da Universidade Federal Fluminense, 2001.

Rosa, Maria da Glória de. *História do Ensino Agrícola no Brasil República*. Marília, Unesp, 1980.

Santos, Maria Cecília Loschiavo dos. *USP:* Alma Mater *Paulista*. São Paulo, Edusp, 1997.

Santos, Silvia de Almeida Ferreira. *Estudo da Casa do Administrador da Fazenda Monte Alegre, Ribeirão Preto*. São Paulo, FAU-USP, 1980.

"Sede da Associação Agropecuária do Vale do Mogi-Guassú em Pirassununga". *Acrópole*, n. 87, pp. 63-70, jul 1945.

Simões, José R. Leme. *Arquitetura na Cidade Universitária "Armando de Salles Oliveira"; O Espaço Construído*. São Paulo, FAU-USP, 1984 (dissertação de mestrado).

Talamone, Rosemeire. "Entre os Melhores do País". *Jornal da USP*, ano xvii, n. 603, 1 a 7 de julho de 2002.

Trsic, Milan. "Novo *campus* da USP em São Carlos". *Jornal da USP*, ano XV, n. 590, 25 a 31 de março de 2002.

Universidade de São Paulo. *Esalq 100 Anos – Um Olhar entre o Passado e o Futuro*. São Paulo, Prêmio, 2001.

_____. Escola Superior de Agricultura "Luiz de Queiroz". *Esalq: 75 Anos a Serviço da Pátria*. Piracicaba, Franciscana, 1976.

_____. Escola Superior de Agricultura "Luiz de Queiroz". Divisão de Infraestrutura. *Cadastro de Área Construída*. Piracicaba,1998.

_____. *O Espaço da USP: Presente e Futuro*. São Paulo, Prefeitura da Cidade Universitária Armando Salles de Oliveira, 1985.

_____. *Relatório Técnico do Plano Diretor da Cuaso*. São Paulo, 2001.

Xavier, Alberto; Lemos, Carlos A. C. e Corona, Eduardo. *Arquitetura Moderna Paulistana*. São Paulo, Pini, 1983.

Decreto n. 6283 de 25.1.1934.
Decreto n. 12742 de 3.6.1942.
Lei Estadual n. 2029 de 24.12.1952.
Portaria GR n. 1696 de 3.2.1972.
Portaria GR 1821 de 25.6.1985.
Resolução reitoral n. 3588 de 17.10.1989.

Acervos

Biblioteca da Faculdade de Arquitetura e Urbanismo da USP.
Castro Mello Arquitetos.
Centro de Ciências, Educação e Artes Luiz de Queiroz / Esalq.
Centro de Preservação Cultural da USP (CPC).
Companhia Paulista de Serviços e Obras (CPOS).
Conselho de Defesa do Patrimônio Histórico, Arqueológico, Artístico e Turístico do Estado de São Paulo (Condephaat).
Coordenadoria da Comunicação Social (CCS) / Divisão de Informação, Documentação e Serviços Online (DVIDSON) / ARGUS Documentação Fotográfica.
Coordenadoria do Espaço Físico da USP (Coesf).
Prefeitura do Campus Administrativo de Bauru (PCAB) / Divisão de Infra-estrutura.
Prefeitura do Campus Administrativo de Pirassununga (PCAPS).
Prefeitura do Campus Administrativo de Ribeirão Preto (PCARP).
Prefeitura do Campus Administrativo de São Carlos (PCASC) / Divisão de Obras e Infra-estrutura.
Prefeitura do Campus da Capital (PCO).
Prefeitura do Campus Luiz de Queiroz (PCLQ) / Divisão de Infra-estrutura.
Secretaria de Estado da Agricultura e Abastecimento – Núcleo de Engenharia.

Internet

http://ctc.fmrp.usp.br
http://dfn.if.usp.br
http://genoma.ib.usp.br
http://pegasus.fmrp.usp.br
http://sistemas.usp.br/anuario
http://www.arcoweb.com.br/debate/debate3.asp
http://www.bcq.usp.br
http://www.bcrp.pcarp.usp.br
http://www.cdcc.sc.usp.br
http://www.centrinho.usp.br
http://www.cepe.usp.br
http://www.cepea.esalq.usp.br
http://www.cidade.usp.br/redemoinhos/0303/analise.php
http:// www.cisc.usp.br
http://www.ee.usp.br
http://www.eesc.usp.br
http://www.esalq.usp.br
http://www.geografia.fflch.usp.br
http://www.fflch.usp.br
http://www.fmrp.usp.br
http://www.fob.usp.br
http://www.forp.usp.br
http://www.funcraf.org.br
http://www.iee.usp.br
http://www.if.usp.br
http://www.iqsc.usp.br
http://www.hu.usp.br
http://www.pcab.usp.br
http://www.pcarp.usp.br
http://www.pcasc.usp.br
http://www.pclq.usp.br
http://www.poli.usp.br
http://www.sc.usp.br
http://www.usp.br
http://www.usp.br/coseas
http://www.usp.br/fmvz
http://www.usp.br/fzea
http://www.usp.br/pcaps
http://www.usp.br/pco

Siglas

Anep – Associação Nacional de Empresas de Pesquisa
ANJ – Associação Nacional de Jornais
ANPUH – Associação Nacional de Professores Universitários de História
Apae – Associação de Pais e Amigos dos Excepcionais
Apeoesp – Associação dos Professores do Ensino Oficial do Estado de São Paulo
BID – Banco Interamericano de Desenvolvimento
Capes – Coordenação e Aperfeiçoamento de Pessoal de Nível Superior
CCE – Centro de Computação Eletrônica
CCS – Coordenadoria de Comunicação Social
CCSP – Centro Cultural São Paulo
CCU – Comissão da Cidade Universitária
CDCC – Centro de Divulgação Científica e Cultural
CDHU – Companhia de Desenvolvimento Habitacional e Urbano do Estado de São Paulo
Cebimar – Centro de Biologia Marinha
Cecae – Coordenadoria Executiva de Cooperação Universitária e de Atividades Especiais
Cena – Centro de Energia Nuclear na Agricultura
Cepa - Comissão de Estudos de Problemas Ambientais
CEU – Casa do Estudante Universitário Prof. José Benedito Camargo
Ceuma – Centro Universitário Maria Antonia
CFPD – Curso para Formação de Professores de Desenho
Ciagri – Centro de Informática do Campus Luiz de Queiroz
Ciam – Congresso Internacional de Arquitetura Moderna
Cinusp – Cinema da USP
Cizip – Centro Intra-Unidade de Zootecnia e Indústrias Pecuárias
CNPq – Conselho Nacional de Desenvolvimento Científico e Tecnológico
Coesf – Coordenadoria do Espaço Físico
Condephaat – Conselho de Defesa do Patrimônio Histórico, Arqueológico, Artístico e Turístico do Estado de São Paulo
CPC – Centro de Preservação Cultural
CPOS – Companhia Paulista de Obras e Serviços
CREU – Conjunto Residencial dos Estudantes da USP
Crusp – Conjunto Residencial da USP
Cuaso – Cidade Universitária Armando de Salles Oliveira
ECA – Escola de Comunicações e Artes
Edusp – Editora da Universidade de São Paulo
EE – Escola de Enfermagem
EERP – Escola de Enfermagem de Ribeirão Preto
EESC – Escola de Engenharia de São Carlos
EP – Escola Politécnica
Esalq – Escola Superior de Agricultura Luiz de Queiroz
Faap – Fundação Armando Álvares Penteado
Fapesp – Fundação de Amparo à Pesquisa do Estado de São Paulo
FAU – Faculdade de Arquitetura e Urbanismo
FCF – Faculdade de Ciências Farmacêuticas
FCFRP – Faculdade de Ciências Farmacêuticas de Ribeirão Preto
FD – Faculdade de Direito
FE – Faculdade de Educação
FEA – Faculdade de Economia, Administração e Contabilidade
FEARP – Faculdade de Economia, Administração e Contabilidade de Ribeirão Preto
FFCL – Faculdade de Filosofia, Ciências e Letras
FFCLRP – Faculdade de Filosofia, Ciências e Letras de Ribeirão Preto
FFLCH – Faculdade de Filosofia, Letras e Ciências Humanas
FM – Faculdade de Medicina
FMRP – Faculdade de Medicina de Ribeirão Preto
FMVZ – Faculdade de Medicina Veterinária e Zootecnia
FO – Faculdade de Odontologia
FOB – Faculdade de Odontologia de Bauru
FORP – Faculdade de Odontologia de Ribeirão Preto
FPSL – Faculdade de Philosofia, Sciencias e Letras
FSP – Faculdade de Saúde Pública
Funap – Fundação de Assistência aos Presidiários
Funcraf – Fundação para o Estudo e Tratamento das Deformidades Crânio-Faciais
Fundusp – Fundo de Construção da Universidade de São Paulo
FUPAM – Fundação para a Pesquisa Ambiental
FZEA – Faculdade de Zootecnia e Engenharia de Alimentos
GESAC – Governo Eletrônico – Serviço de Atendimento ao Cidadão
HC – Hospital das Clínicas
HCFMRP – Hospital das Clínicas da Faculdade de Medicina de Ribeirão Preto
HRAC – Hospital de Reabilitação de Anomalias Craniofaciais
HU – Hospital Universitário
IAG – Instituto de Astronomia, Geofísica e Ciências Atmosféricas
IB – Instituto de Biociências
ICB – Instituto de Ciências Biomédicas
ICMC – Instituto de Ciências Matemáticas e de Computação
IEA – Instituto de Estudos Avançados
IEB – Instituto de Estudos Brasileiros
IEE – Instituto de Eletrotécnica e Energia
IF – Instituto de Física
IFSC – Instituto de Física de São Carlos
IGc – Instituto de Geociências
IME – Instituto de Matemática e Estatística
Imesp – Imprensa Oficial do Estado
IO – Instituto Oceanográfico
IOF – Instituto Oscar Freire
IP – Instituto de Psicologia
Ipen – Instituto de Pesquisas Energéticas e Nucleares
Iphan – Instituto do Patrimônio Histórico e Artístico Nacional
IPP – Instituto do Professor Primário
IPT – Instituto de Pesquisas Tecnológicas
IQ– Instituto de Química
IQSC – Instituto de Química de São Carlos
ITI – Instituto Nacional de Tecnologia da Informação
Larc – Laboratório de Arquitetura e Redes de Computadores
LSI – Laboratório de Sistemas Integrados
MAC – Museu de Arte Contemporânea
MAE – Museu de Arqueologia e Etnologia
MAM – Museu de Arte Moderna
MAMRJ – Museu de Arte Moderna do Rio de Janeiro
Masp – Museu de Arte de São Paulo
MEC – Ministério da Educação e da Cultura
MinC – Ministério da Cultura
MIS – Museu da Imagem e do Som
MIT – Massachussetts Institute of Technology
MP – Museu Paulista
MZ – Museu de Zoologia
NAU – Núcleo de Estudos Avançados
OAB – Ordem dos Advogados do Brasil
ONU – Organização das Nações Unidas
ORDeM – Observatório de Redes Digitais e Midiáticas
Osusp – Orquestra Sinfônica da USP
PCAB – Prefeitura do *Campus* Administrativo de Bauru
PCAPS – Prefeitura do *Campus* Administrativo de Pirassununga
PCARP – Prefeitura do *Campus* Administrativo de Ribeirão Preto
PCASC – Prefeitura do *Campus* Administrativo de São Carlos
PCLQ – Prefeitura do *Campus* Luiz de Queiroz
PCO – Prefeitura do *Campus* da Capital
PD – Partido Democrático
Pibic – Programa Institucional de Bolsas de Iniciação Científica
PRCEU – Pró-Reitoria de Cultura e Extensão Universitária
Procam – Programa de Pós-Graduação em Ciência Ambiental
RDIDP – Regime de Dedicação Integral à Docência e à Pesquisa
RTC – Regimento de Turno Completo
RUSP – Reitoria da Universidade de São Paulo
SADP – Serviço de Aproximação Docente e Profissional
Sesc – Serviço Social do Comércio
Sibi – Sistema Integrado de Bibliotecas
Svoi – Serviço de Verificação de Óbitos do Interior
Tusp – Teatro da USP
Ubas – Unidade Básica de Atendimento à Saúde
UFPR – Universidade Federal do Paraná
Ufscar – Universidade Federal de São Carlos
UNE – União Nacional dos Estudantes
Unesp – Universidade Estadual Paulista
Unifesp – Universidade Federal de São Paulo
USP – Universidade de São Paulo

Créditos das imagens

Todas as fotos desta publicação pertencem ao Acervo do Centro de Preservação Cultural da USP e são de autoria de Ângela Garcia, exceto:

7 Vista aérea da Cidade Universitária Armando de Salles Oliveira. Foto de Oswaldo José dos Santos, 6.1.1985. Acervo USP/CCS/DVIDSON/ARGUS Documentação.

14 Pedra Fundamental encravada no Largo São Francisco. Foto de Rômulo Fialdini.

16 Sala da congregação – FD-USP. Foto de Rômulo Fialdini.

17 Faculdade de Direito do Largo São Francisco. Óleo sobre madeira, Adrien Henri Van Emelen. Acervo da FD-USP.

19 Faculdade de Direito após Reforma. Acervo da FD-USP.

20 Estandarte Vermelho. Gabinete da Diretoria. Foto de Rômulo Fialdini.

43 Plano Geral da Cidade Universitária (projeto; outubro 1945). Arquivo da EP-USP.

53 *Estudo n.º 4*. Projeto do Escriptorio Techinico do Plano da Universidade (1937). Ernesto de Souza Campos. *Estudos sobre o Problema Universitário*. São Paulo, Empreza Graphica da Revista dos Tribunais, 1938.

54 Plano Geral da Cidade Universitária (esboço) e Detalhe da implantação no terreno. Edifício do Collegio Universitario e Museu de Historia Natural, da FPSL (projeto). Solução Butantan do Escriptorio Techinico do Plano da Universidade (1937). Prefeitura da Cuaso. *O Espaço da USP: Presente e Futuro*. São Paulo, Prefeitura da Cuaso/Imprensa Oficial, 1985.

55 *Accuratus*. Projeto vencedor do concurso público para o plano da Cidade Universitária. Ernesto de Souza Campos. *Universidades: Cidades Universitárias*. São Paulo, Imprensa da Universidade, 1945.

57 Plano Geral da Cidade Universitária (1954). *Setor Esportivo*, Ícaro de Castro Mello (detalhe/maquete). *Casa do Estudante*, Rino Levy e Roberto Cerqueira César (detalhe/maquete). *Escola Politécnica*, José M. Silva Neves (detalhe/maquete). Ernesto de Souza Campos. *Cidade Universitária da Universidade de São Paulo: Aspectos Gerais do Planejamento e Execução*. São Paulo, Comissão da Cidade Universitária USP, 1954. Arquivo da EP-USP (foto do projeto de Silva Neves).

128 *Campus* da capital. Foto de Oswaldo José dos Santos, 6.1.1985. Acervo USP/CCS/DVIDSON/ARGUS Documentação.
Campus de Piracicaba. Acervo da Esalq-USP.
Campus de São Carlos. Acervo da PCASC-USP.
Campus de Bauru. Acervo da FOB-USP.

132 Faculdade de Direito. Acervo USP/CCS/DVIDSON/ARGUS Documentação.

133 Capa do Anuário da Faculdade de Filosofia, Ciências e Letras (1934-1935). *Empresa Gráfica dos Tribunais*. São Paulo, 1937.

133 Vista aérea da Faculdade de Medicina Acervo do Serviço de Documentação Científica da FM-USP.

134 Vista aérea do conjunto residencial, com o edifício da Antiga Reitoria ao fundo. Acervo da Coesf-USP.

134 Vista aérea da Cidade Universitária Armando de Salles Oliveira. Foto de Francisco Emolo. Acervo USP/CCS/DVIDSON/ARGUS Documentação.

135 Casa de Dona Yayá. Acervo do CPC-USP.

136 Vista aérea do conjunto residencial. No primeiro plano, Conjunto das Químicas. Acervo USP/CCS/DVIDSON/ARGUS Documentação.

136 Vista aérea do conjunto residencial. Foto de José Alberto Pereira. Acervo USP/CCS/DVIDSON/ARGUS Documentação.

137 Vista aérea da Faculdade de Medicina de Ribeirão Preto. Acervo da FMRP-USP.

139 Foto aérea da Cidade Universitária Armando de Salles Oliveira. BASE Aerofotogrametria e Projetos S.A.

140 Maquete eletrônica da USP Leste. Acervo da Coesf-USP.

141 Propostas de ocupação para a Cidade Universitária. Anos: 1947, 1949 e 1952. Acervo da Coesf-USP.

141 Plano Diretor de Hélio Duarte (1956). Hélio de Queiroz Duarte. *Roteiro do Replanejamento da Cidade Universitária Armando de Salles Oliveira*. São Paulo, 1956.

142 Instituto do Professor Primário – IPP. (Vista aérea tomada a partir do bloco A). Acervo do Centro de Memória da Educação FE-USP.

142 Obras do sistema viário de acesso à Reitoria e ao Conjunto Residencial. Acervo da Coesf-USP.

143 Faculdade de Direito. Foto de Jorge Maruta, 10.5.1994. Agência USP. Acervo USP/CCS/DVIDSON/ARGUS Documentação.

144 Pavilhão de Alta-Tensão. IEE-USP. Acervo USP/CCS/DVIDSON/ARGUS Documentação.

145 Vista aérea da Cidade Universitária Armando de Salles Oliveira. Foto de Oswaldo José dos Santos, 6.1.1985. Acervo USP/CCS/DVIDSON/ARGUS Documentação.

146 Vista aérea da Cidade Universitária Armando de Salles Oliveira. No primeiro plano, Escola Politécnica. Foto de Jorge Maruta. Acervo USP/CCS/DVIDSON/ARGUS Documentação.

146 Vista aérea da Cidade Universitária Armando de Salles Oliveira. No primeiro plano, Faculdade de Economia, Administração e Contabilidade. Acervo USP/CCS/DVIDSON/ARGUS Documentação.

147 Maquete eletrônica do futuro Centro de Convenções. Arquivo de Paulo Bruna Arquitetos Associados.

149 Foto aérea do *campus* de Piracicaba. BASE Aerofotogrametria e Projetos S.A.

150 Planta do Parque da Esalq, Piracicaba. Acervo da CPOS.

150 Imagem antiga do *campus* de Piracicaba. Acervo da Esalq-USP.

151 Desenho do Pavilhão de Química. Acervo da CPOS.

152 Imagens antigas do *campus* de Piracicaba. Acervo da Esalq-USP.

153 Desenho do Pavilhão de Horticultura. Acervo da Secretaria de Estado de Agricultura e Abastecimento – Núcleo de Engenharia.

156 Desenho do pórtico de entrada do *campus* da Ribeirão Preto. Acervo da CPOS.

157 Foto aérea do *campus* da Ribeirão Preto. BASE Aerofotogrametria e Projetos S.A.

158 Implantação da Escola Prática de Agricultura Getúlio Vargas. Acervo da CPOS.

162/163 Desenho do antigo Pavilhão das Indústrias Agrícolas e da antiga casa do diretor. Acervo da CPOS.

165 Foto aérea do *campus* 1 de São Carlos. BASE Aerofotogrametria e Projetos S.A.

168 Bloco E-1 em construção. Acervo da PCASC-USP.

170 Foto aérea do *campus* 2 de São Carlos. BASE Aerofotogrametria e Projetos S.A.

173 Vista aérea do *campus* de Bauru. Acervo da PCAB-USP.

176 Mapa de implantação do *campus* de Bauru. Acervo da Coesf-USP.

176 FOB em construção (1971). Acervo da FOB-USP.

179 Foto aérea do *campus* de Pirassununga. BASE Aerofotogrametria e Projetos S.A.

182 Desenhos da cavalariça (1943) e do antigo Pavilhão das Indústrias Agrícolas (1944), Pirassununga. Acervo da Secretaria de Estado de Agricultura e Abastecimento – Núcleo de Engenharia.

186 Auditório. Acervo USP/CCS/DVIDSON/ARGUS Documentação.

192 Vista aérea do Biênio. Acervo USP/CCS/DVIDSON/ARGUS Documentação.

194 Planta do Anfiteatro Camargo Guarnieri. Acervo da Coesf-USP.

194 Vista do Anfiteatro Camargo Guarnieri. Ao fundo: Bloco A do CRUSP. Foto de Oswaldo José dos Santos. Acervo USP/CCS/DVIDSON/ARGUS Documentação.

199 Vista aérea do Biênio. Acervo USP/CCS/DVIDSON/ARGUS Documentação.

200 Desenhos do Clube de Campo, Pirassununga (194[illegible]). Acervo da Secretaria de Estado de Agricultura e Abastecimento – Núcleo de Engenharia.

216 Anteprojeto da Biblioteca Central, Ribeirão Preto. Acervo da Coesf-USP.

232 Vista aérea do edifício Pelletron. Foto de Oswaldo José dos Santos. Acervo USP/CCS/DVIDSON/ARGUS Documentação.

252 Desenhos da Usina de Laticínios, Pirassununga (1943). Acervo da Secretaria de Estado de Agricultura e Abastecimento – Núcleo de Engenharia.

260 Vista aérea do complexo das Clínicas. Acervo do Serviço de Documentação Científica da FM-USP.

264 Instituto Oceanográfico. Foto de Francisco Emolo, 5.3.1997. Acervo USP/CCS/DVIDSON/ARGUS Documentação.

270 Desenhos do Pavilhão de Engenharia Rural, Piracicaba. Acervo da Secretaria de Estado de Agricultura e Abastecimento – Núcleo de Engenharia.

272/273 Desenhos do Pavilhão de Química, Piracicaba. Acervo da CPOS.

279 Instituto de Geociências. Foto de Jorge Maruta, 18.3.1997. Acervo USP/CCS/DVIDSON/ARGUS Documentação.

284 Desenho do Bloco E-1, São Carlos. Acervo da PCASC-USP.

286/287 Maquete eletrônica do projeto para o Departamento de Engenharia Ambiental, São Carlos. Acervo da Coesf-USP.

296 Desenhos do Edifício Central, Pirassununga (1942). Acervo da Secretaria de Estado de Agricultura e Abastecimento – Núcleo de Engenharia.

302 Desenhos do Estádio Olímpico, São Paulo. Acervo de Castro Mello Arquitetos Associados.

308/309 Desenhos do Ginásio de Esportes, Ribeirão Preto (1944). Acervo da CPOS.

314 Desenho do Ginásio de Esportes, Bauru. Acervo da Coesf-USP.

[illegible] Desenhos do Ginásio de Esportes, Pirassununga (1944). Acervo da Secretaria de Estado de Agricultura e Abastecimento – Núcleo de Engenharia

322 Hospital Universitário, São Paulo. Foto de Francisco Emolo, 1997. Acervo USP/CCS/DVIDSON/ARGUS Documentação.

334 Desenhos do Pavilhão de Veterinária (1944), atual Hospital Veterinário, Pirassununga. Acervo da Secretaria de Estado de Agricultura e Abastecimento – Núcleo de Engenharia.

338 Desenhos do Conjunto Residencial da USP, São Paulo. Acervo da Coesf-USP.

339 Bloco A do Conjunto Residencial da USP, São Paulo (antes da reforma). Foto de Oswaldo José dos Santos, 15.2.1991. Acervo USP/CCS/DVIDSON/ARGUS Documentação.

343 Casa do Estudante Universitário, Piracicaba. Acervo USP/CCS/DVIDSON/ARGUS Documentação.

346 Desenhos de Residências, Ribeirão Preto. Acervo da CPOS.

354/355 Desenhos de Residências, Pirassununga (1943-1944). Acervo da Secretaria de Estado de Agricultura e Abastecimento – Núcleo de Engenharia.

Título	CIDADES UNIVERSITÁRIAS: PATRIMÔNIO URBANÍSTICO E ARQUITETÔNICO DA USP
Projeto gráfico e editoração eletrônica	Homem de Melo & Troia Design
Fotos	Angela Garcia (salvo onde especificado)
Desenhos	Ingá Arquitetura e Urbanismo
Revisão de textos e de provas	M. Cristina P. da C. Marques
Divulgação	Regina Brandão Bárbara Borges
Secretaria editorial	Eliane dos Santos
Formato	23 x 26 cm
Tipologia	Walbaum
Papel	Cartão Supremo 250g/m^2 Couché Fosco 120g/m^2
Número de páginas	360
Tiragem	2 000
Digitalização de imagens	Gráfica Águia
Fotolito, impressão e acabamento	imprensaoficial